令和6年版教科書対応

板書で見る全単元の授業のすべて 国語 小学校4年 下

中村和弘 監修
成家雅史・廣瀬修也 編著

東洋館出版社

まえがき

令和２年に全面実施となった小学校の学習指導要領では、これからの時代に求められる資質・能力や教育内容が示されました。

この改訂を受け、これからの国語科では、

・言語活動を通して「言葉による見方・考え方」を働かせながら学習に取り組むことができるようにする。

・単元の目標／評価を、〔知識及び技能〕と〔思考力、判断力、表現力等〕のそれぞれの指導事項を結び付けて設定し、それらの資質・能力が確実に身に付くよう学習過程を工夫する。

・「主体的・対話的で深い学び」の視点から、単元の構成や教材の扱い、言語活動の設定などを工夫する授業改善を行う。

などのことが求められています。

一方で、こうした授業が全国の教室で実現するには、いくつかの難しさを抱えているように思います。例えば、言語活動が重視されるあまり、「国語科の授業で肝心なのは、言葉や言葉の使い方などを学ぶことである」という共通認識が薄れているように感じています。

あるいは、活動には取り組めているけれども、「今日の学習で、どのような言葉の力が付いたのか」が、子供たちだけでなく教師においても、ややもすると自覚的でない授業を見ることもあります。

国語科の授業を通して「どんな力が付けばよいのか」「何を教えればよいのか」という肝心な部分で、困っている先生方が多いのではないかと思います。

＊　＊

さて、『板書で見る全単元の授業のすべて 小学校国語』（本シリーズ）は、平成29年の学習指導要領の改訂を受け、令和２年の全面実施に合わせて初版が刊行されました。このたび、令和６年版の教科書改訂に合わせて、本シリーズも改訂することになりました。

GIGA スクール構想に加え、新型コロナウイルス感染症の猛威などにより、教室での ICT 活用が急速に進み、この４年間で授業の在り方、学び方も大きく変わりました。改訂に当たっては、単元配列や教材の入れ替えなど新教科書に対応するだけでなく、ICT の効果的な活用方法や、個別最適な学びと協働的な学びを充実させるための手立てなど、今求められる授業づくりを発問と子供の反応例、板書案などを通して具体的に提案しています。

＊　＊

日々教室で子供たちと向き合う先生に、「この単元はこんなふうに授業を進めていけばよいのか」「国語の授業はこんなところがポイントなのか」と、国語科の授業づくりの楽しさを感じながらご活用いただければ幸いです。

令和６年４月

中村　和弘

本書活用のポイント―単元構想ページ―

本書は、各学年の全単元について、単元全体の構想と各時間の板書のイメージを中心とした本時案を紹介しています。各単元の冒頭にある単元構想ページの活用のポイントは次のとおりです。

教材名と指導事項、関連する言語活動例

本書の編集に当たっては、令和6年発行の光村図書出版の国語教科書を参考にしています。まずは、各単元で扱う教材とその時数、さらにその下段に示した学習指導要領に即した指導事項や関連する言語活動例を確かめましょう。

単元の目標

単元の目標を示しています。各単元で身に付けさせたい資質・能力の全体像を押さえておきましょう。

評価規準

ここでは、指導要録などの記録に残すための評価を取り上げています。本書では、記録に残すための評価は❶❷のように色付きの丸数字で統一して示しています。本時案の評価で色付きの丸数字が登場したときには、本ページの評価規準と併せて確認することで、より単元全体を意識した授業づくりができるようになります。

同じ読み方の漢字 （2時間扱い）

単元の目標

知識及び技能	・第5学年までに配当されている漢字を読むことができる。第4学年までに配当されている漢字を書き、文や文章の中で使うとともに、第5学年に配当されている漢字を漸次書き、文や文章の中で使うことができる。((1)エ)
学びに向かう力、人間性等	・言葉がもつよさを認識するとともに、進んで読書をし、国語の大切さを自覚して思いや考えを伝え合おうとする。

評価規準

知識・技能	❶第5学年までに配当されている漢字を読んでいる。第4学年までに配当されている漢字を書き、文や文章の中で使うとともに、第5学年に配当されている漢字を漸次書き、文や文章の中で使っている。((知識及び技能)(1)エ)
主体的に学習に取り組む態度	❷同じ読み方の漢字の使い分けに関心をもち、同訓異字や同音異義語について進んで調べたり使ったりして、学習課題に沿って、それらを理解しようとしている。

単元の流れ

時	主な学習活動	評価
1	学習の見通しをもつ 同訓異字を扱ったメールのやり取りを見て、気付いたことを発表する。 同訓異字と同音異義語について調べるという見通しをもち、学習課題を設定する。 同じ読み方の漢字について調べ、使い分けられるようになろう。 教科書の問題を解き、同訓異字や同音異義語を集める。 〈課外〉・同訓異字や同音異義語を集める。 ・集めた言葉を教室に掲示し、共有する。	❶
2	集めた同訓異字や同音異義語から調べる言葉を選び、意味や使い方を調べ、ワークシートにまとめる。 調べたことを生かして、例文やクイズを作って紹介し合い、同訓異字や同音異義語の意味や使い方について理解する。 学習を振り返る 学んだことを振り返り、今後に生かしていきたいことを発表する。	❷

授業づくりのポイント

〈単元で育てたい資質・能力〉

本単元のねらいは、同じ読み方の漢字の理解を深め、正しく使うことができるようにすることである。

同じ読み方の漢字
156

単元の流れ

単元の目標や評価規準を押さえた上で、授業をどのように展開していくのかの大枠をここで押さえます。各展開例は学習活動ごとに構成し、それぞれに対応する評価をその右側の欄に示しています。

ここでは、「評価規準」で挙げた記録に残すための評価のみを取り上げていますが、本時案では必ずしも記録には残さない、指導に生かす評価も示しています。本時案での詳細かつ具体的な評価の記述と併せて確認することで、指導と評価の一体化を意識することが大切です。

また、学習の見通しをもつ 学習を振り返るという見出しが含まれる単元があります。見通しをもたせる場面と振り返りを行う場面を示すことで、教師が子供の学びに向かう姿を見取ったり、子供自身が自己評価を行う機会を保障したりすることに活用できるようにしています。

そのためには、どのような同訓異字や同音異義語があるか、国語辞典や漢字辞典などを使って進んで集めたり意味を調べたりすることに加えて、実際に使われている場面を想像する力が必要となる。
選んだ言葉の意味や使い方を調べ、例文やクイズを作ることで、漢字の意味を捉えたり、場面に応じて使い分けたりする力を育む。

[具体例]
○教科書に取り上げられている「熱い」「暑い」「厚い」を国語辞典で調べると、その言葉の意味とともに、熟語や対義語、例文が掲載されている。それらを使って、どう説明したら意味が似通っているときでも正しく使い分けることができるかを考え、理解を深めることができる。

〈教材・題材の特徴〉
教科書で扱われている同訓異字や同音異義語は、子どもに身に付けさせたい漢字や言葉ばかりであるが、ともすれば練習問題的な扱いになりがちである。子ども一人一人に応じた配慮をしながら、主体的に考えて取り組める活動にすることが大切である。
本教材での学習を通して、同訓異字や同音異義語が多いという日本語の特色とともに、一文字で意味をもち、使い分けることができる漢字の豊かさに気付かせたい。そのことが、漢字に対する興味・関心や学習への意欲を高めることになる。

[具体例]
○導入では、同訓異字によってすれ違いが起こる事例を提示する。生活の中で起こりそうな場面を設定することで、これから学習することへの興味・関心を高めるとともに、その事例の内容から課題を見つけ、学習の見通しをもたせることができる。

〈言語活動の工夫〉
数多くある同訓異字や同音異義語を区別して正しく使えるようになることを目標に、集めた言葉を付箋紙またはホワイトボードアプリにまとめる。言葉を集める際は、「自分たちが使い分けられるようになりたい漢字」という視点で集めることで、主体的に学習に取り組めるようにする。
さらに、例文やクイズを作成する過程では、使い分けができるような内容になっているかどうか、友達と互いにアドバイスし合いながら対話的に学習を進められるようにする。自分が理解するだけでなく、友達に自分が調べたことを分かりやすく伝えたいという相手意識を大切にしたい。

〈ICT の効果的な活用〉
調査：言葉集めの際は、国語辞典や漢字辞典を用いたい。しかし、辞典の扱いが厳しい児童にはインターネットでの検索を用いてもよいこととし、意味や例文の確認のために辞典を活用するよう声を掛ける。
記録：集めた言葉をホワイトボードアプリに記録していくことで、どんな言葉が集まったのかをクラスで共有することができる。
共有：端末のプレゼンテーションソフトなどを用いて例文を作り、同訓異字や同音異義語の部分を空欄にしたり、選択問題にしたりすることで、もっとクイズを作りたい、友達と解き合いたいという意欲につなげたい。

157

授業づくりのポイント

ここでは、各単元の授業づくりのポイントを取り上げています。
全ての単元において〈単元で育てたい資質・能力〉を解説しています。単元で育てたい資質・能力を確実に身に付けさせるために、気を付けたいポイントや留意点に触れています。授業づくりに欠かせないポイントを押さえておきましょう。
他にも、単元や教材文の特性に合わせて〈教材・題材の特徴〉〈言語活動の工夫〉〈他教材や他教科との関連〉〈子供の作品やノート例〉〈並行読書リスト〉などの内容を適宜解説しています。これらの解説を参考にして、学級の実態に応じた工夫を図ることが大切です。各項目では解説に加え、具体例も挙げていますので、併せてご確認ください。

ICT の効果的な活用

1人1台端末の導入・活用状況を踏まえ、本単元における ICT 端末の効果的な活用について、「調査」「共有」「記録」「分類」「整理」「表現」などの機能ごとに解説しています。活用に当たっては、学年の発達段階や、学級の子供の実態に応じて取捨選択し、アレンジすることが大切です。
本ページ、また本時案ページを通して、具体的なソフト名は使用せず、原則、下記のとおり用語を統一しています。ただし、アプリ固有の機能などについて説明したい場合はアプリ名を記載することとしています。
〈ICT ソフト：統一用語〉
Safari、Chrome、Edge →ウェブブラウザ ／ Pages、ドキュメント、Word →文書作成ソフト
Numbers、スプレッドシート、Excel →表計算ソフト ／ Keynote、スライド、PowerPoint →プレゼンテーションソフト ／ クラスルーム、Google Classroom、Teams →学習支援ソフト

本書活用のポイント—本時案ページ—

単元の各時間の授業案は、板書のイメージを中心に、目標や評価、学習の進め方などを合わせて見開きで構成しています。各単元の本時案ページの活用のポイントは次のとおりです。

本時の目標

本時の目標を示しています。単元構想ページとは異なり、各時間の内容により即した目標を示していますので、「授業の流れ」などと併せてご確認ください。

本時の主な評価

ここでは、各時間における評価について2種類に分類して示しています。それぞれの意味は次のとおりです。

○❶❷などの色付き丸数字が付いている評価

指導要録などの記録に残すための評価を表しています。単元構想ページにある「単元の流れ」の表に示された評価と対応しています。各時間の内容に即した形で示していますので、具体的な評価のポイントを確認することができます。

○「・」の付いている評価

必ずしも記録に残さない、指導に生かす評価を表しています。以降の指導に反映するための教師の見取りとして大切な視点です。指導との関連性を高めるためにご活用ください。

本時案

同じ読み方の漢字

(本時の目標)

・同訓異字と同音異義語について知り、言葉や漢字への興味を高めることができる。

(本時の主な評価)

❶同訓異字や同音異義語を集めて、それぞれの意味を調べている。【知・技】

・漢字や言葉の読みと意味の関係に興味をもち、進んで調べたり考えたりしている。

(資料等の準備)

・メールのやりとりを表す掲示物
・国語辞典
・漢字辞典
・関連図書（『ことばの使い分け辞典』学研プラス、『同音異義語・同訓異字①②』童心社、『のびーる国語 使い分け漢字』KADOKAWA）

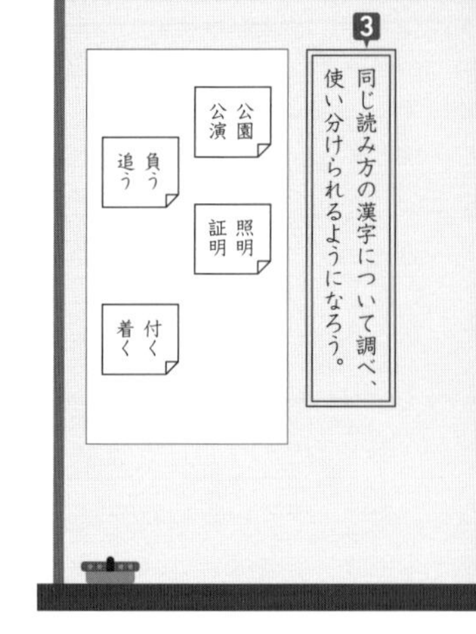

(授業の流れ)▶▶▶

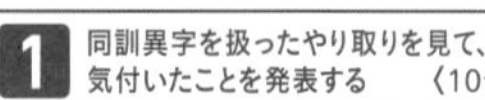

T 今から、あるやり取りを見せます。どんな学習をするのか、考えながら見てください。

○「移す」と「写す」を使ったやり取りを見せることで、同訓異字の存在に気付いてその特徴を知り、興味・関心を高められるようにする。

・「移す」と「写す」で意味の行き違いが生まれてしまいました。

・同じ読み方でも、意味が違う漢字の学習をするのだと思います。

・自分も、どの漢字を使えばよいのか迷った経験があります。

ICT端末の活用ポイント

メールのやり取りは、掲示物ではなく、プレゼンテーションソフトで作成し、アニメーションで示すと、より生活経験に近づく。

2 学習のめあてを確認し、同訓異字と同音異義語について知る 〈10分〉

T 教科書 p.84の「あつい」について、合う言葉を線で結びましょう。

・「熱い」と「暑い」は意味が似ているから、間違えやすいな。

T このように、同じ訓の漢字や同じ音の熟語が日本語にはたくさんあります。それらの言葉を集めて、どんな使い方をするのか調べてみましょう。

○「同じ訓の漢字（同訓異字）」と「同じ音の熟語（同音異義語）」を押さえ、訓読みと音読みの違いを理解できるようにする。

同じ読み方の漢字
158

資料等の準備

ここでは、板書をつくる際に準備するとよいと思われる絵やカード等について、箇条書きで示しています。なお、[↓]の付いている付録資料については、巻末にダウンロード方法を示しています。

ICT 端末の活用ポイント／ICT 等活用アイデア

必要に応じて、活動の流れの中での ICT 端末の活用の具体例や、本時における ICT 活用の効果などを解説しています。

学級の子供の実態に応じて取り入れ、それぞれの考えや意見を瞬時に共有したり、分類することで思考を整理したり、記録に残して見返すことで振り返りに活用したりなど、学びを深めるための手立てとして活用しましょう。

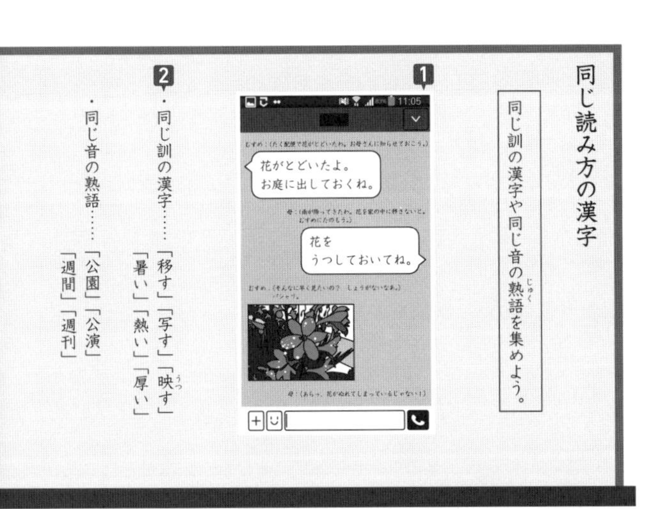

ICT 等活用アイデア

調査活動を広げる工夫

第１時と第２時の間の課外で、同訓異字・同音異義語を集める活動を行う。辞典だけでなく、経験やインタビュー、さらにインターネットなどを活用するとよい。

また、集めた言葉を「同じ訓の字」と「同じ音の熟語」に分けてホワイトボードアプリに記録していくことで、友達がどんな言葉を見つけたのか、どのくらい集まったのかをクラスで共有することができる。

3 教科書の問題を解き、同訓異字や同音異義語を集める 〈25分〉

T　同じ訓の漢字や同じ音の熟語は、意味を考えて、どの漢字を使うのが適切かを考えなければなりません。教科書の問題を解いて、練習してみましょう。

○初めから辞典で調べるのではなく、まずは子ども自身で意味を考えさせたい。難しい子どもには、ヒントとなるような助言をする。

T　これまで習った漢字の中から、自分たちが使い分けられるようになりたい同じ訓の漢字や、同じ音の熟語を集めてみましょう。

○漢字辞典や国語辞典だけでなく、関連図書を準備しておくとよい。

T　次時は、理解を深めたい字の使い分け方について調べて、友達に伝えましょう。

第1時
159

本時の板書例

子供たちの学びを活性化させ、授業の成果を視覚的に確認するための板書例を示しています。学習活動に関する項立てだけでなく、子供の発言例なども示すことで、板書全体の構成をつかみやすくなっています。

板書に示されている12などの色付きの数字は、「授業の流れ」の各展開と対応しています。どのタイミングで何を提示していくのかを確認し、板書を効果的に活用することを心掛けましょう。

色付きの吹き出しは、板書をする際の留意点です。実際の板書では、テンポよくまとめる必要がある部分があったり、反対に子供の発言を丁寧に記していく必要がある部分があったりします。留意点を参考にすることで、メリハリをつけて板書を作ることができるようになります。

その他、色付きの文字で示された部分は実際の板書には反映されない部分です。黒板に貼る掲示物などが当たります。

これらの要素をしっかりと把握することで、授業展開と一体となった板書を作り上げることができます。

よりよい授業へのステップ

ここでは、本時の指導についてポイントを絞って解説しています。授業を行うに当たって、子供がつまずきやすいポイントやさらに深めたい内容について、各時間の内容に即して実践的に示しています。よりよい授業づくりのために必要な視点を押さえましょう。

授業の流れ

１時間の授業をどのように展開していくのかについて示しています。

各展開例について、主な学習活動とともに目安となる時間を示しています。導入に時間を割きすぎたり、主となる学習活動に時間を取れなかったりすることを避けるために、時間配分もしっかりと確認しておきましょう。

各展開は、T：教師の発問や指示等、・：予想される子供の反応例、○：留意点等の３つの内容で構成されています。この展開例を参考に、各学級の実態に合わせてアレンジを加え、より効果的な授業展開を図ることが大切です。

板書で見る全単元の授業のすべて

国語 小学校４年下 —令和６年版教科書対応—

もくじ

1 第４学年における授業づくりのポイント

2 第４学年の授業展開

1

第４学年における授業づくりのポイント

「主体的・対話的で深い学び」を目指す授業づくりのポイント

1 国語科における「主体的・対話的で深い学び」の実現

平成29年告示の学習指導要領では、国語科の内容は育成を目指す資質・能力の３つの柱の整理を踏まえ、〔知識及び技能〕と〔思考力、判断力、表現力等〕から編成されている。これらの資質・能力は、国語科の場合は言語活動を通して育成される。

つまり、子供の取り組む言語活動が充実したものであれば、その活動を通して、教師の意図した資質・能力は効果的に身に付くということになる。逆に、子供にとって言語活動がつまらなかったり気が乗らなかったりすると、資質・能力も身に付きにくいということになる。

ただ、どんなに言語活動が魅力的であったとしても、あるいは子供が熱中して取り組んだとしても、それらを通して肝心の国語科としての資質・能力が身に付かなければ、本末転倒ということになってしまう。

このように、国語科における学習活動すなわち言語活動は、きわめて重要な役割を担っている。その言語活動の質を向上させていくための視点が、「主体的・対話的で深い学び」ということになる。学習指導要領の「指導計画の作成と内容の取扱い」では、次のように示されている。

> 単元など内容や時間のまとまりを見通して、その中で育む資質・能力の育成に向けて、児童の主体的・対話的で深い学びの実現を図るようにすること。その際、言葉による見方・考え方を働かせ、言語活動を通して、言葉の特徴や使い方などを理解し自分の思いや考えを深める学習の充実を図ること。

ここにあるように、「主体的・対話的で深い学び」の実現は、「資質・能力の育成に向けて」工夫されなければならない点を確認しておきたい。

2 主体的な学びを生み出す

例えば、「読むこと」の学習では、子供の読む力は、何度も文章を読むことを通して高まる。ただし、「読みましょう」と教師に指示されて読むよりも、「どうしてだろう」と問いをもって読んだり、「こんな点を考えてみよう」と目的をもって読んだりした方が、ずっと効果的である。問いや目的は、子供の自発的な読みを促してくれる。

教師からの「〇場面の人物の気持ちを考えましょう」という指示的な学習課題だけでは、こうした自発的な読みが生まれにくい。「〇場面の人物の気持ちは、前の場面と比べてどうか」「なぜ、変化したのか」「ＡとＢと、どちらの気持ちだと考えられるか」など、子供の問いや目的につながる課題や発問を工夫することが、主体的な学びの実現へとつながる。

この点は、「話すこと・聞くこと」や「書くこと」の授業でも同じである。「まず、こう書きましょう」「書けましたか。次はこう書きましょう」という指示の繰り返しで書かせていくと、活動がいつの間にか作業になってしまう。それだけではなく、「どう書けばいいと思う？」「前にどんな書き方を習った？」「どう工夫して書けばいい文章になるだろう？」などのように、子供に問いかけ、考えさせながら書かせていくことで、主体的な学びも生まれやすくなる。

3 対話的な学びを生み出す

対話的な学びとして、グループで話し合う活動を取り入れても、子供たちに話し合いたいことがなければ、形だけの活動になってしまう。活動そのものが大切なのではなく、何かを解決したり考えたりする際に、1人で取り組むだけではなく、近くの友達や教師などの様々な相手に、相談したり自分の考えを聞いてもらったりすることに意味がある。

そのためには、例えば、「疑問（〇〇って、どうなのだろうね？）」「共感や共有（ねえ、聞いてほしいんだけど……）」「目的（いっしょに、〇〇しよう！）」「相談（〇〇をどうしたらいいのかな）」などをもたせることが有用である。その上で、何分で話し合うのか（時間）、誰と話し合うのか（相手）、どのように話し合うのか（方法や形態）といったことを工夫するのである。

また、国語における対話的な学びでは、相手や対象に「耳を傾ける」ことが大切である。相手の言っていることにしっかり耳を傾け、「何を言おうとしているのか」という意図など考えながら聞くということである。

大人でもそうだが、思っていることや考えていることなど、頭の中の全てを言葉で言い表すことはできない。だからこそ、聞き手は、相手の言葉を手がかりにしながら、その人がうまく言葉にできていない思いや考え、意図を汲み取って聞くことが大切になってくる。

聞くとは、受け止めることであり、フォローすることである。聞き手がそのように受け止めてくれることで、話し手の方も、うまく言葉にできなくても口を開くことができる。対話的な学びとは、話し手と聞き手とが、互いの思いや考えをフォローし合いながら言語化する共同作業である。対話することを通して、思いや考えが言葉になり、そのことが思考を深めることにつながる。

国語における対話的な学びの場面では、こうした言葉の役割や対話をすることの意味などに気付いていくことも、言葉を学ぶ教科だからこそ、大切にしていきたい。

4 深い学びを生み出す

深い学びを実現するには、言葉による見方・考え方を働かせ、言語活動を通して国語科としての資質・能力を身に付けることが欠かせない（「言葉による見方・考え方」については、次ページを参照）。授業を通して、子供の中に、言葉や言葉の使い方についての発見や更新が生まれるということである。

国語の授業は、言語活動を通して行われるため、どうしても活動することが目的化しがちである。だからこそ、読むことでも書くことでも、「どのような言葉や言葉の使い方を学習するために、この活動を行っているのか」を、常に意識して授業を考えていくことが最も大切である。

そのためには、例えば、学習指導案の本時の目標と評価を、できる限り明確に書くようにすることが考えられる。「〇場面を読んで、人物の気持ちを想像する」という目標では、どのような語句や表現に着目し、どのように想像させるのかがはっきりしない。教材研究などを通して、この場面で深く考えさせたい叙述や表現はどこなのかを明確にすると、学習する内容も焦点化される。つまり、本時の場面の中で、どの語句や表現に時間をかけて学習すればよいかが見えてくる。全部は教えられないので、扱う内容の焦点化を図るのである。焦点化した内容について、課題の設定や言語活動を工夫して、子供の学びを深めていく。言葉や言葉の使い方についての、発見や更新を促していく。評価についても同様で、何がどのように読めればよいのかを、子供の姿で考えることでより具体的になる。

このように、授業のねらいが明確になり、扱う内容が焦点化されると、その部分の学習が難しい子供への手立ても、具体的に用意することができる。どのように助言したり、考え方を示したりすればその子供の学習が深まるのかを、個別に具体的に考えていくのである。

「言葉による見方・考え方」を働かせる授業づくりのポイント

1 「言葉を学ぶ」教科としての国語科の授業

国語科は「言葉を学ぶ」教科である。

物語を読んで登場人物の気持ちについて話し合っても、説明文を読んで分かったことを新聞にまとめても、その言語活動のさなかに、「言葉を学ぶ」ことが子供の中に起きていなければ、国語科の学習に取り組んだとは言いがたい。

「言葉を学ぶ」とは、普段は意識することのない「言葉」を学習の対象とすることであり、これもまたあまり意識することのない「言葉の使い方」（話したり聞いたり書いたり読んだりすること）について、意識的によりよい使い方を考えたり向上させたりしていくことである。

例えば、国語科で「ありの行列」という説明的文章を読むのは、アリの生態や体の仕組みについて詳しくなるためではない。その文章が、どのように書かれているかを学ぶために読む。だから、文章の構成を考えたり、説明の順序を表す接続語に着目したりする。あるいは、「問い」の部分と「答え」の部分を、文章全体から見つけたりする。

つまり、国語科の授業では、例えば、文章の内容を読み取るだけでなく、文章中の「言葉」の意味や使い方、効果などに着目しながら、筆者の書き方の工夫を考えることなどが必要である。また、文章を書く際にも、構成や表現などを工夫し、試行錯誤しながら相手や目的に応じた文章を書き進めていくことなどが必要となってくる。

2 言葉による見方・考え方を働かせるとは

平成29年告示の学習指導要領では、小学校国語科の教科の目標として「言葉による見方・考え方を働かせ、言語活動を通して、国語で正確に理解し適切に表現する資質・能力を次のとおり育成することを目指す」とある。その「言葉による見方・考え方を働かせる」ということついて、『小学校学習指導要領解説　国語編』では、次のように説明されている。

> 言葉による見方・考え方を働かせるとは、児童が学習の中で、対象と言葉、言葉と言葉との関係を、言葉の意味、働き、使い方等に着目して捉えたり問い直したりして、言葉への自覚を高めることであると考えられる。様々な事象の内容を自然科学や社会科学等の視点から理解することを直接の学習目的としない国語科においては、言葉を通じた理解や表現及びそこで用いられる言葉そのものを学習対象としている。このため、「言葉による見方・考え方」を働かせることが、国語科において育成を目指す資質・能力をよりよく身に付けることにつながることとなる。

一言でいえば、言葉による見方・考え方を働かせるとは、「言葉」に着目し、読んだり書いたりする活動の中で、「言葉」の意味や働き、その使い方に目を向け、意識化していくことである。

前に述べたように、「ありの行列」という教材を読む場合、文章の内容の理解のみを授業のねらいとすると、理科の授業に近くなってしまう。もちろん、言葉を通して内容を正しく読み取ることは、国語科の学習として必要なことである。しかし、接続語に着目したり段落と段落の関係を考えたりと、文章中に様々に使われている「言葉」を捉え、その意味や働き、使い方などを検討していくことが、言葉による見方・考え方を働かせることにつながる。子供たちに、文章の内容への興味をもたせるとともに、書かれている「言葉」を意識させ、「言葉そのもの」に関心をもたせることが、国語科の授業では大切となる。

3 〔知識及び技能〕と〔思考力、判断力、表現力等〕

言葉による見方・考え方を働かせながら、文章を読んだり書いたりさせるためには、〔知識及び技能〕の事項と〔思考力、判断力、表現力等〕の事項とを組み合わせて、授業を構成していくことが必要となる。文章の内容ではなく、接続語の使い方や文末表現への着目、文章構成の工夫や比喩表現の効果など、文章の書き方に目を向けて考えていくためには、そもそもそういった種類の「言葉の知識」が必要である。それらは主に〔知識及び技能〕の事項として編成されている。

一方で、そうした知識は、ただ知っているだけでは、読んだり書いたりするときに生かされてこない。例えば、文章構成に関する知識を使って、今読んでいる文章について、構成に着目してその特徴や筆者の工夫を考えてみる。あるいは、これから書こうとしている文章について、様々な構成の仕方を検討し、相手や目的に合った書き方を工夫してみる。これらの「読むこと」や「書くこと」などの領域は、〔思考力、判断力、表現力等〕の事項として示されているので、どう読むか、どう書くかを考えたり判断したりする言語活動を組み込むことが求められている。

このように、言葉による見方・考え方を働かせながら読んだり書いたりするには、「言葉」に関する知識・技能と、それらをどう駆使して読んだり書いたりすればいいのかという思考力や判断力などの、両方の資質・能力が必要となる。単元においても、〔知識及び技能〕の事項と〔思考力、判断力、表現力等〕の事項とを両輪のように組み合わせて、目標／評価を考えていくことになる。先に引用した『解説』の最後に、「『言葉による見方・考え方』を働かせることが、国語科において育成を目指す資質・能力をよりよく身に付けることにつながる」としているのも、こうした理由からである。

4 他教科等の学習を深めるために

もう１つ大切なことは、言葉による見方・考え方を働かせることが、各教科等の学習にもつながってくる点である。一般的に、学習指導要領で使われている「見方・考え方」とは、その教科の学びの本質に当たるものであり、教科固有のものであるとして説明されている。ところが、言葉による見方・考え方は、他教科等の学習を深めることとも関係してくる。

これまで述べてきたように、国語科で文章を読むときには、書かれている内容だけでなく、どう書いてあるかという「言葉」の面にも着目して読んだり考えたりしていくことが大切である。

この「言葉」に着目し、意味を深く考えたり、使い方について検討したりすることは、社会科や理科の教科書や資料集を読んでいく際にも、当然つながっていくものである。例えば、言葉による見方・考え方が働くということは、社会の資料集や理科の教科書を読んでいるときにも、「この言葉の意味は何だろう、何を表しているのだろう」と、言葉と対象の関係を考えようとしたり、「この用語と前に出てきた用語とは似ているが何が違うのだろう」と言葉どうしを比較して検討しようとしたりするということである。

教師が、「その言葉の意味を調べてみよう」「用語同士を比べてみよう」と言わなくても、子供自身が言葉による見方・考え方を働かせることで、そうした学びを自発的にスタートさせることができる。国語科で、言葉による見方・考え方を働かせながら学習を重ねてきた子供たちは、「言葉」を意識的に捉えられる「構え」が生まれている。それが他の教科の学習の際にも働くのである。

言語活動に取り組ませる際に、どんな「言葉」に着目させて、読ませたり書かせたりするのかを、教材研究などを通してしっかり捉えておくことが大切である。

学習評価のポイント

1 国語科における評価の観点

各教科等における評価は、平成29年告示の学習指導要領に沿った授業づくりにおいても、観点別の目標準拠評価の方式である。学習指導要領に示される各教科等の目標や内容に照らして、子供の学習状況を評価するということであり、評価の在り方としてはこれまでと大きく変わることはない。

ただし、その学習指導要領そのものが、「知識及び技能」「思考力、判断力、表現力等」「学びに向かう力、人間性等」の資質・能力の３つの柱で、目標や内容が構成されている。そのため、観点別学習状況の評価についても、この３つの柱に基づいた観点で行われることとなる。

国語科の評価観点も、これまでの５観点から次の３観点へと変更される。

「(国語への) 関心・意欲・態度」 「話す・聞く能力」 「書く能力」 「読む能力」 「(言語についての) 知識・理解 (・技能)」	→	「知識・技能」 「思考・判断・表現」 「主体的に学習に取り組む態度」

2 「知識・技能」「思考・判断・表現」の評価規準

国語科の評価観点のうち、「知識・技能」と「思考・判断・表現」については、それぞれ学習指導要領に示されている〔知識及び技能〕と〔思考力、判断力、表現力等〕と対応している。

例えば、低学年の「話すこと・聞くこと」の領域で、夏休みにあったことを紹介する単元があり、次の２つの指導事項を身に付けることになっていたとする。

・音節と文字との関係、アクセントによる語の意味の違いなどに気付くとともに、姿勢や口形、発声や発音に注意して話すこと。　〔知識及び技能〕(1)イ
・相手に伝わるように、行動したことや経験したことに基づいて、話す事柄の順序を考えること。　〔思考力、判断力、表現力等〕A 話すこと・聞くことイ

この単元の学習評価を考えるには、これらの指導事項が身に付いた状態を示すことが必要である。したがって、評価規準は次のように設定される。

「知識・技能」	姿勢や口形、発声や発音に注意して話している。
「思考・判断・表現」	「話すこと・聞くこと」において、相手に伝わるように、行動したことや経験したことに基づいて、話す事柄の順序を考えている。

このように、「知識・技能」と「思考・判断・表現」の評価については、単元で扱う指導事項の文末を「〜こと」から「〜している」として置き換えると、評価規準を作成することができる。その際、単元で育成したい資質・能力に照らして、指導事項の文言の一部を用いて評価規準を作成する場合もあることに気を付けたい。また、「思考・判断・表現」の評価を書くにあたっては、例のように、冒頭に「『話すこと・聞くこと』において」といった領域名を明記すること（「書くこと」「読む

こと」も同様）も必要である。

3 「主体的に学習に取り組む態度」の評価規準

一方で、「主体的に学習に取り組む態度」の評価については、指導事項の文言をそのまま使うということができない。学習指導要領では、「学びに向かう力、人間性等」については教科の目標や学年の目標に示されてはいるが、指導事項としては記載されていないからである。そこで、「主体的に学習に取り組む態度」の評価規準は、それぞれの単元で、育成する資質・能力と言語活動に応じて、次のように作成する必要がある。

「主体的に学習に取り組む態度」の評価規準は、次の①～④の内容で構成される（〈　〉内は当該内容の学習上の例示）。

①粘り強さ〈積極的に、進んで、粘り強く等〉
②自らの学習の調整〈学習の見通しをもって、学習課題に沿って、今までの学習を生かして等〉
③他の２観点において重点とする内容（特に、粘り強さを発揮してほしい内容）
④当該単元（や題材）の具体的な言語活動（自らの学習の調整が必要となる具体的な言語活動）

先の低学年の「話すこと・聞くこと」の単元の場合でいえば、この①～④の要素に当てはめてみると、例えば、①は「進んで」、②は「今までの学習を生かして」、③は「相手に伝わるように話す事柄の順序を考え」、④は「夏休みの出来事を紹介している」とすることができる。

この①～④の文言を、語順などを入れ替えて自然な文とすると、この単元での「主体的に学習に取り組む態度」の評価規準は、

「主体的に学習に取り組む態度」	進んで相手に伝わるように話す事柄の順序を考え、今までの学習を生かして、夏休みの出来事を紹介しようとしている。

と設定することができる。

4 評価の計画を工夫して

学習指導案を作る際には、「単元の指導計画」などの欄に、単元のどの時間にどのような言語活動を行い、どのような資質・能力の育成をして、どう評価するのかといったことを位置付けていく必要がある。評価規準に示した子供の姿を、単元のどの時間でどのように把握し記録に残すかを、計画段階から考えておかなければならない。

ただし、毎時間、全員の学習状況を把握して記録していくということは、現実的には難しい。そこで、ABC といった記録に残す評価活動をする場合と、記録には残さないが、子供の学習の様子を捉え指導に生かす評価活動をする場合との、２つの学習評価の在り方を考えるとよい。

記録に残す評価は、評価規準に示した子供の学習状況を、原則として言語活動のまとまりごとに評価していく。そのため、単元のどのタイミングで、どのような方法で評価するかを、あらかじめ計画しておく必要がある。一方、指導に生かす評価は、毎時間の授業の目標などに照らして、子供の学習の様子をそのつど把握し、日々の指導の工夫につなげていくことがポイントである。

こうした２つの学習評価の在り方をうまく使い分けながら、子供の学習の様子を捉えられるようにしたい。

板書づくりのポイント

1 縦書き板書の意義

国語科の板書のポイントの１つは、「縦書き」ということである。教科書も縦書き、ノートも縦書き、板書も縦書きが基本となる。

また、学習者が小学生であることから、板書が子供たちに与える影響が大きい点も見過ごすことができない。整わない板書、見にくい板書では子供たちもノートが取りにくい。また、子供の字は教師の字の書き方に似てくると言われることもある。

教師の側では、ICT 端末や電子黒板、デジタル教科書を活用し、いわば「書かないで済む板書」の工夫ができるが、子供たちのノートは基本的に手書きである。教師の書く縦書きの板書は、子供たちにとっては縦書きで字を書いたりノートを作ったりするときの、欠かすことのできない手がかりとなる。

デジタル機器を上手に使いこなしながら、手書きで板書を構成することのよさを再確認したい。

2 板書の構成

基本的には、黒板の右側から書き始め、授業の展開とともに左向きに書き進め、左端に最後のまとめなどがくるように構成していく。板書は45分の授業を終えたときに、今日はどのような学習に取り組んだのかが、子供たちが一目で分かるように書き進めていくことが原則である。

黒板の右側　授業の始めに、学習日、単元名や教材名、本時の学習課題などを書く。学習課題は、色チョークで目立つように書く。

黒板の中央　授業の展開や学習内容に合わせて、レイアウトを工夫しながら書く。上下二段に分けて書いたり、教材文の拡大コピーや写真や挿絵のコピーも貼ったりしながら、原則として左に向かって書き進める。チョークの色を決めておいたり（白色を基本として、課題や大切な用語は赤色で、目立たせたい言葉は黄色で囲むなど）、矢印や囲みなども工夫したりして、視覚的にメリハリのある板書を構成していく。

黒板の左側　授業も終わりに近付き、まとめを書いたり、今日の学習の大切なところを確認したりする。

3 教具を使って

(1) 短冊など

画用紙などを縦長に切ってつなげ、学習課題や大切なポイント、キーワードとなる教材文の一部などを事前に用意しておくことができる。チョークで書かずに短冊を貼ることで、効率的に授業を進めることができる。ただ、子供たちが短冊をノートに書き写すのに時間がかかったりするなど、配慮が必要なこともあることを知っておきたい。

(2) ミニホワイトボード

グループで話し合ったことなどを、ミニホワイトボードに短く書かせて黒板に貼っていくと、それらを見ながら、意見を仲間分けをしたり新たな考えを生み出したりすることができる。専用のものでなくても、100円ショップなどに売っている家庭用ホワイトボードの裏に、板磁石を両面テープで貼るなどして作ることもできる。

⑶ 挿絵や写真など

物語や説明文を読む学習の際に、場面で使われている挿絵をコピーしたり、文章中に出てくる写真や図表を拡大したりして、黒板に貼っていく。物語の場面の展開を確かめたり、文章と図表との関係を考えたりと、いろいろな場面で活用できる。

⑷ ネーム磁石

クラス全体で話合いをするときなど、子供の発言を教師が短くまとめ、板書していくことが多い。そのとき、板書した意見の上や下に、子供の名前を書いた磁石も一緒に貼っていく。そうすると、誰の意見かが一目で分かる。子供たちも「前に出た○○さんに付け加えだけど……」のように、黒板を見ながら発言をしたり、意見をつなげたりしやすくなる。

4 黒板の左右に

⑴ 単元の学習計画や本時の学習の流れ

単元の指導計画を子供向けに書き直したものを提示することで、この先、何のためにどのように学習を進めるのかという見通しを、子供たちももつことができる。また、今日の学習が全体の何時間目に当たるのかも、一目で分かる。本時の授業の進め方も、黒板の左右の端や、ミニホワイトボードなどに書いておくこともできる。

⑵ スクリーンや電子黒板

黒板の上に広げるロール状のスクリーンを使用する場合は、当然その分だけ、板書のスペースが少なくなる。電子黒板などがある場合には、教材文などは拡大してそちらに映し、黒板のほうは学習課題や子供の発言などを書いていくことができる。いずれも、黒板とスクリーン（電子黒板）という２つをどう使い分け、どちらにどのような役割をもたせるかなど、意図的に工夫すると互いをより効果的に使うことができる。

⑶ 教室掲示を工夫して

教材文を拡大コピーしてそこに書き込んだり、挿絵などをコピーしたりしたものは、その時間の学習の記録として、教室の背面や側面などに掲示していくことができる。前の時間にどんなことを勉強したのか、それらを見ると一目で振り返ることができる。また、いわゆる学習用語などは、そのつど色画用紙などに書いて掲示していくと、学習の中で子供たちが使える言葉が増えてくる。

5 上達に向けて

⑴ 板書計画を考える

本時の学習指導案を作るときには、板書計画も合わせて考えることが大切である。本時の学習内容や活動の進め方とどう連動しながら、どのように板書を構成していくのかを具体的にイメージすることができる。

⑵ 自分の板書を撮影しておく

自分の授業を記録に取るのは大変だが、「今日は、よい板書ができた」というときには、板書だけ写真に残しておくとよい。自分の記録になるとともに、印刷して次の授業のときに配れば、前時の学習を振り返る教材として活用することもできる。

⑶ 同僚の板書を参考にする

最初から板書をうまく構成することは、難しい。誰もが見よう見まねで始め、工夫しながら少しずつ上達していく。校内でできるだけ同僚の授業を見せてもらい、板書の工夫を学ばせてもらうとよい。時間が取れないときも、通りがかりに廊下から黒板を見させてもらうだけでも勉強になる。

ICT 活用のポイント

1 ICT を活用した国語の授業をつくる

GIGA スクール構想による 1 人 1 台端末の整備が進み、教室の学習環境は様々に変化している。子供たちの手元にはタブレットなどの ICT 端末があり、教室には大型のモニターやスクリーンが用意されるようになった。また、校内のネットワーク環境も整備されて、かつては学校図書館やパソコンルームで行っていた調べ学習も、教室の自分の席に座ったままでいろいろな情報にアクセスできるようになった。

一方、子供たちの机の上には、これまでと同じく教科書やノートもあり、前面には黒板もあって様々に活用されている。紙の本やノート、黒板などを使って手で書いたり読んだりする学習と、ICT を活用して情報を集めたり共有したりする学習との、いわば「ハイブリッドな学び」が生まれている。

それぞれの学習方法のメリットを生かし、学年の発達段階や学習の内容に合わせて、活用の仕方を工夫していきたい。

2 国語の授業での ICT 活用例

ICT の活用によって、国語の授業でも次のような学習活動が可能になっている。本書でも、単元ごとに様々な活用例を示している。

共有する

文章を読んだ意見や感想、また書いた作文などをアップロードして、その場で互いに読み合うことができる。また、付箋機能などを使って、考えを整理したり、意見を視覚化して共有しながら話合いを行ったりすることもできる。ICT を活用した共有や交流は、国語の授業の様々な場面で工夫することができる。

書く

書いたり消したり直したりすることがしやすい点が、原稿用紙に書くこととの違いである。字を書くことへの抵抗感を減らす点もメリットであり、音声入力からまずテキスト化して、それを推敲しながら文章を作っていくという支援が可能になる。同時に、思考の速度に入力の速度が追いつかないと、かえって書きにくいという面もあり、また国語科は縦書きが多いので、その点のカスタマイズが必要な場合もある。

発表資料を作る

プレゼンテーションソフトを使って、調べたことなどをスライドにまとめることができる。写真や図表などの視覚資料も活用しやすく、文章と視覚資料を組み合わせたまとめを作りやすいというメリットがある。また、調べる活動もインターネットを活用する他、アンケートフォームを使うことでクラス内や学年内の様々な調査活動が簡単に行えるようになり、それらの調査結果を生かした意見文や発表資料を作ることが可能になった。

録音・録画する

話合いの単元などでは、グループで話し合っている様子を自分たちで録画し、それを見返しながら学習を進めることができる。また、音読・朗読の学習でも、自分の声を録音しそれを聞きながら、読み方の工夫へとつなげることができ、家庭学習でも活用することができる。一方、教材作成の面からも利便性が高い。例えば、教師がよい話合いの例とそうでない例を演じた動画教材を作って授業中に効果的に使うなど、様々な工夫が可能である。

蓄積する

自分の学習履歴を残したり、見返すことがしやすくなったりする点がメリットである。例えば、毎時の学習感想を書き残していくことで、単元の中の自分の考えの変化に気付きやすくなる。あるいは書いた作文を蓄積することで、以前の「書くこと」の単元でどのような書き方を工夫していたかをすぐに調べることができる。それらによって、自分の学びの成長を実感したり、前に学習したことを今の学習に生かしたりしやすくなる。

3 ICT 活用の留意点

(1) 指導事項に照らして活用する

例えば、「読むこと」には「共有」の指導事項がある。先に述べたように、ICT の活用によって、感想や意見はその場で共有できるようになった。一方で、そうした活動を行えば、それで「共有」の事項を指導したということにはならない点に気を付ける必要がある。

高学年では「文章を読んでまとめた意見や感想を共有し、自分の考えを広げること」(「読むこと」カ) とあるので、「自分の考えを広げること」につながるように意見や感想を共有させるにはどうすればよいか、そうした視点からの指導の工夫が欠かせない。

(2) 学びの土俵から思考の土俵へ

ICT は子供の学習意欲を高める側面がある。同時に、例えば、調べたことをプレゼンテーションソフトを使ってスライドにまとめる際に、字体やレイアウトのほうに気が向いてしまい、「元の資料をきちんと要約できているか」「使う図表は効果的か」など、国語科の学習として大切な思考がおろそかになりやすい、そうした一面もある。

ICT の活用で「学びの土俵」にのった子供たちが、国語科としての学習が深められる「思考の土俵」にのって、様々な言語活動に取り組めるような指導の工夫が必要である。

(3)「参照する力」を育てる

ICT を活用することで、クラス内で意見や感想、作品が瞬時に共有できるようになり、例えば、書き方に困っているときには、教師に助言を求めるだけでなく、友達の文章を見て書き方のコツを学ぶことも可能になった。

その際に大切なのは、どのように「参照するか」である。見ているだけは自分の文章に生かせないし、まねをするだけでは学習にならない。自分の周りにある情報をどのように取り込んで、自分の学習に生かすか。そうした力も意識して育てることで、子供自身が ICT 活用の幅を広げることにもつながっていく。

(4) 子供が選択できるように

ICT を活用した様々な学習活動を体験することで、子供たちの中に多様な学習方法が蓄積されていく。これまでのノートやワークシートを使った学習に加えて、新たな「学びの引き出し」が増えていくということである。その結果、それぞれの学習方法の特性を生かして、どのように学んでいくのかを子供たちが選択できるようになる。例えば、文章を書くときにも、原稿用紙に手で書く、ICT 端末を使ってキーボードで入力する、あるいは下書きは画面上の操作で推敲を繰り返し、最後は手書きで残すなど、いろいろな組み合わせが可能になった。

「今日は、こう使うよ」と教師から指示するだけでなく、「これまで ICT をどんなふうに使ってきた？」「今回の単元ではどう使っていくとよいだろうね？」など、子供たちにも方法を問いかけ、学び方を選択しながら活用していくことも大切になってくる。

〈第３学年及び第４学年　指導事項／言語活動一覧表〉

教科の目標

	言葉による見方・考え方を働かせ、言語活動を通して、国語で正確に理解し適切に表現する資質・能力を次のとおり育成することを目指す。
知識及び技能	(1)　日常生活に必要な国語について、その特質を理解し適切に使うことができるようにする。
思考力、判断力、表現力等	(2)　日常生活における人との関わりの中で伝え合う力を高め、思考力や想像力を養う。
学びに向かう力、人間性等	(3)　言葉がもつよさを認識するとともに、言語感覚を養い、国語の大切さを自覚し、国語を尊重してその能力の向上を図る態度を養う。

学年の目標

知識及び技能	(1)　日常生活に必要な国語の知識や技能を身に付けるとともに、我が国の言語文化に親しんだり理解したりすることができるようにする。
思考力、判断力、表現力等	(2)　筋道立てて考える力や豊かに感じたり想像したりする力を養い、日常生活における人との関わりの中で伝え合う力を高め、自分の思いや考えをまとめることができるようにする。
学びに向かう力、人間性等	(3)　言葉がもつよさに気付くとともに、幅広く読書をし、国語を大切にして、思いや考えを伝え合おうとする態度を養う。

〔知識及び技能〕

（１）言葉の特徴や使い方に関する事項

(1)　言葉の特徴や使い方に関する次の事項を身に付けることができるよう指導する。	
言葉の働き	ア　言葉には、考えたことや思ったことを表す働きがあることに気付くこと。
話し言葉と書き言葉	イ　相手を見て話したり聞いたりするとともに、言葉の抑揚や強弱、間の取り方などに注意して話すこと。 ウ　漢字と仮名を用いた表記、送り仮名の付け方、改行の仕方を理解して文や文章の中で使うとともに、句読点を適切に打つこと。また、第３学年においては、日常使われている簡単な単語について、ローマ字で表記されたものを読み、ローマ字で書くこと。
漢字	エ　第３学年及び第４学年の各学年においては、学年別漢字配当表*の当該学年までに配当されている漢字を読むこと。また、当該学年の前の学年までに配当されている漢字を書き、文や文章の中で使うとともに、当該学年に配当されている漢字を漸次書き、文や文章の中で使うこと。
語彙	オ　様子や行動、気持ちや性格を表す語句の量を増し、話や文章の中で使うとともに、言葉には性質や役割による語句のまとまりがあることを理解し、語彙を豊かにすること。
文や文章	カ　主語と述語との関係、修飾と被修飾との関係、指示する語句と接続する語句の役割、段落の役割について理解すること。
言葉遣い	キ　丁寧な言葉を使うとともに、敬体と常体との違いに注意しながら書くこと。
表現の技法	（第５学年及び第６学年に記載あり）
音読、朗読	ク　文章全体の構成や内容の大体を意識しながら音読すること。

*…学年別漢字配当表は、『小学校学習指導要領（平成29年告示）』（文部科学省）を参照のこと

（２）情報の扱い方に関する事項

(2)　話や文章に含まれている情報の扱い方に関する次の事項を身に付けることができるよう指導する。	
情報と情報との関係	ア　考えとそれを支える理由や事例、全体と中心など情報と情報との関係について理解すること。
情報の整理	イ　比較や分類の仕方、必要な語句などの書き留め方、引用の仕方や出典の示し方、辞書や事典の使い方を理解し使うこと。

（３）我が国の言語文化に関する事項

(3)　我が国の言語文化に関する次の事項を身に付けることができるよう指導する。	
伝統的な言語文化	ア　易しい文語調の短歌や俳句を音読したり暗唱したりするなどして、言葉の響きやリズムに親しむこと。 イ　長い間使われてきたことわざや慣用句、故事成語などの意味を知り、使うこと。
言葉の由来や変化	ウ　漢字が、へんやつくりなどから構成されていることについて理解すること。
書写	エ　書写に関する次の事項を理解し使うこと。 (ア)文字の組立て方を理解し、形を整えて書くこと。 (イ)漢字や仮名の大きさ、配列に注意して書くこと。 (ウ)毛筆を使用して点画の書き方への理解を深め、筆圧などに注意して書くこと。
読書	オ　幅広く読書に親しみ、読書が、必要な知識や情報を得ることに役立つことに気付くこと。

〔思考力、判断力、表現力等〕

A　話すこと・聞くこと

	(1)　話すこと・聞くことに関する次の事項を身に付けることができるよう指導する。

話すこと	話題の設定	ア　目的を意識して、日常生活の中から話題を決め、集めた材料を比較したり分類したりして、伝え合うために必要な事柄を選ぶこと。
	情報の収集	
	内容の検討	
	構成の検討	イ　相手に伝わるように、理由や事例などを挙げながら、話の中心が明確になるよう話の構成を考えること。
	考えの形成	
	表現	ウ　話の中心や話す場面を意識して、言葉の抑揚や強弱、間の取り方などを工夫すること。
	共有	
聞くこと	話題の設定	【再掲】ア　目的を意識して、日常生活の中から話題を決め、集めた材料を比較したり分類したりして、伝え合うために必要な事柄を選ぶこと。
	情報の収集	
	構造と内容の把握	エ　必要なことを記録したり質問したりしながら聞き、話し手が伝えたいことや自分が聞きたいことの中心を捉え、自分の考えをもつこと。
	精査・解釈	
	考えの形成	
	共有	
話し合うこと	話題の設定	【再掲】ア　目的を意識して、日常生活の中から話題を決め、集めた材料を比較したり分類したりして、伝え合うために必要な事柄を選ぶこと。
	情報の収集	
	内容の検討	
	話合いの進め方の検討	オ　目的や進め方を確認し、司会などの役割を果たしながら話し合い、互いの意見の共通点や相違点に着目して、考えをまとめること。
	考えの形成	
	共有	
(2)　(1)に示す事項については、例えば、次のような言語活動を通して指導するものとする。		
	言語活動例	ア　説明や報告など調べたことを話したり、それらを聞いたりする活動。 イ　質問するなどして情報を集めたり、それらを発表したりする活動。 ウ　互いの考えを伝えるなどして、グループや学級全体で話し合う活動。

B　書くこと

(1)　書くことに関する次の事項を身に付けることができるよう指導する。	
題材の設定	ア　相手や目的を意識して、経験したことや想像したことなどから書くことを選び、集めた材料を比較したり分類したりして、伝えたいことを明確にすること。
情報の収集	
内容の検討	
構成の検討	イ　書く内容の中心を明確にし、内容のまとまりで段落をつくったり、段落相互の関係に注意したりして、文章の構成を考えること。
考えの形成	ウ　自分の考えとそれを支える理由や事例との関係を明確にして、書き表し方を工夫すること。
記述	
推敲	エ　間違いを正したり、相手や目的を意識した表現になっているかを確かめたりして、文や文章を整えること。
共有	オ　書こうとしたことが明確になっているかなど、文章に対する感想や意見を伝え合い、自分の文章のよいところを見付けること。
(2)　(1)に示す事項については、例えば、次のような言語活動を通して指導するものとする。	
言語活動例	ア　調べたことをまとめて報告するなど、事実やそれを基に考えたことを書く活動。 イ　行事の案内やお礼の文章を書くなど、伝えたいことを手紙に書く活動。 ウ　詩や物語をつくるなど、感じたことや想像したことを書く活動。

C　読むこと

(1)　読むことに関する次の事項を身に付けることができるよう指導する。	
構造と内容の把握	ア　段落相互の関係に着目しながら、考えとそれを支える理由や事例との関係などについて、叙述を基に捉えること。 イ　登場人物の行動や気持ちなどについて、叙述を基に捉えること。
精査・解釈	ウ　目的を意識して、中心となる語や文を見付けて要約すること。 エ　登場人物の気持ちの変化や性格、情景について、場面の移り変わりと結び付けて具体的に想像すること。
考えの形成	オ　文章を読んで理解したことに基づいて、感想や考えをもつこと。
共有	カ　文章を読んで感じたことや考えたことを共有し、一人一人の感じ方などに違いがあることに気付くこと。
(2)　(1)に示す事項については、例えば、次のような言語活動を通して指導するものとする。	
言語活動例	ア　記録や報告などの文章を読み、文章の一部を引用して、分かったことや考えたことを説明したり、意見を述べたりする活動。 イ　詩や物語などを読み、内容を説明したり、考えたことなどを伝え合ったりする活動。 ウ　学校図書館などを利用し、事典や図鑑などから情報を得て、分かったことなどをまとめて説明する活動。

第４学年の指導内容と身に付けたい国語力

1 第４学年の国語力の特色

小学校第４学年は、情緒面、認知面での発達が著しく変化する時期である。また、自我が芽生え始めて、他者と比較することで自分自身について認識できるようになってくる。このような時期にあって、国語力というものを〔知識及び技能〕と〔思考力、判断力、表現力等〕〔学びに向かう力、人間性等〕に分けて捉えるとするならば、それぞれ次のような特色があると考えることができる。

〔知識及び技能〕においては、言葉について抽象的なことを表す働きがあることに気付いていく。低学年までは目の前で見たことを言葉で認識していたが、中学年では頭で考えたことや思ったことを言葉にするという、言葉のもつ働きに関して知識や技能の発達を促していく必要がある。また、生活経験の広がりから、語彙が増加する傾向にあるが、正しく理解し適切に表現しようとする意識は高くない。学習場面において、意識付けていくことが必要である。

〔思考力、判断力、表現力等〕においては、個々にある対象の世界を広く認識するという思考や判断が求められるようになる。それは、自分と他者の比較という情緒面の発達にも共通するところはあるだろう。読むことに関連して言えば、物語なら場面と場面をつないで読む力であったり、説明文なら段落と段落の関係に注意して読む力であったりと、物事の関係性から物事を考えたり判断したりするということが必要になる。

〔学びに向かう力、人間性等〕においては、「言葉のもつよさに気付く」「幅広く読書」が、学習指導要領には示されている。国語科は、言葉を学ぶ教科でもあり、言葉で学ぶ教科でもある。言葉で学ぶという面から言えば、言葉のもつよさに気付くということであり、言葉で学ぶという面から言えば、読書に限らず幅広く言葉に触れる、親しむ、向き合うという授業や学習を展開していく必要がある。

2 第４学年の学習指導内容

〔知識及び技能〕

全学年に共通している目標は、

> 日常生活に必要な国語の知識や技能を身に付けるとともに、我が国の言語文化に親しんだり理解したりすることができるようにする。

である。さらに、学習内容については、次のように示されている。

(1) 言葉の特徴や使い方に関する事項

ア 言葉の働き…考えたことや思ったことを表す働き

イ 話し言葉…相手を見て話したり聞いたり、言葉の抑揚や強弱、間の取り方

ウ 書き言葉…漢字と仮名を用いた表記、送り仮名の付け方、改行の仕方、句読点の打ち方

エ 漢字の読みと書き…202字の音訓読み、文や文章での使用、都道府県に用いる漢字20字の配当（茨、媛、岡、潟、岐、熊、香、佐、埼、崎、滋、鹿、縄、井、沖、栃、奈、梨、阪、阜）

オ 語彙…様子や行動、気持ちや性格を表す語句

カ 文や文章…主語と述語の関係、修飾と被修飾との関係、指示する語句と接続する語句の関係、段落の役割

キ 言葉遣い…丁寧な言葉、敬体と常体の違い

ク　音読…文章全体の構成や内容の大体の意識

⑵　情報の扱い方に関する事項

ア　考えとそれを支える理由や事例、全体と中心などの情報と情報との関係

イ　比較や分類の仕方、メモ、引用や出典の示し方、辞書や事典の使い方

⑶　我が国の言語文化に関する事項

ア　易しい文語調の短歌や俳句の音読や暗唱を通した言葉の響きやリズムへの親しみ

イ　ことわざや慣用句、故事成語

ウ　漢字のへんやつくりなどの構成

エ　書写

オ　幅広い読書

これらの学習内容について、〔知識及び技能〕と〔思考力、判断力、表現力等〕を一体となって働かせるように指導を工夫する必要がある。

⑴に関しては、主に言葉の特徴や使い方に関わり、言葉を使って話すときや書くときに留意することから、漢字と仮名を用いた表記、送り仮名の付け方、改行の仕方、句読点の打ち方を理解することと、文や文章の中で適切に使えることについて指導することが大切である。したがって、話すことと書くことの学習指導と関連させて取り組むことが必要となる。語彙については、「様子や行動、気持ちや性格を表す語句の量を増」すことが重点となっている。文学的文章を読むときや物語文を書くとき、詩を読んだり創作したりするときに意識的に学習に取り入れていくことが求められる。「言葉による見方・考え方を働かせ」るということが教科目標の冒頭部分にあることからも、国語科では、言葉を通じて理解したり表現したりしていることの自覚を高められるような学習内容にしていきたい。

⑵に関しては、情報化社会に対応できる能力を育む項目として、注目されるところでもある。情報を取り出したり、情報同士の関係を分かりやすくして、情報を自分の考えの形成に生かすことができるようにしたい。そのために、第４学年では、情報と情報との関係を理解するために、「話すこと・聞くこと」「書くこと」「読むこと」を通して、なぜそのような考えをもつのか理由を説明したり、考えをもつようになった具体的な事例を挙げたりすることや、中心を捉えることで全体をより明確にすることを指導する。情報の整理ができるようにするために、複数の情報を比べることが比較であることや複数の情報を共通点などで分けることが分類であることを指導し、学習用語としても活用できるようにしたい。また、自分の考えを形成するためには、自分の知識以上のことが必要となる。そのためには、ある情報を引用する。自分の考えが正しい情報を基にしているかどうかや情報の新しさについて、情報の送り手として伝える必要があるため、出典の示し方も大切な指導事項である。辞典や事典を使って調べる活動、調べたことを発表する活動と合わせて指導していきたい。

⑶に関しては、伝統的な言語文化、言葉の由来や変化、書写、読書という構成になっている。伝統的な言語文化については、文語調の独特な調子や短歌や俳句の定型的なリズム、美しい言葉の響きを知ることで、我が国の言葉が語り継がれてきた伝統や歴史があることを考えたり、または、音読して声に出すことでそれらのよさを実感したりすることが大切である。ことわざや慣用句、故事成語などの言葉を知ることは、言葉の働きや語彙と関連して、日常生活でも使うことの楽しさを味わわせたい。言葉の由来や変化については、漢字の学習を関連して指導することで、漢字の意味や言葉への興味や関心を高めることができる。第４学年の子供は、読書する本や文章も、個人差が生じてくる。友達同士の本の紹介などを通して、幅広く読書することや読書によって様々な知識や情報が得られることに気付かせていきたい。

〔思考力、判断力、表現力等〕

第３学年及び第４学年の目標は、

筋道立てて考える力や豊かに感じたり想像したりする力を養い、日常生活における人との関わりの中で伝え合う力を高め、自分の思いや考えをまとめることができるようにする。

である。したがって、「話すこと・聞くこと」「書くこと」「読むこと」において、筋道を立てて考える力を育成すること、その考えや思いをまとめることを重点的に指導していくことになる。そして、これらの指導事項は、言語活動を通して指導していくことになる。

①A話すこと・聞くこと

第４学年では、話の中心が明確になるように話したり聞いたりすることが重要である。その上で、自分の考えや思いをもてるようにする。そのためには、〔知識及び技能〕と関連を図り、自分がそう考えた理由であったり、具体的な事例であったりを挙げること、相手意識や目的意識を子供が明確にもてるように言語活動を工夫することが必要となる。したがって、話すことでは、取材や構成の段階で、相手に分かりやすいように筋道を立てて話すように必要な事柄を集めたり選んだりすることや、話の構成を考えることが大切である。聞くことでは、目的に応じて必要なことを記録したり質問したりして聞く姿勢が求められる。このような話し手や聞き手の姿は、話し合うことでも司会などの役割を担う上で必要となる。さらに司会や議長などの役割も大切だが、話合いの参加者という意識をもつことも大切であり、グループや学級全体の問題解決に向けて主体的に話し合う姿を期待する。

②B書くこと

「話すこと・聞くこと」と同様に、「書くこと」においても、書くことについての情報収集や情報の整理、相手や目的を意識しながら課題に取り組むことが重要である。第４学年では、特に、書きたいことの中心に気を付けながら文章全体の構成に意識を向けられるように指導したい。そのためには、段落意識をもてるようにすることが大切である。例えば、一文ごとに改行してしまうような文章を書く子供は、内容のまとまりを考えられていない。その場合は、一文と一文のつながりの関係を明確にする指導が必要である。それが、内容のまとまりである。いくつかの文が集まって内容としてまとまりをもつということを読むことと関連して指導しなければならない。段落意識をもててはじめて、段落相互の関係に気を付けて構成を考えるということができる。文と文のつながり、内容のまとまりとしての段落、段落相互の関係が理解できることは、第３・４学年の目標にある「筋道を立てて考える力」を養う上で重要な学習過程である。また、自分や友達の文章を読み合い、自分が書こうとしたことや友達が書きたかったことが明確に伝わる文章であるかについて感想や意見を伝え合えるようにして、自分や友達の文章のよさや自己評価を適切にする力も付けていきたい。

③C読むこと

「読むこと」は、説明的な文章と文学的な文章とで、構造と内容の把握、精査・解釈がはっきりと分かれて示された。そして、「話すこと・聞くこと」「書くこと」と同じように、読んで自分の感想や考えをもつということが考えの形成に示されている。これらの学習過程に順序性はないが、自分の考えをもつには、筆者の考えとそれを支える理由や事例との関係を読み取ったり、登場人物の行動や気持ちを具体的に想像したりすることが必要である。そして、自分の考えをグループや学級全体で共有することによって、一人一人の感じ方などに違いがあるということに気付くことを促していく。第４学年の特色としても挙げたが、他者を意識するようになる発達段階であり、自分の考えをもつことの大切さを認識するとともに、他者の考えから学ぶという姿勢も、高学年において目標となる自分の考えを広げるということに向かう上で重要となる。

3 第４学年における国語科の学習指導の工夫

第４学年は、中学年から高学年へ成長する過渡期である。「十歳の壁」という言葉で知られているように、子供の内面が大きく変わる時期と言われている。学習においても、今までより幅広く深く考える姿が見られるようになってくる。このような時期に、どのような言葉の学びができるか、どのような学習環境にいるかは、子供たちの今後の成長に大きく関わってくる。第３学年までの学習を振り返りつつ、高学年へとつながる国語の授業を考える必要がある。

①話すこと・聞くことにおける授業の工夫について

【メモを基に話すこと・メモを取りながら聞くこと】 スピーチをする場面を想定したとき、原稿を書いて読み上げる活動が考えられる。第４学年では、ただ原稿を読むだけでなく、メモを基にして話せるようにしたい。まず、メモを書く段階では、自分が言いたいことをはっきりさせて、必要なことだけを書く必要がある。話すときには、メモを見ながら話を膨らませていく。

聞く立場では、メモを取りながら聞く力を養っていきたい。メモを取るためには、話し手の言いたいことの中心を注意深く聞き取る必要がある。継続的に取り組むことで、話し手の意図を捉えることができるようになってくる。

【相手意識をもって話すこと・聞くこと】 スピーチでも授業中の発言においても、相手意識をもって話すことが、高学年へとつながる言葉の力となる。話し手は聞き手の反応を見ながら、提示物を示したり間を取ったりする。聞き手は、話し手の方を見て聞き、うなずきや同意のつぶやき等のリアクションを示すことが考えられる。

相手意識をもつためには、人前で話す経験を重ねることが必要である。なかなか聞き手を意識して話すことができない子供には、まずは少人数で話すことで場慣れしていくための環境を設定していくことも考慮できるとよい。

【理由や事例を挙げながら話す】 自分の考えをただ話すだけでなく、なぜそのように考えるのか、その理由を話すことで話に説得力が出てくる。学校生活の改善についてスピーチする場合は、日常生活から理由を考えることができるし、登場人物の心情を考えるときには、叙述から考えの理由を探し出すことができる。

具体的な事例を挙げながら話すことも重要である。「私はこのクラスをもっとよくするための活動をしたいと思います。例えば…」といったように、事例を示すことは話し手を引き付けるためにも有効である。

②書くことにおける授業の工夫について

【段落相互の関係に注意して、文章全体を構成する】 段落を意識して書かれた文章は読みやすく、また書き手の言いたいことも伝わりやすい。話のまとまりごとに段落を区切っていくことは、第４学年の書く活動において、改めて指導することが大切である。１つの段落があまりに長くなっていないか、また、不自然に段落が変わっていないか、子供が自分で見直すことが、高学年での推敲にもつながっていく。

【事実と考えの違いを明確にする】 事実は書かれているが、書き手の考えが見当たらないということにならないよう、事実と考えの違いをはっきりさせて書けるようにしたい。集めた題材から書きたいことを選び、自分がその題材に対してどのように考えているのかを文字として表す。そのことによって、自分の考えを見直すこともできる。
　また、自分の考えばかりにならないように、事実と考えのバランスも取れるように子供が考えられるようにもしたい。

【互いに書いた文章を読み、感想を伝え合う】書いた文章はそのままにせず、子供同士で読み合える活動を設定する。読んだら感想を伝え合う。子供にとって、自分が表現したことに対する感想を言ってもらうことはうれしいものである。学級の実態に応じて「よかったこと・アドバイス・自分の考えと比べてみて」と、感想を伝え合うときの観点を示すことも必要である。
　感想の伝え方は、口頭でもよいし、ワークシートや付箋を使うなど、様々な方法がある。

③読むことにおける授業の工夫について

【音読の工夫】第４学年における音読では、文章全体の内容を把握することや登場人物の心情を想像しながら読めるようにする。そのためには、単元の冒頭で音読することに加え、毎時間読むことや読解の後に音読していくことも考えられる。
　登場人物の心情や情景を想像しながら音読を工夫することで、高学年での朗読にもつながるようにしていきたい。

【叙述を基に読む】物語文で登場人物の心情を考えるときには、叙述を基にすることを重視する。「ごんは兵十に気付いてほしかったんだと思う。本文の○ページにこう書いてあるから･･･」というように、なぜそのように考えられるか、根拠を明確にして読む力を育んでいく。
　説明文においても、筆者の考えに対しての考えを述べるときには、本文のどこから考えられるのかをはっきりと言えるようにしていく。

【文章を読んだ感想や意見を共有する】読むことにおける感想や意見を共有する。共有することで、互いの考えの同じところや違うところに気付くことができる。「あの友達が自分と同じことを考えていたとは意外だった」「みんな同じようなことを考えていると思ったけど、違う考えもあるのだな」「その考えは全然思いつかなかった」など、共有することで自分の考えが広がったり深まったりすることの経験は、今後の学びへとつながっていく。

④語彙指導や読書指導などにおける授業の工夫について

【他教科・日常生活にも生かせる語彙を学ぶ】様子や行動、気持ちを表す言葉を国語の授業の中で考える時間を設ける。子供からはたくさんの言葉が出てくる。それらを国語の授業だけに閉じず、他教科や日常生活にも生かすことを意識させたい。「気持ちを表す言葉」を多く知っていれば、友達同士でトラブルが発生したときに生かせる。また、様子を表す言葉を知っていれば理科で植物の観察をしたときの表現の幅が広がる。このように、学びの根底を支えられるような国語の授業も教師が意図的に行っていくことが重要である。

【様々な種類の本を読むこと】第４学年になると、好きな本のジャンルが決まっている子供もいる。物語・図鑑・伝記など、本には様々な種類があり、必要に応じて本を選ぶことも第４学年の国語でできるようにしたい。そのために、本の紹介やビブリオバトルなどの活動を取り入れ、本のおもしろさを子供が実感できるような工夫をする。図書室に行って、自分がふだん読まないような本を手に取ってみる時間を設定することも有効である。

2

第４学年の授業展開

気持ちの変化に着目して読み、感想を書こう

ごんぎつね／［コラム］言葉を分類しよう

12時間扱い

単元の目標

知識及び技能	・様子や行動、気持ちや性格を表す語句の量を増し、話や文章の中で使うとともに、言葉には性質や役割による語句のまとまりがあることを理解し、語彙を豊かにすることができる。((1)オ)
思考力、判断力、表現力等	・文章を読んで理解したことに基づいて、感想や考えをもつことができる。(C オ) ・登場人物の気持ちの変化や性格、情景について、場面の移り変わりと結び付けて具体的に想像することができる。(C エ)
学びに向かう力、人間性等	・言葉がもつよさに気付くとともに、幅広く読書をし、国語を大切にして、思いや考えを伝え合おうとする。

評価規準

知識・技能	❶様子や行動、気持ちや性格を表す語句の量を増し、話や文章の中で使うとともに、言葉には性質や役割による語句のまとまりがあることを理解し、語彙を豊かにしている。(〔知識及び技能〕(1)オ)
思考・判断・表現	❷「読むこと」において、文章を読んで理解したことに基づいて、感想や考えをもっている。(〔思考力、判断力、表現力等〕C オ) ❸「読むこと」において、登場人物の気持ちの変化や性格、情景について、場面の移り変わりと結び付けて具体的に想像している。(〔思考力、判断力、表現力等〕C エ)
主体的に学習に取り組む態度	❹進んで登場人物の気持ちの移り変わりについて、場面の移り変わりと結び付けて具体的に想像し、叙述を基にして考えたことを文章にまとめようとしている。

単元の流れ

次	時	主な学習活動	評価
一	1	学習の見通しをもつ 題名やリード文から、どのような物語なのかを想像する。 全文を読み、登場人物・時代背景・物語の大体の内容を確認する。	❷
	2	初発の感想を共有する。 学習課題を設定し、学習計画を立てる。	
二	3	「1」の場面の様子や、ごんの人柄・兵十の気持ちを読み取る。	❷
	4	「2」の場面の様子や、穴の中で考えごとをしているごんの気持ちを読み取る。	❸
	5	「3」の場面の様子や、兵十に対してつぐないをしているごんの気持ちを読み取る。	❹
	6	「4」の場面の様子や、兵十と加助についていくごんの気持ちを読み取る。	
	7	「5」の場面の様子や、兵十と加助の会話を聞いているごんの心情を読み取る。	
	8	「6」の場面の様子や、ごんと兵十、それぞれの気持ちを読み取る。	

	9 10	これまでの学習を基に、物語の結末についての感想を書く。 感想を読み合い、新たに思ったことや考えたことを書き加える。	
三	11 12	学習を振り返る 教科書の「ふりかえろう」「たいせつ」を参考にして、単元の学習を振り返る。 教科書 p.35の「言葉を分類しよう」を読み、『ごんぎつね』に書かれた言葉の特徴を考える。	❶ ❹

授業づくりのポイント

〈単元で育てたい資質・能力〉

本単元では、『ごんぎつね』を読んで理解したことを基に、感想や考えをもつことを主なねらいとしている。『ごんぎつね』は、６つの場面から構成されており、様々な観点から登場人物の気持ちを読み取ることができるだろう。登場人物の気持ちの変化や性格、場面ごとの情景、移り変わりに着目しながら物語を俯瞰的に読んでいく力も養えることが期待できる。そのためには、場面ごとの叙述を子供も教師も丁寧に読んでいく必要がある。言葉の辞書的な意味に加え、『ごんぎつね』の文脈における言葉の意味を捉えることで、言葉による見方・考え方を広げられるようにしたい。

〈教材・題材の特徴〉

１～５場面は、語り手・ごんの視点で描かれている。ごんが考えていることも言葉として表現されており、兵十と自分の境遇を重ねて見ている様子や、つぐないを続ける姿から、子供がごんに感情移入しやすく、物語に対する感想や考えをもちやすいとも言えるだろう。６の場面になると、兵十の視点で描かれている。視点が移動したことに子供が気付き、これまでごんの視点で読んでいたことを踏まえながら兵十の気持ちも読み取ることで、物語全体の読みが深まるようにしていきたい。

〈言語活動の工夫〉

本単元では、場面の様子や登場人物の気持ちを読み取ることが主な言語活動である。読み取るためのヒントとして、教科書 p.33の「言葉に着目しよう」を活用するとよい。また、p.34の「たいせつ」には、「自分がその人物の立場だったら」「他の作品とくらべて」といったように、登場人物の気持ちの変化を捉えて感想をもつための視点が示されている。視点を知ることで、物語の読み取りも広がったり深まったりすることが期待できる。また、今後の物語読解でも応用することができるだろう。

[具体例]
・p.15と p.19の「ほっとして」の違いについて考える。
・p.17「そうっと草の深い所へ」、p.21「のび上がって見ました」といった表現から、ごんが村人たちに見つからないように気を付けていることが分かる。
・p.28「兵十のかげぼうしをふみふみ行きました」からは、ごんが兵十のことを気にしていることが読み取れる。

〈ICT の効果的な活用〉

調査：日常ではあまり触れない言葉を調べ、情景の様子を想像しやすくできる。

共有：第９時における感想や、第11時における感想を書いたノートを撮影し、共有アプリを使うことで、短時間でより多くの感想を読み合うことができる。

本時案

ごんぎつね／[コラム] 言葉を分類しよう 1/12

本時の目標

・物語を読み、内容の大体を捉えることができる。

本時の主な評価

❷物語を読み、登場人物や時代背景など、内容の大体を捉えている。【思・判・表】

資料等の準備

・p.13の挿絵のコピー

3 初発の感想に書くこと

・思ったこと
・考えたこと
・感じたこと
・ぎもんに思ったこと　など

初発の感想を書くための観点を示すことで、何を書いていいか分からない子供へのフォローとなる。また、「ぎもんに思ったこと」を集約して、読解のための問いを考えられるようにする。

授業の流れ ▷▷▷

1 題名やリード文から、物語の内容を想像し、教師の範読を聞く〈20分〉

○『ごんぎつね』という題名や、リード文から物語の内容を想像する。

T　題名やリード文からどんなお話だと想像しますか。

・きつねが出てくる話。
・ごんという名前の小ぎつねが出てくる。

T　今から先生が『ごんぎつね』を読みます。時代・場所・登場人物のことを想像しながら聞きましょう。

○読み終わった後の子供のつぶやきを聞く。

・今まででで一番長い話だった。
・ごんが最後にうたれたのは切ない。

ICT 端末の活用ポイント

デジタル教科書の朗読機能を使い、子供に聞かせてもよい。

2 登場人物・時代背景・物語の大体の内容を確認する〈10分〉

T　この物語には、どんな登場人物が出てきますか。

・ごん　・兵十　・兵十のおっかあ
・村人たち　・加助

T　どのような時代の話でしょうか。

・昔
・中山様というおとの様がいた時代
・百姓たちがいた時代

T　どのような話でしたか。

・ごんは、いたずらばかりしていたけれど、兵十につぐないをする話。

ICT 端末の活用ポイント

日常ではあまり聞かない言葉を検索することで、物語の情景をより具体的に想像できるようにする。

ごんぎつね

新美(にいみ)　南吉(なんきち)

1 どのような物語か
・ごんという名前のきつねが出てくる。
・かしこそうなきつねが出てくる。
・物語の終わりに、何かが起こる。

p.13の挿絵のコピー

2 登場人物
・ごん　・兵十　・兵十のおっかあ
・村人たち　・加助

時代
・中山様というおとの様がいた時代。
・百姓たちがいた時代。

物語の大体の内容
・ごんが、いたずらばかりしている。
・ごんが、兵十のうなぎをぬすんだつぐないをする。
・兵十が、ごんを火縄じゅうでうつ。

詳しすぎないよう、この物語において押さえておきたい内容を共有しておく。

3 初発の感想を書く　〈15分〉

○初発の感想を書く。書くための観点を確認する。

T 『ごんぎつね』のお話を聞いて、思ったことや考えたこと、感じたことや疑問に思ったことを書きましょう。

・ごんがいたずらばかりしていて、ひどいきつねだと思った。けれど、最後にうたれてしまったのはかわいそうだった。
・ごんは村の人たちからきらわれていたと思う。もしかしたら、仲よくなりたかったのかもしれない。
・聞いたことのない言葉が出てきた。

○書くための観点は、これまでの学びを生かして子供たちの声を基に共有できるとよい。

よりよい授業へのステップアップ

初発の感想を書くための観点を確認する

書くことに抵抗を感じる子供がいたとする。その理由の1つが「何を書いていいか分からない」ことである。そこで、「思ったこと・考えたこと・感じたこと・疑問に思ったこと」など、書くための観点を示すとよい。これまでに初発の感想でどんなことを書いてきたのかを振り返り、子供の声から書くための観点を決めていくことも可能だろう。また、数名の子供が初発の感想を発言することで、「なるほど、そういうことを書けばよいのか」と見通しをもてるようにすることも有効である。

本時案

ごんぎつね／[コラム] 言葉を分類しよう

2/12

本時の目標

・物語を読み、感想を基にして学習の見通しをもつことができる。

本時の主な評価

・登場人物の気持ちの変化や性格、情景について、場面の移り変わりと結び付けて具体的に想像している。

資料等の準備

・特になし

・場面ごとに、じょう景や登場人物の行動・気持ちがよく分かる表げんを見つける。
・その表げんが何を表しているかを考える。
・物語が進むにつれて、ごんと兵十の気持ちがどのように変わっていくかを考える。
・物語の結末の感想を書いて、読み合う。
・学習のふり返りをする。

学習の見通しは、ワークシートを拡大コピーしたものを提示してもよい。

授業の流れ ▷▷▷

1 初発の感想を共有する 〈15分〉

T 前の時間に、感想を書きましたね。今日は、書いた感想を発表しましょう。

・ごんがうたれてしまうのが、かわいそうでした。兵十は、食べ物をくれたのがごんだと気付かなかったのかなと思いました。

・ごんは、つぐないのことを兵十に気付いてほしかったのだと思います。だから、兵十に食べ物をあげ続けたと思います。

・長い話だと思いました。ごんは村人と話すことはないけれど、もしかしたら仲よくしたかったのかもしれないです。

ICT 端末の活用ポイント

文書作成ソフトを用いて感想を書いている場合、アプリを使って共有すると、短時間で互いの感想を読み合うことができる。

2 初発の感想を基に、学習課題を設定する 〈15分〉

○初発の感想には、ごんの行動や気持ちについて、また、兵十のことについて書くことが予想される。登場人物の行動や気持ちを読むという学習課題を設定する。

T 感想を聞き合ってどうでしたか。

・最後の場面について書いている人が多かったです。

・ごんのつぐないのことや、兵十にうたれてしまうことについてたくさん書いてありました。

T ごんや兵十のことを、感想に書いている人が多かったですね。この2人のことを中心に『ごんぎつね』を読んでいきましょう。

○学習課題「ごんと兵十の気持ちや、その変化について読み取ろう。」

ごんぎつね
新美（にいみ）　南吉（なんきち）

1 みんなの感想

・ごんがうたれてしまうのはかわいそう。
・ごんは、つぐないのことを兵十に気付いてほしかった。
・ごんは、村人に気付いてほしかった。
・兵十は、一人ぼっちになってさみしかった。
・兵十が、ごんのつぐないに気付いていればうたなかったかもしれない。

2 学習のかだい

ごんと兵十の気持ちや、その変化について読み取ろう。

3 学習の見通し

「登場人物の気持ちの変化や性格、情景について、場面の移り変わりと結び付けて具体的に想像することができる」という単元の目標から外れなければ、学級の実態に応じて文言を変更してもよい。

3　学習の見通しを立てる　〈15分〉

T　ごんや兵十のことを読み取るために、どのように学習を進めたらよいでしょうか。
・場面ごとに読んでいく。
・ごんや兵十のセリフに気を付けながら読んでいく。
・１つの場面が長いから、特にせりふとか行動を表した言葉に注目すればいいと思う。
・デジタル教科書に、印を付けながら読んでいく。
T　６つの場面、それぞれにごんや兵十がどんな行動をしているのか、どんなことを話しているのかに気を付けながら読んでいけそうですね。

よりよい授業へのステップアップ

学習の手引きを活用する

令和６年度版の教科書では、学習の手引きのページに、学習の見通しの例が載っている。「ノートの例」や「言葉に着目しよう」という項目もあり、学習を進める上でヒントにできる。『ごんぎつね』は長文であるため、単元冒頭で子供が見通しをもつことで、学ぶ意欲を持続できるようにしたい。

学習計画を表にしたワークシートを用意することも効果的である。物語読解に苦手意識をもっている子供も、見通しをもって活動できるような配慮ができるとよいだろう。

本時案

ごんぎつね／[コラム] 言葉を分類しよう 3/12

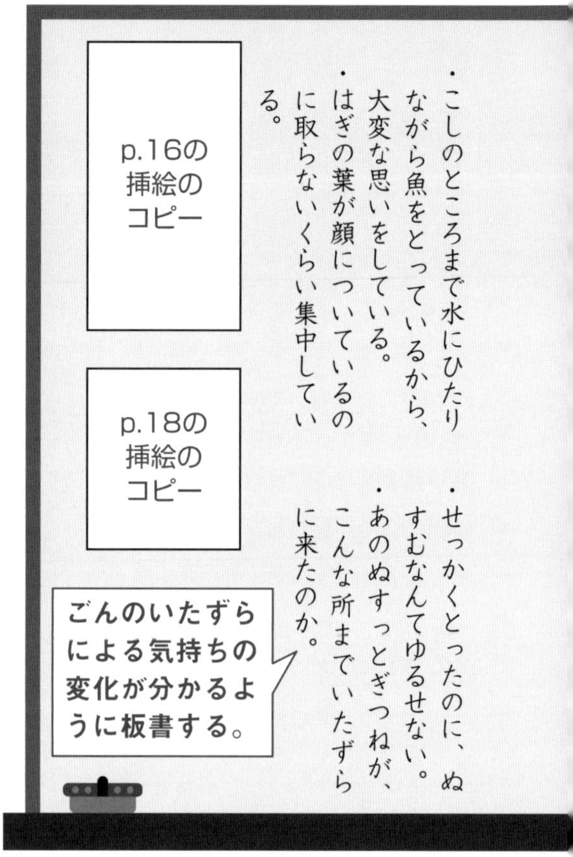

本時の目標

・本文の表現を基に、ごんの人柄や兵十の気持ち、場面の様子を読み取ることができる。

本時の主な評価

❷文章を読んで理解したことに基づいて、感想や考えをもっている。【思・判・表】

資料等の準備

・p.15、p.16、p.18の挿絵のコピー
・ごんぎつねワークシート① 01-01

授業の流れ ▷▷▷

1 1の場面を音読して、ごんの人柄を想像する 〈15分〉

○声に出して読むことで、場面の様子を想像しやすくする。登場人物や時代背景については第1時で確認しているので、本時では、ごんや兵十の人柄・行動・気持ちについて、また情景についても考えていく。

T　ごんはどのようなきつねですか。
・ひとりぼっちの小ぎつねです。
・森の中に、穴をほって住んでいました。
・いもをほりちらしました。
・菜種がらのほしてあるのへ火をつけました。
・とんがらしをむしり取りました。
・いたずらばかりしていました。

T　森の中でひとりぼっちで住んでいて、いたずらばかりしていた小ぎつね、ということが分かりますね。

2 ごんの行動・気持ちを考える 〈15分〉

T　1の場面でのごんは、どのような行動をしていましたか。
・穴からはい出ました。
・村の小川のつつみまで出てきて、川下の方へ、ぬかるみ道を歩いていきました。
・見つからないようじっと兵十を見ていました。
・兵十がとった魚を川の中へ投げ込みました。
・うなぎを口にくわえたまま逃げました。

T　ごんは、どのような気持ちで行動していたのでしょう。
・雨があがって、やっと穴の外へ出られたからいたずらがしたくなりました。
・兵十を困らせてやろうと思いました。

○叙述から気持ちを読み取るように促す。

ごんぎつね

ごんや兵十の気持ちを読み取ろう。

新美（にいみ）南吉（なんきち）

1 ごんの人がら

いたずら
・ひとりぼっちの小ぎつね。
・いもをほりちらした。
・菜種がらのほしてあるのへ火をつけた。
・とんがらしをむしりとった。

2 ごんの行動

・あなの中にしゃがんでいた。
・ほっとしてあなからはい出た。
・村の小川のつつみまで出てきた。
・川下の方へ、ぬかるみ道を歩いていった。
・見つからないようにじっと兵十を見ていた。
・兵十がとった魚を川へ投げこんだ。
・うなぎをくわえたままにげた。

p.15の挿絵のコピー

ごんの気持ち

・雨で外に出られずに、うずうずしていた。
・やっと外に出られて、いたずらがしたくなった。
・見つかったらつかまるから、草の深い所で見ていよう。
・兵十をこまらせてやろう。
・うなぎがはなれない、どうしよう。

行動と気持ちの変化が分かるように、それぞれを分けて板書する。

3 兵十の気持ち

3 兵十の気持ちを考える 〈15分〉

T　1の場面での兵十はどのような様子で魚を捕っていましたか。
・腰のところまで水にひたりながら魚を捕っているから、大変な思いをしています。
・はぎの葉が顔についているのに取らないくらい集中しています。
・川上の方へかけていったから、何か急いでいます。
T　ごんが魚を川へ投げたり、うなぎを持って行ったときに、兵十はどう思ったでしょう。
・せっかく捕ったのに、盗むなんて許せない。

ICT 端末の活用ポイント

はりきりあみ・きす・びくなどの言葉は、二次元コードを活用したり、検索で調べたりすると、情景をイメージしやすくなる。

ICT 等活用アイデア

本文中の言葉を映像や動画で示す

『ごんぎつね』には、子供が日常ではあまり触れることのない言葉が使われている。それらをインターネットで検索して、映像を見たり動画を視聴したりするとよい。例えば、「もずの声」を検索して鳴き声を聞く、すすきの穂・はりきり網・きす（川魚のはや）の写真を見るなど、物語の情景をイメージするための助けになるよう、ICT を活用したい。

子供が ICT 端末を使って検索することが制限されている場合、教師が検索をしてモニターに映し出すとよい。

本時案

ごんぎつね／［コラム］言葉を分類しよう 4/12

本時の目標

・本文の表現を基に、場面の様子や穴の中で考えごとをしているごんの気持ちを読み取ることができる。

本時の主な評価

❸登場人物の気持ちの変化や性格について、場面の移り変わりと結び付けて具体的に想像している。【思・判・表】

資料等の準備

・p.20–21の上部にある挿絵のコピー
・ごんぎつねワークシート① 01–01

授業の流れ ▷▷▷

1 2の場面を音読して、場面の様子を想像する 〈15分〉

○２の場面は、場面の様子とごんの独白が描かれているので、まずは場面の様子を叙述から想像する。

T　２の場面では、どのようなことが起こっていましたか。

・村の女の人たちがお歯黒を付けたり、髪をすいたりしていました。
・兵十の家の前に大勢の人が集まっていました。
・村で葬式が行われていました。
・ごんは、自分のせいで兵十のおっかあが死んでしまったと考えていました。

T　村で葬式が行われていましたね。穴の中で考えごとをしているごんは、どんな気持ちか考えていきましょう。

2 村を歩いているごんの様子を考える 〈15分〉

T　２の場面でごんは村の中を歩き回っていますね。どんなことを考えながら歩いていますか。

・村の人たちがやっていることを見て、村に何かあると思っています。
・兵十の家まで来たときに、葬式があると気付きました。
・誰が死んだのか気になったから、墓地まで行ったのだと思います。

T　ごんは、村のことにも詳しいのですね。

・いたずらばかりしていたから、村のことをよく分かっているんじゃないかな。
・村のことをよく知っていないと、いたずらしたときに、つかまってしまうから。

ごんぎつね　新美南吉（にいみ なんきち）

2の場面のごんの気持ちを読み取ろう。

1 2の場面の出来事

・弥助の家内　お歯黒
・新兵衛の家内　かみをすく
・兵十のうち
・おおぜいの人
・よそ行きの着物
・大きななべ

そうしき

村の人々の行動から、場面の様子を整理する。

2 村を歩いているごん

・「ふふん、村に何かあるんだな。」
・「祭りなら、たいこや笛の音。お宮にのぼりが立つはず。」
・「ああ、そうしきだ。」

いたずらばかりしているから、村のことにくわしい。

・六地蔵さんのかげにかくれていました。
・のび上がって見ました。

見つかったら、村人たちにひどい目にあわされるにちがいない。

3 あなの中で考えごとをしているごん

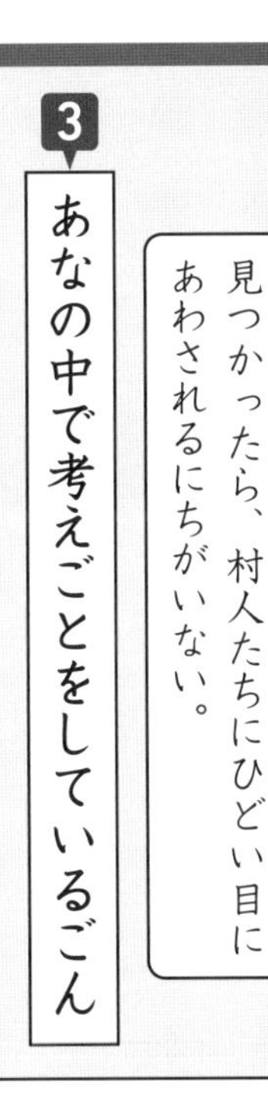

の挿絵のコピー

3 穴の中で考えごとをしているごんの気持ちを考える　〈15分〉

T　ごんが穴の中で考えごとをしています。本文の言葉に気を付けながら、ごんの気持ちを考えましょう。

・「ちょっ、あんないたずらをしなけりゃよかった」と書いてあるから、いたずらしたことを後悔していると思います。
・兵十のおっかあのことは知らなかった。ただいたずらのつもりでやったけど、悪いことをしたと思っているんじゃないかな。
・兵十が一生懸命魚を捕っていたのは、おっかあのためだったのか。

ICT 端末の活用ポイント

共有アプリを使い、子供たちが考えていることを一覧で見えるようにする。同じ文章からでも、読み取ることが異なることに気付かせたい。

よりよい授業へのステップアップ

前時までに読み取ってきた内容とつなげて考える

登場人物の人柄は、物語全体の内容から考えることが重要である。また、人柄を踏まえて本文を読むと、行動の意味が分かることもある。例えば、2の場面の「のび上がって見ました」からは、見つかりたくないけど、村人たちのことに興味をもっている様子が読み取れる。このように、ごんの行動を表す叙述から、ごんの気持ちまで読み取れるようにしていきたい。

本時案

ごんぎつね／[コラム] 言葉を分類しよう 5/12

本時の目標

・本文の表現を基に、兵十に対してつぐないをしているごんの気持ちを読み取ることができる。

本時の主な評価

❹登場人物の気持ちの変化や性格について、場面の移り変わりと結び付けて具体的に想像しようとしている。【態度】

資料等の準備

・p.23–24の挿絵のコピー

4
次の日、くりを持っていくごん
ほっぺたにかすりきずがある兵十
「いわし屋のやつにひどいめにあわされた。」
・「これはしまった」
・兵十に悪いことをしてしまった。
・いいことをしたと思ったのに…。
・次は、売り物ではなくて山にあるものを持っていこう。
p.24の挿絵のコピー

授業の流れ ▷▷▷

1 3の場面を音読して、場面の様子を想像する 〈15分〉

○3の場面では、主にごんの兵十に対する気持ちや行動が変化していく様子を読み取る。

T　3の場面で、どんなことが起きましたか。

・ごんが、かごからいわしをとって、兵十の家の中へいわしを投げ込みました。
・兵十がひとり言を言っていました。
・兵十がいわし屋にどろぼうだと思われて、殴られました。
・ごんは、くりや松たけも兵十の家へ持って行きました。

ICT端末の活用ポイント

井戸・麦を研ぐ・物置・いわしなど、子供の生活に馴染みのない言葉があれば検索し、画像を閲覧することで情景をイメージしやすくする。

2 兵十の家の中へいわしを投げ込むごんの気持ちを考える 〈10分〉

○3の場面の冒頭にある「おれと同じ、ひとりぼっちの兵十か」というごんの言葉に着目する。

T　ごんは、どうしていわし屋からいわしをとってまで兵十の家へ投げ込んだのでしょう。

・兵十が、ひとりぼっちになってかわいそうになったからです。
・ごんもひとりぼっちだから、兵十の気持ちが分かるからです。
・自分のせいで、兵十がひとりぼっちになってしまったと思ったからです。
・うなぎのつぐないをしたかったからです。

T　「おれと同じ、ひとりぼっちの兵十か」という言葉からごんの気持ちが分かりますね。

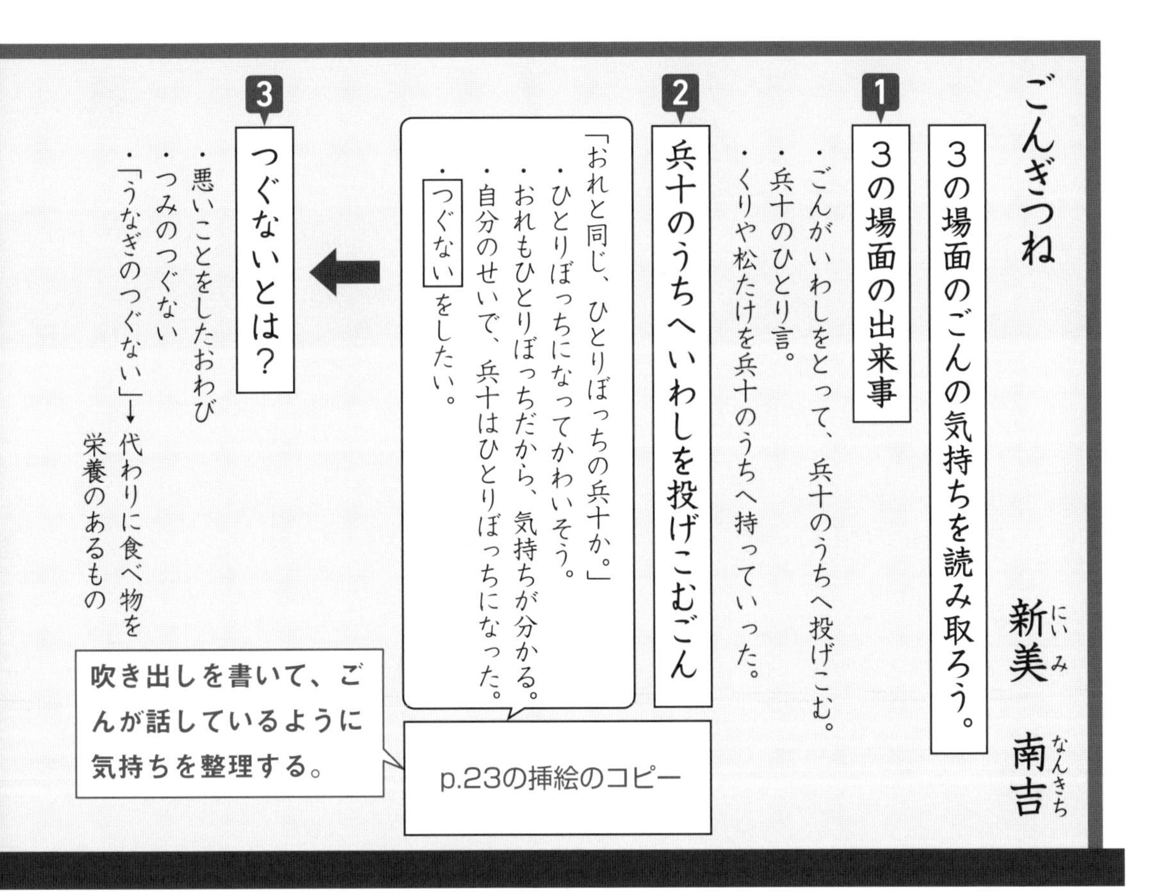

3 つぐないの意味を考える 〈10分〉

○「つぐない」という言葉の意味を文脈から考える。

T p.24の2行目にある「つぐない」とはどういう意味ですか。

・悪いことをしたから、そのお詫びをすることです。

・罪を犯したから、そのつぐないをすることかな。

・「うなぎのつぐない」だから、うなぎを盗んだことを悪いと思っていて、その代わりに兵十に食べ物をあげようとしているのだと思います。

・うなぎの代わりとして、栄養のある食べ物をあげようとしているのだと思います。

4 兵十の家にくりを置くごんの気持ちを考える 〈10分〉

T いわしを投げ込んだ次の日、ごんは何をしましたか。

・くりをどっさり拾って、兵十の家へ行きました。

・兵十の家へくりを置いていきました。

T 兵十のひとり言を聞いたとき、ごんはどう思ったでしょう。

・悪いことをしたな。

・いいことをしたと思ったのに、兵十がひどい目にあってしまった。

・売り物を盗まないで、山にある食べ物を持って行ってあげよう。

○p.25「そっと物置の方へ回って」という描写から、兵十に気付かれないように食べ物を置こうとしているごんの様子も読み取りたい。

本時案

ごんぎつね／［コラム］言葉を分類しよう 6/12

本時の目標

・本文の表現を基に、兵十と加助についていくごんの気持ちを読み取ることができる。

本時の主な評価

・登場人物の気持ちの変化や性格について、場面の移り変わりと結び付けて具体的に想像している。

資料等の準備

・p.26–27の挿絵のコピー

3 お念仏が終わるのを待っているごん

井戸のそばにしゃがんでいました。

・兵十と加助が、この後どんな話をするのか聞きたい。
・早く自分の名前を言ってくれないかな。
・加助が「ごんがやってくれたんだ」と、言うかもしれないな。

授業の流れ ▷▷▷

1 ４の場面を音読して、場面の様子を想像する 〈15分〉

○４の場面では、主に兵十と加助の話を聞いているごんの気持ちを読み取る。

T　４の場面では、どんなことが起こりましたか。

・ごんがぶらぶら遊びに出かけると、兵十と加助がやってきました。
・兵十が、家にくりや松茸が置かれていることを加助に話しています。
・兵十と加助は、吉兵衛の家に入っていきました。

T　そのとき、ごんはどうしていましたか。

・道の片側に隠れてじっとしていました。
・兵十と加助の後をついていきました。
・ごんは、２人の話を聞きたかったのだと思います。

2 兵十と加助の話を聞いているごんの気持ちを考える 〈15分〉

T　ごんは、兵十と加助の話を聞いているとき、どんなことを思っていたでしょうか。

・自分があげているくりや松茸の話をしているな。
・俺があげていることに気付いたかな。
・つぐないをしていることを知れば、兵十は俺のことを許してくれるかもしれないな。
・２人はどこに行くのだろう。

T　加助が後ろを見たとき、ごんはびくっとなっていますね。見つかったら危険ではないですか。

・見つかったらたぶんひどい目にあわされる。
・殺されるかもしれない。
・それでも、兵十に自分のことを分かってもらいたかったのかもしれない。

ごんぎつね

新美(にいみ) 南吉(なんきち)

4の場面のごんの気持ちを読み取ろう。

1 4の場面の出来事

・ごんがぶらぶら遊びに出かける。
・兵十と加助がやってきて、くりや松たけの話をする。
・吉兵衛のうちでお念仏がある。

2 兵十と加助の話を聞いているごん

・おれがあげているくりや松たけの話をしているな。
・おれがあげていることに気付いたかな。
・つぐないをしていることを知れば、兵十はゆるしてくれるかもしれないな。
・二人はどこに行くのだろう。

p.26-27の挿絵のコピー

ごんはびくっとして、小さくなって立ち止まりました。

・見つかったかな。
・いることがばれたらつかまるかも。
・ぬすっとぎつねだと思われている。

ごんの行動を表している叙述から、気持ちを読み取る。

3 お念仏が終わるのを待っているごんの気持ちを考える 〈15分〉

○見つかったら危険だと分かっているにもかかわらず、２人の話を聞こうとするごんの気持ちを読み取る。

T 吉兵衛の家でお念仏がある間も、ごんは井戸のそばにしゃがんでいましたね。なぜでしょうか。

・話の続きが聞きたかったのだと思います。
・早く自分の名前を言ってくれないかなと思っていたんじゃないかな。
・もしかしたら、加助が「ごんがやってくれている」と言うかもしれない。
・兵十に早く気付いてほしい。

T ２人の話がとても気になっていることが分かりますね。

ICT 等活用アイデア

情景を想像するための写真や音声を活用する

「松虫の声」「木魚」「お念仏」「しょうじ」「お念仏」などの言葉は、子供、もしかしたら若い教師にとっても馴染みのない言葉だと想定される。これらは、言葉だけで説明してもなかなかイメージしにくいだろう。p.27には二次元コードが掲載されており、木魚の写真を閲覧することができる。インターネットで検索すれば、木魚を叩いている音も聞くことができる。子供に検索させることを制限しているなら、教師が検索して学級全体で閲覧することも想定しておくとよい。

本時案

ごんぎつね／[コラム] 言葉を分類しよう 7/12

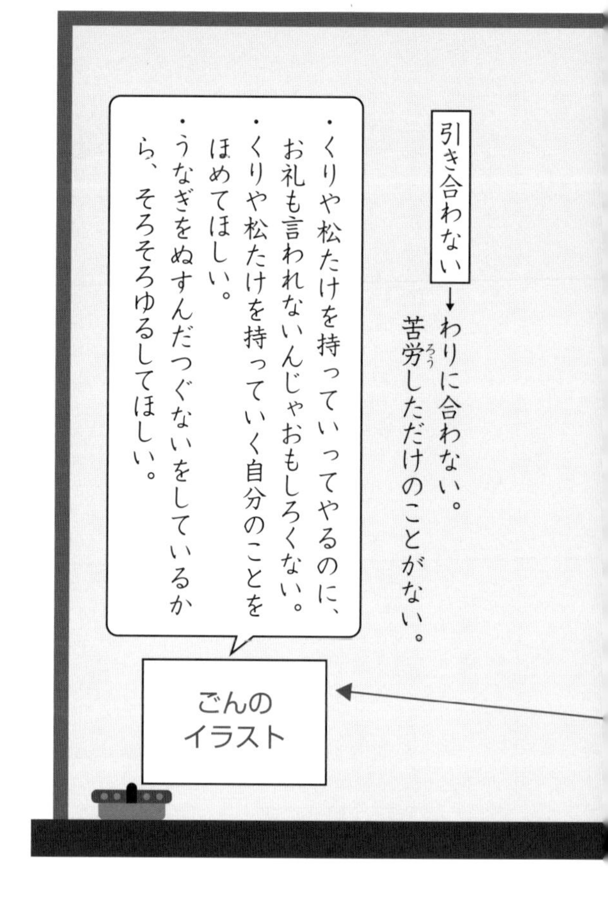

本時の目標

・本文の表現を基に、兵十と加助の話を聞いているごんの気持ちを読み取ることができる。

本時の主な評価

・登場人物の気持ちの変化や性格について、場面の移り変わりと結び付けて具体的に想像している。

資料等の準備

・ごんのイラスト

授業の流れ ▷▷▷

1 5の場面を音読して、場面の様子を想像する 〈15分〉

○5の場面では、「おれは引き合わないなあ」というせりふを中心にごんの気持ちを読み取る。

T 5の場面で、どんなことが起きましたか。

・ごんは、お念仏がすむまで、井戸のそばにしゃがんでいました。

・兵十と加助が、また一緒に帰っていきました。

・ごんが、兵十のかげぼうしを踏んでいます。

・加助が「神様のしわざだぞ」と兵十に言いました。

・ごんは2人の話を聞いて、「こいつはつまらないな」と思いました。

T では、この2人の話を聞いているときのごんの気持ちを考えていきましょう。

2 兵十と加助についていくごんの気持ちを考える 〈15分〉

T ごんは、兵十と加助の話を聞くために、またついていきましたね。どうしたかったのでしょうか。

・2人の話を最後まで聞きたかった。

・自分の名前が言われるまで、話を聞こうと思った。

T ごんが、2人の話を聞きたいという気持ちが表れている表現があります。

・「かげぼうしをふみふみ行きました」

・かげぼうしを踏めるほど近づいて話を聞いていたということかな。

ICT 端末の活用ポイント

「かげぼうし」の画像を検索して、ごんと兵十の距離が近付いている様子をつかむようにする。

ごんぎつね

新美（にいみ）南吉（なんきち）

5の場面のごんの気持ちを読み取ろう。

1 5の場面の出来事

・ごんは、お念仏がすむまで、井戸のそばにしゃがんでいた。
・兵十と加助が、またいっしょに帰っていった。
・ごんが、兵十のかげぼうしをふみふみ行った。
・加助が「神様のしわざだぞ」と兵十に言った。
・ごんは二人の話を聞いて「こいつはつまらないな」と思った。

2 兵十と加助についていくごん

兵十のかげぼうしをふみふみ行きました。

かなり近いきょり、きけん！

・きけんだけど、二人の話を近くで聞きたかった。
・自分の名前を言われるまで、話を聞きたい。
・兵十に、自分だと気付いてほしい。

3 「おれは引き合わないなあ」と思うごん

辞書的な意味を押さえた上で、文脈から、ごんの気持ちを想像する。

3 「おれは引き合わないなあ」と言ったごんの気持ちを考える 〈15分〉

T　ごんは、兵十と加助の話を聞いて「おれは引き合わないなあ」と言っています。まず、「引き合わない」の意味を調べましょう。

・もうからない。
・割に合わない。
・苦労や努力をしただけのことがない。

T　ここでごんが「引き合わない」と言っているときのごんの気持ちを考えましょう。

・くりや松茸を持っていってやるのに、お礼も言われないんじゃおもしろくない。
・くりや松茸を持っていく自分のことを褒めてほしい。
・うなぎを盗んだつぐないをしているのだから、そろそろ許してほしい。

よりよい授業へのステップアップ

物語全体を俯瞰的に見て、登場人物の気持ちを考える

物語の読解は、全体のつながりを意識することが重要である。4の場面で、兵十が「くりや松たけなんかを、**毎日毎日**くれるんだよ」と言っていたことを振り返り、「毎日、兵十のために行動しているのだから、お礼の1つも言ってほしい」と、ごんは考えて「引き合わないなあ」と言ったのではないかと予想できる。このように、既習の場面にあった叙述を読み返しながら読み進めることで、登場人物の気持ちをより深く想像できるようにしていきたい。

本時案

ごんぎつね／[コラム] 言葉を分類しよう 8/12

本時の目標

・本文の表現を基に、ごんと兵十、それぞれの気持ちを読み取ることができる。

本時の主な評価

・登場人物の気持ちの変化や性格について、場面の移り変わりと結び付けて具体的に想像している。

資料等の準備

・p.29、p.31の挿絵のコピー
・ごんぎつねワークシート② 01-02

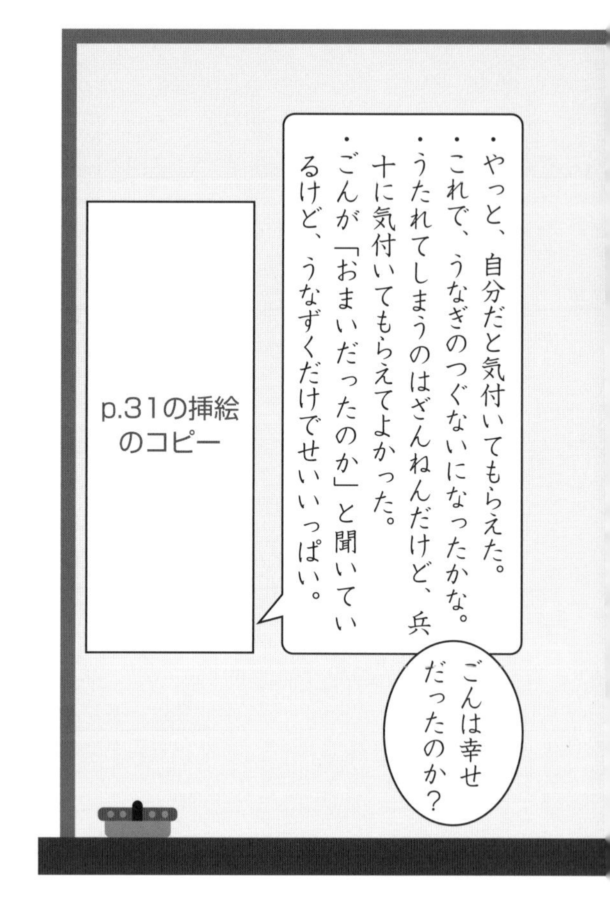

授業の流れ ▷▷▷

1 6の場面を音読して、場面の様子を想像する 〈15分〉

○6の場面では、ごんから兵十へと視点が変わっていることに気を付けながら読んでいく。

T　6の場面で、どんなことが起きましたか。
・ごんが、くりを持って兵十の家へ出かけました。
・兵十が家に入ってきたごんを、火縄銃でうちました。
・ごんが兵十の言葉を理解している？

T　6の場面は、今までの場面と違うことがあります。どんなところが違うでしょうか。
・6の場面ではごんではなく、兵十から見た様子が書かれています。
・6の場面で、初めて兵十がごんに話しかけています。

2 ごんをうつ前と後の、兵十の気持ちの変化を考える 〈15分〉

T　兵十の気持ちの変化を考えていきましょう。まず、ごんを見つけたときに、兵十はどう思いましたか。
・あのごんぎつねめが、またいたずらをしに来たな。
・今度こそ倒してやる。

T　兵十が怒っている様子が分かりますね。では、うった後はどうですか。
・土間にくりが固めて置いてあるのを見つけてびっくりした。
・まさか、あのいたずらぎつねがくりや松茸をくれていたなんて。
・いたずらばかりしていたごんが、自分に食べ物をくれていたなんて信じられない。
・うってしまってかわいそうなことをした。

ごんぎつね

新美（にいみ）南吉（なんきち）

6の場面のごんと兵十の気持ちを読み取ろう。

1 6の場面の出来事

・ごんが、くりを持って兵十のうちへ出かけた。
・兵十が家に入ってきたごんを、火縄じゅうでうった。
・ごんが兵十の言葉を理かいしている？

p.29の挿絵のコピー

二段に分けて、気持ちの変化を見やすくする。

2 兵十の気持ち

ごんをうつ前

・あのごんぎつねめが、またいたずらをしに来たな。
・今度こそたおしてやる。
・今度は、何をぬすみにやってきたんだ。

ごんをうった後

・土間にくりが固めて置いてあるのを見つけてびっくりした。
・まさか、あのいたずらぎつねがくりや松たけをくれていたなんて。
・うってしまってかわいそうなことをした。

3 兵十にうたれたごんの気持ち

3 兵十にうたれたごんの気持ちを考える〈15分〉

T　うたれてしまったごんは、どのような気持ちだったでしょう。
・やっと、自分だと気付いてもらえた。
・これで、うなぎのつぐないになったかな。
・うたれてしまうのは辛い、だけど兵十に気付いてもらえてよかった。
・ごんが「おまいだったのか」と聞いているけど、うなずくだけで精一杯。
T　ごんは、最後の場面で幸せだったのでしょうか。
・これまでの苦労に気付いてもらえたのだから幸せだったと思う。
・うたれてしまったら死んでしまうかもしれないから不幸じゃないかな。
・分からない、どちらとも言えると思う。

よりよい授業へのステップアップ

視点を意識して物語を読む

『ごんぎつね』は6つの場面に分かれている。1～5の場面はごんの視点、6の場面は兵十の視点で描かれている。何気なく読んでいると気が付かないかもしれず、教師から視点の話をすることで、読みが深まっていくことを期待したい。

視点を意識して読むことは、今後の物語読解でも有効な学習方略である。例えば、『友情のかべ新聞』では、登場人物である「ぼく」が語り手となっているため、「ぼく」の考えを基に物語が語られていることに気付けるだろう。

本時案

ごんぎつね／[コラム] 言葉を分類しよう 9/12

本時の目標

・これまでの学習を基に、物語の結末について自分の考えをもつことができる。

本時の主な評価

・文章を読んで理解したことに基づいて、感想や考えをもっている。

資料等の準備

・p.31の挿絵のコピー

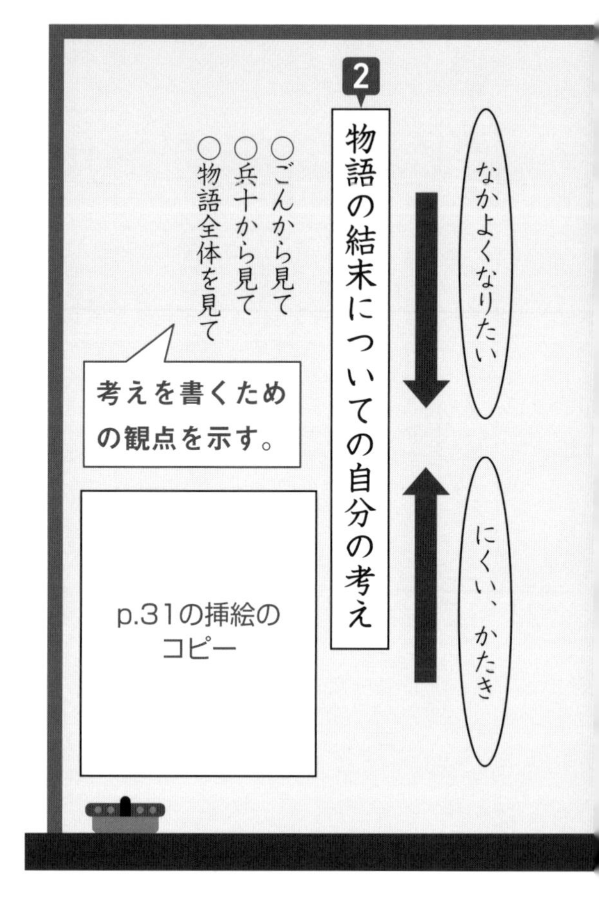

授業の流れ ▷▷▷

1 ごんや兵十の気持ちの変化を振り返る 〈30分〉

○物語の結末についての感想を書くに当たり、これまでに読み取ってきた登場人物の気持ちを振り返る。

T　前の時間まで、ごんや兵十の気持ちを考えてきましたね。それぞれの場面での気持ちを振り返りましょう。

・１の場面では、ごんはひとりぼっちで村人にいたずらしてやろうと思っていました。

・２の場面では、自分のせいで兵十のおっかあが死んだと思って、悪いことをしたと反省していました。

・３の場面では、いわしを兵十にあげて、うなぎのつぐないとして、いいことをしたと思っていました。

・４の場面では、兵十と加助の話を聞きたいと思って、２人についていきました。

・５の場面では、兵十と加助の話を聞いて「おれは引き合わないなあ」と思っていました。

・６の場面では、兵十がごんをうってしまったことを後悔しているようでした。

T　場面が進むごとに、ごんの気持ちの変化を読み取ってきましたね。ごんの気持ちの変化は、何を見ると分かりましたか。

・ごんのせりふから分かります。

・ごんの行動が変わっていたから、気持ちも変わっていたのかなと思いました。

・いたずらばかりしていたごんが、つぐないを始めたから、気持ちが変化しました。

○結末が描かれた６の場面だけでなく、１～５の場面の読解を振り返ることで、学びがつながっていることを、子供が自覚できるようにしていきたい。

ごんぎつね

新美（にいみ）南吉（なんきち）

物語の結末についての考えを書こう。

1 ごんと兵十の気持ちの変化

ごん

・ひとりぼっち。村人にいたずらをしてやろう。
（うなぎをぬすむ）
・あんないたずらをしなければよかった。
（おれと同じ、ひとりぼっちの兵十か）
・うなぎのつぐないに、いいことをしたぞ。
・兵十は、おれがやっていることに気付いたかな。
・おれは引き合わないなあ。
・おれがくりや松たけをはこんでいたことに気付いてもらえた。

兵十

・ぬすっとぎつねが、おれがとったうなぎをぬすみやがった。
・おっかあが死んでしまって、おれはひとりぼっちになってしまった。
・いったいだれが、食べ物をおれのうちに置いていくんだろう。
・加助が言うのだから、神様のおかげだろう。
・ごんぎつねめが、またいたずらをしに来たな。今度こそたおしてやる。
・ごんが、くりや松たけをくれていたのか。

時系列で板書し、気持ちの変化が分かるようにする。

2 物語の結末に対する自分の考えを書く　〈15分〉

T　『ごんぎつね』の最後の場面について、自分の考えを書きましょう。
・兵十がごんをうったのは、やっぱりひどかったと思います。兵十が、土間に固めて置いてあったくりをきちんと確認していれば、ごんをうつこともなかったと思います。
・ごんは、幸せだったと思います。毎日毎日くりや松茸を届けていて、兵十に自分がやっていると気付いてほしかったから。
・兵十がごんをうった後に、くりや松茸に気付いたのが悲しいと思いました。ごんと兵十のすれ違いから起こったお話です。

ICT 端末の活用ポイント

ノートやワークシートに書いた考えを撮影して、共有アプリで閲覧する。

よりよい授業へのステップアップ

考えの根拠を明確にする

物語文や説明文において、感想や考えを書く活動は多く行われているだろう。その際に大切にしたいことは、考えの根拠をはっきりさせて書くことである。ごんの行動についての考えを書くとき、自分はどうしてそのように考えたのか、叙述を基に考えられるようにしたい。

直感的に感想を述べる子供に対しては、「どの言葉からそのように考えたのか」を教師から問うことで、言葉に立ち止まる大切さに気付けるようにすることが重要である。

本時案

ごんぎつね／［コラム］言葉を分類しよう　10/12

本時の目標

・物語の結末についての考えを交流し、友達の考えに対して感想をもつことができる。

本時の主な評価

・物語を読んだ感想や考えを交流し、友達の考えに対して感想をもっている。

資料等の準備

・p.31の挿絵のコピー

・ごんは毎日つぐないをしていたのに。
・よくかくにんしないでうってしまった。

Q くりを置いてあるのを見たら、うつのを止めたか。
A たぶん止めた。毎日くりや松たけを持ってくるのは大変。

兵十の気持ち

・ごんのいたずら（1の場面）にずっとなやまされていた。
・うなぎのうらみがある。
・ごんをこらしめたい。

表げんの工夫

・「青いけむりが」

授業の流れ ▷▷▷

1 感想や考えを交流するための観点を確認する〈5分〉

○前時までに書いたものを交流する前に、交流のために気を付けることを確認する。

T　前の時間に書いた感想や考えをグループで読み合いましょう。読み合うときに気を付けることは何でしょうか。

・自分の考えと同じか、違うのかを考えながら聞きます。
・相手に、聞いてみたいことを質問します。
・相手の話は最後まで聞きます。

ICT端末の活用ポイント

ノートやワークシートに書いた考えを撮影して、共有アプリで閲覧する。閲覧したら、グループで直接質問をしたり、感想を述べたりすることで、対面での交流もできるようにしたい。

2 感想や考えをグループで交流する〈20分〉

T　それでは、グループで交流しましょう。

・私は、兵十がごんをうったのはやっぱりひどいと思います。ごんがつぐないを続けていたのに、よく確認しなかったのは悪いです。
・僕も、兵十がひどいと思いました。p.26で「毎日毎日くれるんだよ」と兵十が言っているから、ごんは1日も欠かすことなくつぐないを続けたんだと思います。そんなごんをうってしまうのはひどいです。
・私は、兵十の気持ちを考えました。兵十や村の人たちは、長い間ごんのいたずらに困っていたんだと思います。しかも、おっかあにうなぎを食べさせられなくて、兵十は本当に悔しかったのだと思います。

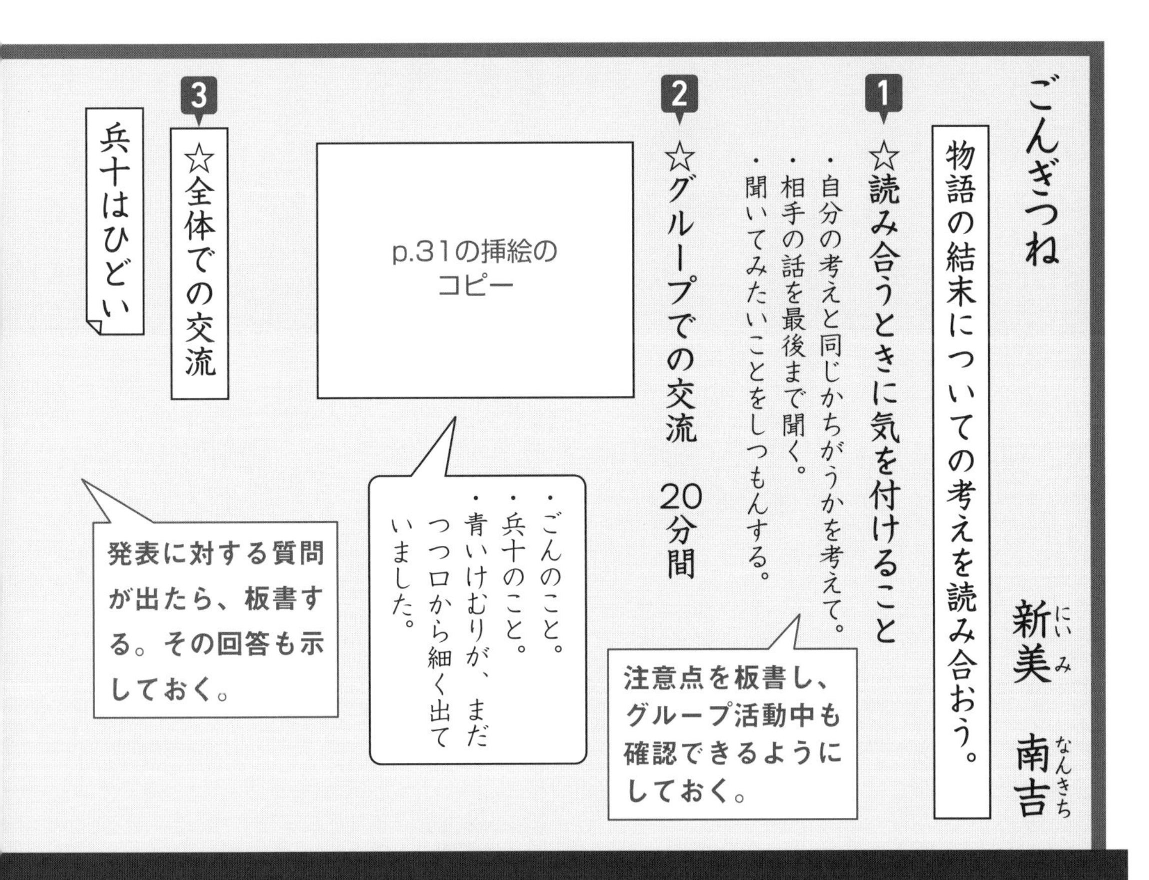

3 感想や考えを学級全体で交流する〈20分〉

T　グループで交流したことを基にして、みんなで感想や考えを発表し合いましょう。

・僕のグループでは、全員が「兵十がひどい」という意見でした。ごんが毎日つぐないをしていたのに、よく確認もしないでうってしまったのがひどいと思いました。

・質問です。兵十がくりが置いてあるのを見ていたら、うつのを止めたと思いますか。

・たぶん止めたと思います。毎日くりや松茸を持ってくるのは、本当に大変だと思います。そんな大変なことを続けてくれたごんのことをうてないと思います。

・私のグループでは、兵十の気持ちの感想を書いている人がいました。1の場面でごんがひどいいたずらをしていることが書かれていました。村の人たちは、ごんのいたずらにずっと悩まされていたんだと思います。

・兵十はうなぎもとられて、おっかあにうなぎを食べさせられなかったから、くりや松茸を見ても、ごんを懲らしめたかったのだと思います。

・私のグループは、「青いけむりが、まだつつ口から細く出ていました」という表現に注目しました。青いけむりはごんの魂か、兵十の気持ちが表れていると考えました。

T　兵十の気持ちとはどういう気持ちですか。

・毎日くりを持ってきてくれたのがごんだったことに驚いたこと。それから、そんなごんをうってしまって後悔している気持ちが表れていると思いました。

○『ごんぎつね』の結末に対して、子供は様々な感想をもつことが予想できる。教師は、叙述に基づいた読みかどうかに注意する。

本時案

ごんぎつね／［コラム］言葉を分類しよう　11/12

本時の目標

・活動してきた内容を基に、自分たちの学習を振り返ることができる。

本時の主な評価

❶❹学んできたことに基づいて、振り返りを書いている。【知・技】【態度】

資料等の準備

・特になし

んなに気にしてほしかった。
・「かげぼうしをふみふみ行きました。」
兵十と加助が自分の名前を言わないかと気になっていた。

あげ続けるのは大変。
・「ごんが兵十と加助の話を聞いている場面」
ごんは、兵十につぐないをしていることに気づいてほしかった。なかよくしたかった。

ことも聞ける。
・感想をまとめるために、もう一度読むと、新しい発見がある。
・他の物語も、「もっと」読んでみたいと思うようになった。

授業の流れ▷▷▷

1 振り返るための観点を確認する〈5分〉

○教科書 p.33「ふりかえろう」の内容を確認する。

T　教科書の p.33の「ふりかえろう」を読みましょう。
・どのような言葉から、人物の気持ちの変化を想像しましたか。
・どのようなことに着目して、感想をまとめましたか。
・物語の感想をまとめることには、どのようなよさがありますか。

T　３つの内容で振り返ることができそうですね。

ICT 端末の活用ポイント

文書作成ソフトを使用して、学習の振り返りを書くことも可能である。

2 観点を基に、『ごんぎつね』の学習を振り返る〈20分〉

T　それでは、『ごんぎつね』の振り返りを書きましょう。
・p.15の「ほっとして」という言葉から、ごんが外に出られなくて心配していたことが分かりました。
・私は、最後の場面の兵十の気持ちに着目して感想をまとめました。第１場面から、ごんがいたずらばかりしていたことが書かれていました。最後の場面で「ごんぎつねめが」と言っているから、前からごんのことを知っていたのだと思います。
・物語の感想をまとめると、今まで自分がどんなことを学んできたのかが分かるというよさがあると思います。

ごんぎつね

新美（にいみ）南吉（なんきち）

学習をふり返ろう。

1 ふり返ろう

知る　どのような言葉から、人物の気持ちの変化をそうぞうしましたか。

読む　どのようなことに着目して、感想をまとめましたか。

つなぐ　物語の感想をまとめることには、どのようなよさがありますか。

2
・自分のノートにふり返りを書く。
・タブレットを使ってふり返りを書く。

3 みんなのふり返り

知る
・「ひとりぼっちの小ぎつね」
ごんはさびしかった。村でいたずらをして、み

読む
・「ごんがつぐないをしている場面」
毎日毎日くりや松たけを兵十に

つなぐ
・感想をまとめて読み合うと、友達の考えが聞けてよい。自分では思いつかない

観点ごとに板書することで、子供たちが理解しやすくする。

3 振り返りを学級全体で共有する〈20分〉

・僕は、ごんのことが表れた言葉に注目しました。第１場面で「ひとりぼっちの小ぎつね」と表されているので、ごんは寂しかったんじゃないかなと思いました。だから、村でいたずらをして、みんなに気にしてほしかったのだと思います。
・私は、ごんの行動と気持ちに着目して感想をまとめました。一番印象に残ったのは、ごんがつぐないをしている場面です。毎日毎日くりや松茸を兵十にあげ続けるのは、大変だったと思いました。
・感想をまとめて読み合うと、友達の考えが聞けてよかったです。自分では思いつかないことも聞けて、「なるほど」と思いました。

よりよい授業へのステップアップ

何のための振り返りなのかを、子供自身が自覚する

単元の途中・終末と様々な場面で子供たちが振り返りを書く機会がある。大切なことは、子供自身が学びを振り返る意味を考えることである。「できるようになったことを自覚すること」「次の学習で生かせそうなことに気付くこと」などが、振り返りの目的となるだろう。

振り返る前に、子供たちに「振り返りは何のためにするのですか」と問うてみるとよい。活動の目的を自覚することは、主体的な学びにつながるだろう。

本時案

ごんぎつね／［コラム］言葉を分類しよう 12/12

本時の目標

・言葉には性質や役割による語句のまとまりがあることを理解することができる。

本時の主な評価

・性質により、言葉が分類できることを理解している。

資料等の準備

・特になし

・しだ
・森
・あな
・魚
・畑
・いも
・菜種がら
・火
・小川
・しずく
・すすき

・いました
・出てきて
・いたずらした
・ほりちらした
・付けた
・むしり取った
・しゃがんでいた
・はい出た
・歩いた
・やっている
・のぞいた

・はなれた
・ひとりぼっち
・いっぱい
・太い
・ほっとして
・からっと
・晴れる
・キンキン
・光る
・少ない
・どっと

授業の流れ ▷▷▷

1 言葉の分類について知る〈10分〉

○教科書 p.35「ことばを分類しよう」の内容を確認する。

T　言葉は、同じ特徴をもつもの同士でまとめることができます。教科書 p.35を読みましょう。どのような分類の仕方がありますか。

・物や事を表す言葉です。
・動きを表す言葉です。
・様子を表す言葉です。

T　皆さんの生活で使う言葉は、この３つのどこに分類できますか。

・「学校」は「物や事を表す言葉」。
・「走る」は「動きを表す言葉」。
・「楽しい」は「様子を表す言葉」。

○子供の日常生活と関係した言葉を発表する。

2 『ごんぎつね』に出てくる言葉を３観点に分類する〈15分〉

T　『ごんぎつね』に出てくる言葉を、３つのまとまりに分けてみましょう。

・「兵十がまだ、井戸のところで麦をといでいました」の中の「といでいた」は「動きを表す言葉」だな。
・青いけむりの「細く」は「様子を表す言葉」だ。
・「ばたりとたおれました」の「ばたり」も「様子を表す言葉」だね。
・「聞いた」「住んでいました」「しゃがんでいました」は、全部「動きを表す言葉」だね。「動きを表す言葉」は、たくさんあるんじゃないかな。
・「物や事を表す言葉」もたくさんありそうだよ。

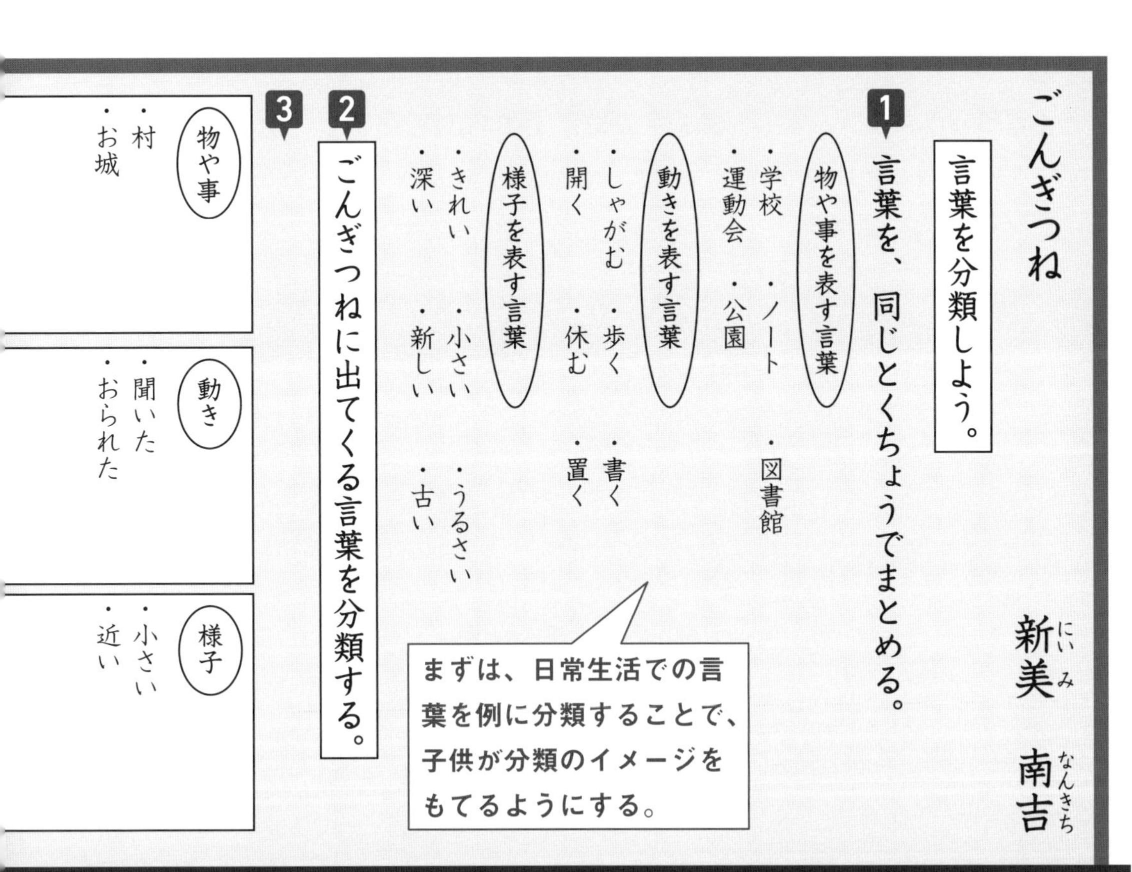

3 分類した内容を学級全体で共有する 〈20分〉

T　どのように分けたか発表しましょう。
（※１の場面に着目した場合）

・「物や事を表す言葉」は、「お城」「しだ」「小川」「しずく」「すすき」などです。
・「動きを表す言葉」は、「聞いた」「しゃがんでいました」「はい出ました」「歩いていきました」「のぞいてみました」「まくし上げて」などです。
・「様子を表す言葉」は、「はなれた」「しげった」「からっと」「少ない」「そうっと」などです。

T　１つの場面だけでも、たくさんの言葉があり、特徴によって分けることができますね。

ICT 端末の活用ポイント

言葉をカードに記入し、それらを ICT 端末上で分類していくと、見やすくなる。

よりよい授業へのステップアップ

「言葉のたから箱」を活用する

教科書の p.173–174に「言葉のたから箱」が載っている。人物を表す言葉・気持ちを表す言葉が紹介されている。本時で学習する３種類の言葉の分類に加え、人物や気持ちを表す言葉を知ることで、物語文の登場人物の気持ちを表現するための語彙を増やすことが期待できる。語彙が増えると、日常生活での会話において、自分の思いや考えを伝えやすくなるだろう。

「気持ちを表す言葉」は、感想を伝えるときにも活用することができる。

資料

1 ごんぎつねワークシート①（第3・4時） 01-01

ごんぎつねワークシート①

四年（　）組　氏名（　　　　）

1の場面　ごんや兵十の気持ちを読み取ろう。

☆ごんの人がら

ごんの行動	
ごんの気持ち	

兵十の行動	
兵十の気持ち	

2 ごんぎつねワークシート②（第8時） 01-02

ごんぎつねワークシート②

四年（　）組　氏名（　　　　）

6の場面のごんと兵十の気持ちを考えよう。

兵十の気持ち	ごんをうつ前	
	ごんをうった後	

兵十にうたれたごんの気持ちを書こう。

3 教師用教材研究資料：ごんぎつねの問い（表）（第２時） 01-03

ごんぎつねの問い（表）

【ごんの人物像に関わる問い】
☆どうしてごんはいたずらをしたのか。
☆なぜ、ごんはいたずらばかりするの？
☆ごんは、なぜいたずらをするのか。
☆なぜ、ごんは、いたずらばかりしていたのか。　⇒ごんの人物像を知るための問い
☆なぜ、ごんはいたずらばかりしたのか。

☆ごんは、なぜたくさんの知識があるのだろう？　⇒ごんの人物像を知るための問い

☆ごんにお礼を言ってくれなかったときの気持ち。
☆ごんの最期、ごんは兵十とごん、どちらが悪いと思ったか。
☆ごんは、兵十のことをどう思っているのか。

【ごんから兵十への思いを考えるための問い】
☆p.22、13行目の一言は、どんな気持ちで言ったのか。
☆p.22の13行目「おれと同じ、ひとりぼっちの兵十か。」と言ったのはどうしてか。
☆p.22の「おれと同じ、ひとりぼっち」と言ったとき、ごんは、どんな気持ちで言ったのか。
☆ごんは、兵十のおっかあがなくなってからどんな気持ちだったのか。
☆p.22の13行目、ごんは「おれと同じ、ひとりぼっちの兵十か。」と言ったが、どんな気持ちで言ったのか。

☆なぜ、ごんは兵十と加助の後をついていったのか。(p.25～29)
☆なぜ、急にごんが優しくなったか。
☆なぜ、神様だと言われ、「引き合わない。」と思ったのに、その次の日もくりを持っていってあげたの？

【つぐないに関わる問い】
☆なぜ、ごんは自分がくりや松たけをとどけていたのに「神様のしわざ」だと言われてもとどけていたのか。
☆なんでごんは、直接くりや松たけを渡さなかったのか。
☆なんでごんはくりや松たけなんかを毎日毎日くれるのか。
☆ごんは、なぜいたずらをやめて兵十にくりや松たけを持っていき始めたのか。
☆ごんは、兵十と加助の話をどう思って聞いていたのか。
☆p.29の４行目、「へえ、こいつはつまらないな。」と思ったが、なぜそう思ったのか。
☆なんでごんはくりや松たけを持っていったのか。
☆なぜ、ごんはくりや松たけを兵十に直接わたさなかったのか。
☆ごんは、引き合わないのに、なぜ次の日もくりを持ってきたのか。
☆ごんは何でいたずらをやめたか。
☆なぜ、ごんはくりや松たけを毎日毎日持っていったのか。
☆ごんはいつごろから反省したのか。⇒文章の流れをおさえるための問い
☆ごんが兵十の家に、いろいろなものを放りこんでいって、なぜ「自分がした。」と言わなかったのか。
☆ごんは、うたれたとき、どう思ったのか。

4 教師用教材研究資料：ごんぎつねの問い（裏）（第２時） 01-04

ごんぎつねの問い（裏）

【第６場面の兵十に関わる問い】
☆なぜ、兵十はごんがくりを固めておいているのも見ずにうってしまったの？⇒兵十がごんをどう見ているか。
☆兵十は、ごんをうったとき、どう思ったか。
☆兵十は、ごんをうったあと、どんな気持ちだったか。
☆兵十がごんを火縄じゅうでうってしまった後、兵十はどんな気持ちだったか。

☆p.30の11行目、「ごん、おまえだったのか、いつも、くりをくれたのは。」と兵十はどんな気持ちで言ったのか。
☆兵十は、どうしてごんをうったのか。

☆兵十と加助の関係は？
☆兵十は、ごんのことをどう思っているのか。
☆なぜ、兵十はごんがいたずらしているのを見て「ぬすっとぎつね」と言ったのに、最後の場面では「ごん」と言っているのか。　⇒呼び方が変わっている、兵十からごんへの心情が変化している。

【情景描写に関わる問い】
☆なぜ、普通の白い煙じゃなくて、青い煙なのか。　⇒青い煙が何を表しているか。
☆なぜ、作者は「青いけむりが、まだつつ口から細く出ていました。」を入れたのか。
☆p.30の13，14行目の文は何を意味している？「青いけむりが、まだ、つつ口から細く出ていました。」
☆どうしてp.21の９行目に、ひがん花がふみ折られていたと作者は書いたのか。

【物語全体に関わる問い】
☆ごんの思いやりは、兵十に伝わったのか。

【文章の流れをおさえるための問い】
☆ごんは、なぜたくさんの知識があるのだろう。
☆ひがん花がふみ折られたと、なぜ作者は書いたのか。
☆ごんがいたずらをやめて、兵十にくりや松たけを持っていき始めたきっかけは？
☆ごんはいつごろから反省したのか。

言葉

漢字を正しく使おう

2時間扱い

単元の目標

知識及び技能	・漢字と仮名を用いた表記、送り仮名の付け方を理解して文や文章の中で使うことができる。((1)ウ) ・第3学年までに配当されている漢字を読むことができる。また、第3学年までに配当されている漢字を書き、文や文章の中で使うとともに、第4学年に配当されている漢字を漸次書き、文や文章の中で使うことができる。((1)エ)
学びに向かう力、人間性等	・進んで同音異義語や送り仮名の付け方などについて理解し、これまでの学習を生かして、漢字を文や文章の中で使おうとする。

評価規準

知識・技能	❶漢字と仮名を用いた表記、送り仮名の付け方を理解して文や文章の中で使っている。(〔知識及び技能〕(1)ウ) ❷第3学年までに配当されている漢字を読んでいる。また、第3学年までに配当されている漢字を書き、文や文章の中で使うとともに、第4学年に配当されている漢字を漸次書き、文や文章の中で使っている。(〔知識及び技能〕(1)エ)
主体的に学習に取り組む態度	❸進んで同音異義語や送り仮名の付け方などについて理解し、これまでの学習を生かして、漢字を文や文章の中で使おうとしている。

単元の流れ

時	主な学習活動	評価
1	学習の見通しをもつ 全文を読む。 かなで書くと同じになる言葉(同音異義語)の使い方を知り、正しく使って文や文章を書く。	❷ ❸
2	送り仮名の付け方による意味の違いや、同じ漢字でも読み方がいろいろあることを知り、正しく使って文や文章を書く。 作った文や文章を友達と共有する。 学習を振り返る めあてに対する自己の学びを記述する。	❶ ❸

授業づくりのポイント

〈単元で育てたい資質・能力〉

本単元のねらいは、新出漢字及びこれまで習ってきた漢字の知識を用いて、文や文章の中でより正しく使うことができるようにすることである。ここでは、「かなで書くと同じになる言葉（同音異義語）」「送り仮名の変化や送り仮名の違いによる意味の違い」「同じ漢字でも読み方がいろいろあること」の3点に焦点を当てた漢字の特性について示している。これらの漢字の特性を理解し、「他にはどんな漢字が、これらの条件に当てはまるのか？」と考え、探しながら学習を進めることで、既習の漢字にも視野を広げた、漢字知識の習得を目指すようにする。

〈教材・題材の特徴〉

「漢字を正しく使おう」は、「書くときや読むときに、まよってしまう漢字はありませんか」という、問いから始まっている。子供たちにもこのことを投げかけ、漢字の難しさや分かっているのにうまく使えない現状を共有しながら、「でも、この勉強でコツを知ると少し漢字が分かりやすくなるかも」と、導入していくことができる。

教科書の構成は、3つの視点に分類して漢字の特性を示しているので、第1時では、「かなで書くと同じになる言葉（同音異義語）」について理解し、例を挙げ、実際に自分たちでも漢字を探す活動を行うことが考えられる。第2時では、「送り仮名の変化や送り仮名の違いによる意味の違い」「同じ漢字でも読み方がいろいろあること」という2つの特性を理解し、教科書の例文を扱いながら、自分たちもこれらの特性に当てはまる漢字を調べ、文づくりをするという活動が考えられる。

漢字を調べるときには、教科書の巻末「これまでに習った漢字（p.160–166）」及び「この本で習う漢字（p.167–170）」や、漢字辞典、ICT端末などを積極的に活用することができるだろう。

〈言語活動の工夫〉

漢字の様々な特性に触れながら、実際に新出漢字や既習漢字にも目を向け、それらを調べたり使ったりすることで、これまで以上に漢字に親しみをもち「正しく使うことができる」楽しさを味わわせたい。集めた言葉や、正しく漢字を使えている文を互いに紹介し、共有して、さらに漢字の知識を広げていくことができるようにする。

[具体例]

○同音異義語をたくさん集める活動や、それらを使った短い文を作る活動が考えられる。

○いろいろな読み方をもつ漢字を集めて、同じ漢字を違う読み方で読ませる言葉として盛り込んだ文を作る活動が考えられる。できた文を友達と共有し、漢字の知識を広げることができる。

〈ICTの効果的な活用〉

調査：検索機能を用いて、同音異義語や漢字の読み方などの情報を収集する。

共有：ホワイトボード機能などを用いて、集めた言葉や作った文を紹介し合い、漢字の知識を広げる。

記録：学習支援ソフトを用いて、できた文章を一括記録する。子供が互いに閲覧できるとともに、評価にも役立てることができる。

本時案

漢字を正しく使おう

本時の目標

・かなで書くと同じになる言葉（同音異義語）について理解し、これまでの学習を生かして、漢字を文の中で使うことができる。
・第３学年までに配当されている漢字を読むとともに、第３学年及び第４学年に配当されている漢字を漸次書くことができる。

本時の主な評価

❷同音異義語の意味を知り、正しく文の中で使っている。【知・技】

資料等の準備

・導入クイズの画用紙（プレゼンテーションソフトなどを活用してもよい）
・教科書 p.36下段の文例の掲示（拡大コピーで可）

3 文を作ろう。

辞書、教科書の巻末ページ、ICT 端末などを利用して検索し、同音異義語を探す。それを用いて、簡単な文を作る。

短冊に書いて黒板に張り出す、ホワイトボード機能に記入し見合う、などの共有方法が考えられる。

ふり返り

授業の流れ ▷▷▷

1 導入で学習への意欲を高め、本時のめあてを確認する〈５分〉

○「かう」という言葉を例に取り上げたフラッシュカードを用いて、簡単なクイズをする。その際、「飼」は５年生での配当漢字であることに留意する。
T 「スーパーで野菜をかう。」という文と、「飼育小屋で、うさぎをかう。」という文があります。どの漢字が当てはまりますか？
・「買う」と「飼う」です。
T このような言葉は、他にもありますか？
・「話すと離す」「聞くと効く」など
○本時のめあてを板書する。

かなで書くと同じになる言葉に着目して、正しく使おう。

2 本文を読み、同音異義語の特徴について理解する〈15分〉

○本文を音読する（p.36）。
○同音異義語について理解する。教科書 p.36下段の例文（拡大コピー）を黒板に提示する。
T 正しいと思う漢字を線でつなぎましょう。
T これらの言葉は、どうして迷ってしまうのでしょうか？
・ひらがなで書くと、全く同じだから。
・耳で聞いただけでは、分からない。
・周りの言葉（文）によって、使う漢字が変わるから。
・「あく」だけでは、どちらか分からないが、「戸が開く」「席が空く」など、他の言葉の意味から判断できる。
○「文の中での言葉の意味を考える」必要があることに着目させる。

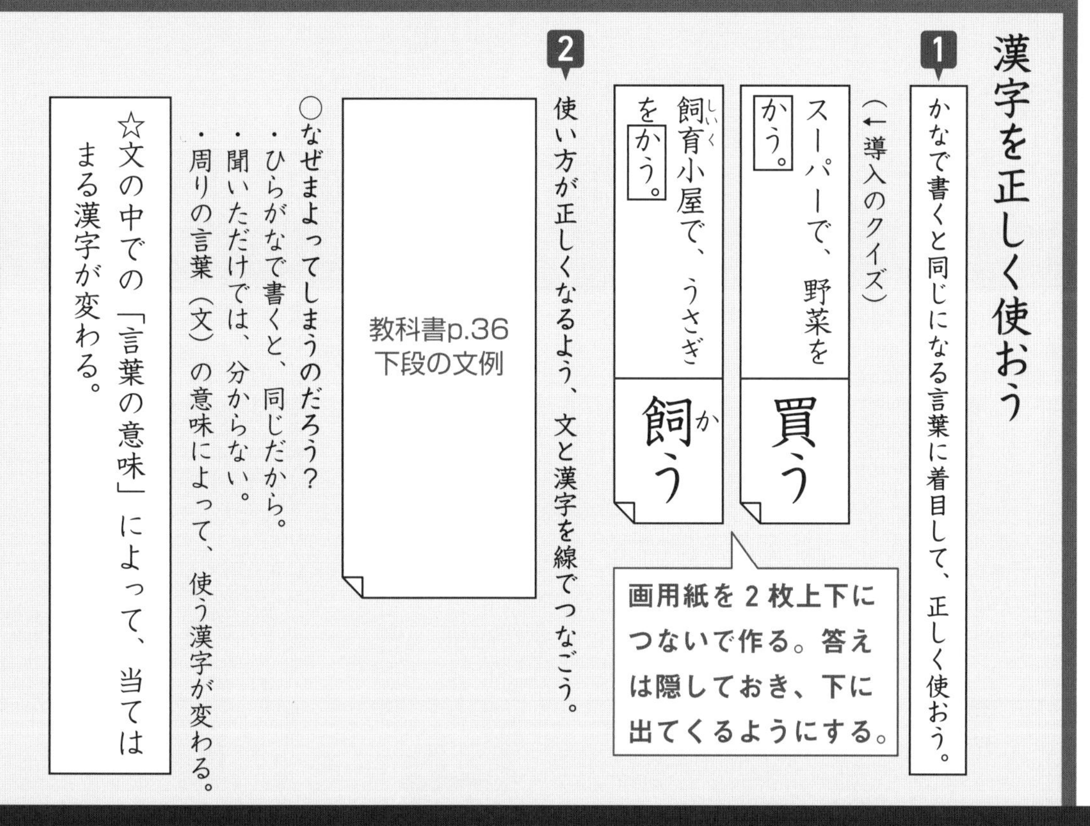

3 かなで書くと同じになる言葉を探して、文を作る 〈25分〉

○教科書の例を参考にしながら、かなで書くと同じになる言葉（漢字）を使って、簡単な文を作り、ノートに書く。

T 漢字を探して、それを使った文を作りましょう。

・外で、人と会う。⇔外で、話し合う。

○辞書、教科書の巻末ページ、ICT 端末などを利用して検索する。

○作った文を共有する。

○本時の学習を振り返る。

ICT 端末の活用ポイント

「かなで書くと同じになる言葉」または、「同音異義語」で検索する。多様な言葉が出てくることが予想されるので、「文が作りやすい」という視点で選ばせるとよい。

ICT 等活用アイデア

漢字と仮名を用いた表記、送り仮名の付け方などを正しく理解する

本単元では、「同音異義語」「送り仮名の変化や送り仮名の違いによる意味の違い」「同じ漢字でも読み方がいろいろあること」という3つの漢字の特性に焦点を当てている。それぞれの使い方や書き表し方を正しく理解することで、子供が既習の漢字にも改めて興味・関心をもち、語彙を広げていくことを目指したい。そのために、ICT 端末の検索機能やホワイトボード機能を活用することは有効である。また、教科書の巻末（p.160–170）も活用させたい。

本時案

漢字を正しく使おう

本時の目標

・漢字と仮名を用いた表記や送り仮名の付け方を理解して、文や文章の中で使うことができる。
・送り仮名の付け方による意味の違いや、同じ漢字でも読み方がいろいろあることについて理解し、これまでの学習を生かして文の中で正しく使うことができる。

本時の主な評価

・送り仮名の付け方による意味の違いや、読み方の違いによる意味の違いを知り、正しく文の中で使っている。

資料等の準備

・同音異義語といろいろな読み方がある漢字の例 02-01
・教師が考えた短冊の例文 02-02

ふり返り

辞書、教科書の巻末ページ、ICT 端末などを利用して検索し、漢字の読み方を探す。それを用いて簡単な文を作る。

短冊に書いて黒板に張り出す、ホワイトボード機能に記入し、見合うなどの共有方法が考えられる。

授業の流れ ▷▷▷

1 本時のめあてを確かめ、音読する〈5分〉

○前時を振り返る。
T　前回は、「かなで書くと同じになる言葉」を使って文を作りました。漢字には、まだまだ、「迷う」ポイントがあります。
○本時のめあてを板書する。
T　送りがなや読み方に着目して、漢字を正しく使いましょう。
○本文を音読する。

ICT 端末の活用ポイント

ホワイトボード機能を使って、作った文を共有することで、なかなか自分では文が思い浮かばない子供も、文づくりのコツやヒントを得ることができる。

2 送り仮名を正しく書く必要性について理解する〈15分〉

○「文の中の使い方で、送り仮名が変わること」について理解する。
T　「書く」は、「く」のほかに、どんな送り仮名が付きますか？
・書かない　・書けば　・書こう　・書きます
・文の中の使い方によって、送り仮名も変わる。
○「送り仮名が違うと、その言葉を使った文の意味が変わること」を知る。
T　「公園に集まる」と「公園に集める」では、どのように意味が変わりますか？
・「集まる」は、自分たちで行く、「集める」は、誰かに集められる感じがする。
・「ま」と「め」の違いなのに、意味が違う。
○送り仮名は正しく付ける必要がある。

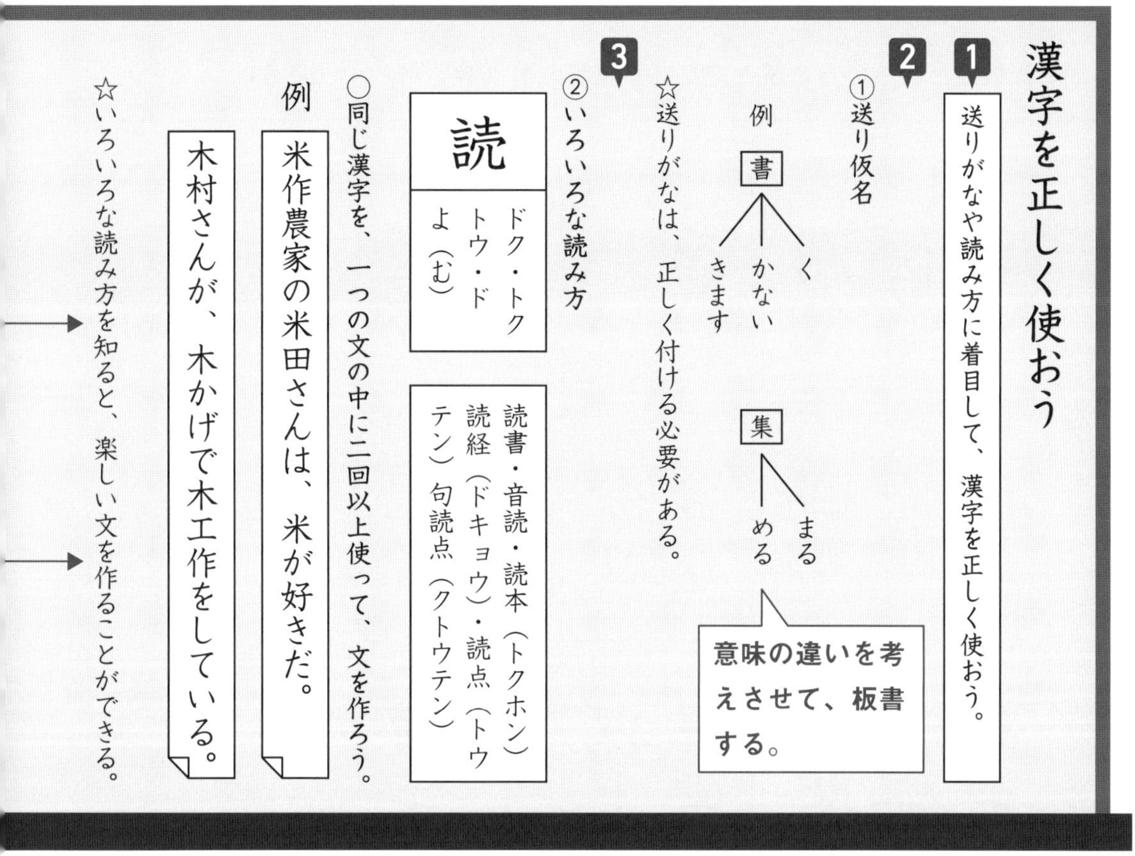

漢字を正しく使おう

1

送りがなや読み方に着目して、漢字を正しく使おう。

2

①送り仮名

例

書 — く／かない／きます

集 — まる／める

意味の違いを考えさせて、板書する。

☆送りがなは、正しく付ける必要がある。

3

②いろいろな読み方

読
ドク・トク トウ・ド よ（む）

読書・音読・読本（トクホン）
読経（ドキョウ）・読点（トウテン）句読点（クトウテン）

○同じ漢字を、一つの文の中に二回以上使って、文を作ろう。

例

米作農家の米田さんは、米が好きだ。

木村さんが、木かげで木工作をしている。

☆いろいろな読み方を知ると、楽しい文を作ることができる。

3 いろいろな読み方をもつ漢字を調べ、文を作る 〈25分〉

○漢字にはいくつも読み方があることを理解し、その特性を生かした文をノートに書く。

T　ここまで、「かなで書くと同じ、でも意味が違う漢字」「送り仮名の違いによる意味の違い」を学習しました。最後に、「一つの漢字にはいろいろな読み方がある」という特徴を使って文づくりに挑戦しましょう。

（例）「米作農家の米田さんは、米が好きだ。」
「木村さんが、木かげで木工作をしている。」

○辞書、教科書の巻末ページ、ICT 端末などを利用して検索し、語彙を広げる。

○作った文は、学級で共有してもよい。

○本時の学習を振り返り、めあてに対する自己の学びを記述する。

よりよい授業へのステップアップ

学習環境を豊かに

日頃から、漢字や言葉に目が向くよう、教師が意図的に学習環境を整えておくことも重要である。教科書巻末には、「言葉のたから箱」（p.173–174）や、「これまでに習った漢字（p.160–166）」及び「この本で習う漢字（p.167–170）」などが、丁寧に示されている。

これらを基に、教室内にも「言葉のたから箱コーナー」を作り、子供が日記に書いてきた言葉や授業で扱った語彙などをカードに記し、年間を通して増やしていくとよい。言葉に触れる機会を多くしていく。

資料

1 同音異義語といろいろな読み方がある漢字の例（第2時） 02-01

①かなで書くと同じになる言葉（同音異義語）の例

※160－166ページ「これまでに習った漢字」も参考に
※167－169ページ「この本で習う漢字」も参考に

医院 委員	早い 速い	測る 図る 計る
記者 汽車	会う 合う	回想 海草 改装
漢字 感じ	以上 異常	公開 後悔 航海

－ICT端末、国語辞典、漢字辞典なども、活用するとよい。

②いろいろな読み方がある漢字の例

（同上・参照）

上	下	生
ジョウ・ショウ・うえ・うわ・かみ・あげる・あがる・のぼる・のぼせる・のぼす	カ・ゲ・した・しも・さげる・さがる・くだる・くだす・くださる・おろす・おりる	セイ・ショウ・いきる・いかす・いける・うまれる・うむ・おう・はえる・はやす・き・なま
頭上（ズジョウ）・上の空（うわのそら）・上着（うわぎ）・上手（かみて）・階段を上がる（あがる）・川を上る（のぼる）	以下（いか）・下段（げだん）・川下（かわしも）・下着（したぎ）・値段が下がる（さがる）・川を下る（くだる）	生活（せいかつ）・一生（いっしょう）・生きる（いきる）・生まれる（うまれる）・生き物（いきもの）・生物（せいぶつ）・生もの（なまもの）

2 教師が考えた短冊の例文（第2時） 02-02 ※教室内に掲示し、子供が言葉にふれる機会を増やす

※教科書 p.173-174では、「人物を表す言葉」「物や事がらの様子を表す言葉」「気持ちを表す言葉」を紹介している。その学年の実態に合わせて、言葉を集め、年間を通して掲示する。

季節の言葉 3

秋の楽しみ　2時間扱い

単元の目標

知識及び技能	・秋の行事の楽しさを知らせる手紙を書くことを通して、様子や行動を表す語句について理解を深めることができる。((1)オ)
思考力、判断力、表現力等	・相手や目的を意識して、経験したことや想像したことなどから書くことを選び、集めた材料を比較したり分類したりして、伝えたいことを明確にすることができる。(B ア)
学びに向かう力、人間性等	・秋の行事について書くことを選び、その様子などを表す語句を使いながら秋の行事の楽しさを伝える手紙を書こうとする。

評価規準

知識・技能	❶様子や行動を表す語句の量を増やし、文章の中で使い、語彙を豊かにしている。(〔知識及び技能〕(1)オ)
思考・判断・表現	❷「書くこと」において、相手や目的を意識して、経験したことや想像したことなどから書くことを選び、集めた材料を比較したり分類したりして、伝えたいことを明確にしている。(〔思考力、判断力、表現力等〕B ア)
主体的に学習に取り組む態度	❸積極的に秋の行事やその様子などを表す語句の量を増やし、学習の見通しをもって、秋の行事の様子を伝える手紙を書こうとしている。

単元の流れ

時	主な学習活動	評価
1	学習の見通しをもつ 秋の行事の楽しさを知らせる手紙を書くことを伝え、学習の見通しをもつ。 秋の行事や秋の行事から連想することを学級全体で共有し、イメージを膨らませる。 教科書の挿絵や写真を見たり、短歌や俳句を音読したりして、秋の自然の様子や行事を表す言葉をさらに集める。 経験したことや想像したことなどから手紙に書くことを選ぶ。	❶
2	好きな秋の行事の楽しさを知らせる手紙を書く。 学習を振り返る 書いた手紙文を紹介し合い、感想を伝え合う。	❷❸

授業づくりのポイント

〈単元で育てたい資質・能力〉

本単元のねらいは、様子や行動を表す語句について、理解を深めることである。秋の行事の楽しさを知らせる手紙を書くことを通して、秋の行事に興味をもち、相手や目的を意識して、経験したことや想像したことなどから書くことを選ばせたい。そのために、子供たちの経験や想像したことを聞き合う場を設けることや、書くために集めた材料を比較したり分類したりして、伝えたいことを明確にすることができるような活動としたい。

〈教材・題材の特徴〉

秋の行事についてイメージされるものを、まずは自由に子供たちの言葉で共有していきたい。その中には、「お月見」「紅葉」「運動会」「読書の秋」など、様々なものが挙がるだろう。一方で、旧暦での月の呼び名や秋の七草、紅葉をうたった和歌などは、子供たちにとって馴染みのないものも多いだろう。このようなものも進んで紹介し、幅広く秋に関わる言葉との出会いを楽しみたい。「くり名月」などはその意味を調べると、親しみを感じるだろう。また、秋の七草を唱えたり、和歌を声に出してみたりと、言葉を口に出すことも繰り返し行う。本単元だけに限らず、毎回の授業の冒頭に唱える時間を設けたり、暗唱したものを発表し合ったりと、継続して親しむことができるよう、工夫したい。

[具体例]
・いくつか俳句や短歌をよみながら、どのような情景が想像できたかを伝え合う。
・「いも名月」「くり名月」について、家の人に聞いたり、家で意味を調べてきたりするなどし、関連する情報にも子供が気付き、伝え合う場を設ける。
・秋を感じたもの（木の葉や木の実など）や写真を自由に持参させ、子供が持ってきたものからも、秋の深まりを感じさせる。

〈言語活動の工夫〉

秋の行事の楽しさを知らせる手紙を書くことを通して、秋に親しむだけでなく、手紙の書き方についても学習する。宛名や署名、日付などの形式的なことに加えて、あいさつや、書き言葉に相応しい表現など、内容面についても十分に確かめたい。何より、受け取る相手がどのように感じるかについて、一人一人が考えられるよう、手紙は、実際に渡すことができるよう、お家の人に事前にお願いをしておいたり、地域の方に伝えておいたりするなどの準備も必要である。子供たちが、切実感をもって取り組めるよう、実際の機会を設けることを大切にしたい。

[具体例]
・両親や祖父母、地域の方へ、学校行事へ招待するもの。
・校内の先生へ、学級の行事を案内するもの。
・家族へ、自分が行ってみたい秋のイベントを伝え、誘うもの。
・先生へ、地域の行事を紹介し、誘うもの。
など、地域によって、また、学校行事によって様々な設定が考えられる。

〈ICT の効果的な活用〉

調査：検索機能を活用し、秋に関連する行事や昔ながらの表現、秋の動植物などについて調べ、写真や動画などとともにその様子を知り、興味を深める。

共有：学習支援ソフトを活用し、秋に関わるものの写真や、参考になった資料をお互いが見合えるようにする。

記録：書いた手紙を渡すと手元に残らないため、写真に撮ってデータで保管したり、コピーを渡してノートに貼ったりすることで、いつでも見返せるようにし、その後の学習に生かす。

本時案

秋の楽しみ

本時の目標

・様子や行動を表す語句の量を増やし、短歌や俳句を読み、その様子を豊かに想像することができる。

本時の主な評価

❶短歌や俳句を読み、その様子を豊かに想像し、語彙を豊かにしている。【知・技】

資料等の準備

・必要に応じて、秋を感じたもの（木の葉や木の実）や写真を事前に提示し、子供たちも自由に持ち寄ることができると活動が広がる。

・ちいきの人
・お家の人
・学校の先生

どのような内容を？
・運動会にしょうたいする
・ちいきのお祭りのしょうかい

授業の流れ ▷▷▷

1 学習の見通しをもつ 〈5分〉

T　皆さんは、秋の行事と言えばどんなことを思い浮かべますか。
・お月見
・紅葉
・運動会
・読書の秋

T　たくさんありますね。秋の行事の楽しさを知らせる手紙を書いていきます。どんな行事について、誰に知らせたいでしょうか。
・お家の人を、運動会に招待したい。
・地域の人に、校内の秋祭りについて知らせたい。

2 秋の行事から連想することを学級全体で共有する 〈10分〉

T　いろいろな手紙が書けそうですね。お月見や運動会などが出ましたが、他には、秋の行事について、どのようなものを知っていますか。
・芸術の秋
・紅葉狩り

T　教科書にも、いくつか秋の詩や和歌が載っています。読んでみましょう。
・知らない言葉もあった。
・今は使われていない言い方もあるね。

ICT 端末の活用ポイント

地域のお祭りや「くり名月」の意味について、その場で調べて共有することで、手紙の内容の広がりに期待したい。

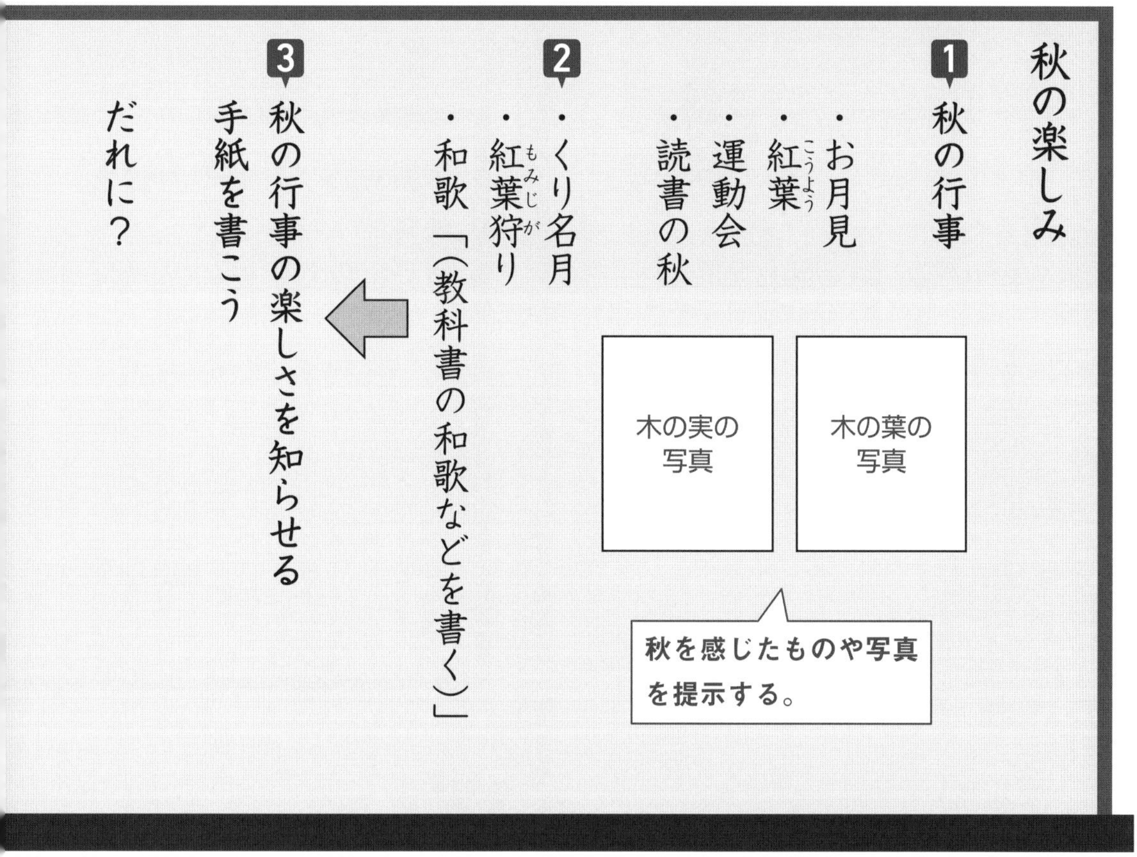

秋の楽しみ

1 秋の行事

・お月見
・紅葉（こうよう）
・運動会
・読書の秋

木の実の写真　木の葉の写真

秋を感じたものや写真を提示する。

2
・くり名月
・紅葉狩り（もみじがり）
・和歌「（教科書の和歌などを書く）」

3 秋の行事の楽しさを知らせる手紙を書こう

だれに？

3 秋に関わる言葉を集め、書きたい事柄を選ぶ〈30分〉

T　教科書に載っているものや皆さんが見つけてきた「秋を感じたもの」を基に、ノートに、秋に関わる言葉をさらに集めてみましょう。

・「いも名月」と書き足したよ。意味は…
・地域の公園で紅葉狩りのイベントがあるみたい。行ってみたいな。

T　その中から、誰に、どのような手紙を書きたいか、選びましょう。

ICT 端末の活用ポイント

学習支援ソフトを活用し、秋に関わるものの写真や、参考になった資料、サイトの URL などをお互いがいつでも見合えるようにする。

よりよい授業へのステップアップ

子供の言葉から、徐々に秋のイメージを広げていく

子供たちに秋について聞くと、たくさんの言葉が出るだろう。まずは、子供の言葉で、イメージを共有し、実物や写真も掲示しながら広げていく。一方で、教科書に載っている旧暦での月の呼び名や秋の七草、和歌などは、子供にとって馴染みのないものも多い。これらも紹介し、幅広く秋に関わる言葉との出会いを楽しみたい。そして、意味を調べたり、声に出して読んだりすることで、親しみをもてるようにしたい。

本時案

秋の楽しみ

本時の目標

・秋の行事について書くことを選び、相手や目的を意識して工夫して書くことができる。

本時の主な評価

❷相手や目的を意識して、経験したことや想像したことなどから書くことを選び、集めた材料を比較したり分類したりして伝えたいことを明確にしている。【思・判・表】

資料等の準備

・便箋のように線を引き、イラストが自由にかけるようにした用紙。03-01、03-02
※書く相手や目的によって子供が用紙を選べるようにするとよい。

学習支援ソフトの内容を映す

・秋に関わるものの写真

・季節のあいさつの例

・手紙の手本

・宛名や署名、日付の書き方

授業の流れ ▷▷▷

1 学習の見通しをもつ 〈5分〉

T　前回は、たくさんの秋の行事が出てきましたね。どのようなものがありましたか。
・運動会
・紅葉狩り
・お月見
T　たくさんありますね。今日は、秋の行事の楽しさを知らせる手紙を書いていきます。どんな行事について、誰に知らせる手紙を書きたいですか。
・お家の人に、運動会へ招待する手紙。
・地域の人に、校内の秋祭りについて知らせる手紙。

2 手紙の書き方について、気を付けることを確かめる 〈10分〉

T　皆さんは、手紙を書くときにどのようなことに気を付けたいですか？
・丁寧な字で書く。
・いきなり書き始めるのではなく、季節のあいさつを入れる。
・丁寧な言葉や敬語を使う。
T　他にも、宛名や署名、日付など気を付けるべきこともありますね。手紙の手本を見ながら実際に書いてみましょう。

ICT 端末の活用ポイント

学習支援ソフトに手紙の手本やいくつかの例を用意することで、それぞれが自分のペースで必要な情報を参照できるようにする。

秋の楽しみ

1 秋の行事の楽しさを知らせる手紙を書こう。

2 ○手紙を書くときに気をつけたいこと
・ていねいな字、言葉（けい語）
・季節のあいさつ
・伝えたいことを分かりやすく

3

参考になった資料、サイトの URL などをいつでもお互いに見合えるようにする。

3 秋の行事の楽しさが伝わるような手紙を書く〈30分〉

T　受け取る相手のことを想像しながら、実際に手紙を書いてみましょう。用紙は好きなものを選びましょう。
・絵も描きたいから、この便箋にしようかな。
・季節のあいさつはどうしようかな。昨日のノートを見返してみよう。
・読み返して、字の間違いがないかもう一度確かめてみよう。

ICT 端末の活用ポイント

学習支援ソフトを活用し、秋に関わるものの写真や、参考になった資料、サイトの URL などをいつでもお互いに見合えるようにする。

よりよい授業へのステップアップ

実際に渡す手紙を書くことで、切実感をもって取り組む

　手紙を書くことは、これまでの積み重ねや、季節のあいさつを葉書で送ることを通して、親しみをもつ子供も多いだろう。ここでは、「秋の行事の楽しさを伝える」というめあてはもちつつ、学校や地域によって内容を柔軟に、子供と教師で選べるとよい。その際、手紙を受け取る相手がいて、実際に渡せるようにすることで、切実感をもって取り組むことができる。そのためにも、お家の人や地域の方に事前に依頼するなどの準備が必要である。

資料

1 便箋①（第２時） 03-01

（秋の楽しみ　便せん①）

イラストなどをかこう

2 便箋②（第２時） 03-02

（秋の楽しみ　便せん②）

イラストなどをかこう

役わりをいしきしながら話し合おう

クラスみんなで決めるには　8時間扱い

単元の目標

知識及び技能	・必要な語句などの書き留め方を理解し、使うことができる。((2)イ)
思考力、判断力、表現力等	・目的や進め方を確認し、司会などの役割を果たしながら話し合い、互いの意見の共通点や相違点に着目して、考えをまとめることができる。(A オ) ・目的を意識して、日常生活の中から話題を決め、集めた材料を比較したり、分類したりして、伝え合うために必要な事柄を選ぶことができる。(A ア)
学びに向かう力、人間性等	・言葉がもつよさに気付くとともに、幅広く読書をし、国語を大切にして、思いや考えを伝え合おうとする。

評価規準

知識・技能	❶情報を集めたり、発信したりする場合に落としてはいけない必要な語句を捉え、話合いの目的を理解しながら情報を書き留めている。(〔知識及び技能〕(2)イ)
思考・判断・表現	❷「話すこと・聞くこと」において、目的や進め方を確認し、司会などの役割を果たしながら話し合い、意見の共通点や相違点に着目して考えをまとめている。(〔思考力、判断力、表現力等〕A オ) ❸「話すこと・聞くこと」において、目的を意識して、日常生活の中から話題を決め、集めた材料を比較したり、分類したりして、伝え合うために必要な事柄を選んでいる。(〔思考力、判断力、表現力等〕A ア)
主体的に学習に取り組む態度	❹自分の役割を意識しながら目的や議題に沿って、積極的に話合いに参加し、考えをまとめようとしている。

単元の流れ

次	時	主な学習活動	評価
一	1	学習の見通しをもつ これまでの話合いの経験を振り返り、話合いでの課題を共有する。 どのような話合いを目指していくかを確認し、学習課題を設定する。	
	2	学級全体で話し合いたい議題と目的を考え、話合いの役割について理解する。 みんなが納得できるような結論を目指してクラスで話し合おう。	
二	3	議題に対する自分の考えをもち、役割ごとに話合いで気を付けることや進行の計画などを立てる。	❸
	4	3グループに分かれて話合いを行い、気付いたことを振り返る。(動画撮影) ・よりよい話合いとは何か　・これからの課題　・他の役割について	❶❷
	5	話合いの動画や教科書の二次元コードで見られる動画を視聴し、気付いたことや改善点、違いなどを共有しながら話合いのポイントをまとめる。	❹

三	6 7 8	新しい議題について学級全体で話合いを行い、気付いたことを振り返る。（動画撮影） 前時の動画や振り返りを基に、話合いでの目標を立て、新しい議題について学級全体で話合いを行い、気付いたことを振り返る。 学習を振り返る 話合いで大切なことや自分のできるようになったこと、意識したことなどを振り返り、学級全体で話合いのポイントをまとめる。	❶❷ ❷❸ ❹

授業づくりのポイント

〈単元で育てたい資質・能力〉

本単元のねらいは、役割を意識して話し合い、それぞれの考え方の共通点や相違点を整理しながら、考えをまとめていく力を育むことである。そのためには、話し合う目的と意味を理解していく必要がある。何のためにどのように話し合うのか。これまでの話合い活動での経験を生かし、自分の役割と進行計画に沿って話し合うことで、その効果を実感できるようにする。また、新たな考えに気付くなど、他者の意見を自分の意見と比較していくことのよさを捉えることが、今後の話合い活動の意欲を高めていく。情報を整理・分類し、自分の考えを再構築していく力も合わせて養っていきたい。

〈他教材や他教科等との関連〉

「話し合いたい」という意欲をもたせていくためには、議題に必然性が求められる。話合いの結論を実現できること、多様な意見が生まれることなどを条件とし、議題の選定は丁寧に行っていかなければならない。日常生活の中での課題であったり、他教科等での学習活動と結び付けたりすることで子供の実態に合った議題を見つけていくことができるだろう。また、単元で終わりにするのではなく、継続して他者の意見を聞いてみたい・話し合いたいという意識を醸成していきたい。

〈言語活動の工夫〉

話合い活動は聞き手の力が重要である。つい話すほうばかりに意識が向いてしまうが、聞く力を高めていかなければ、質問や反対意見などが生まれず、話合いが深まっていかない。聞く力を高めていくためには聴写などの活動も有効であろう。

また、話合いの経験をさせていくためには、短時間でのグループディベートなども考えられる。司会・A案・B案・記録（判定）の４人でそれぞれの役割を決めて話し合うことで、どのような話合いになると納得できるのか、どのような言葉で話すとよいのかなどを捉えやすくなる。全体の話合いでは全員に司会をさせることは難しいため、状況に応じて学びを生かせるような場を工夫して設定していくことが大切である。

〈ICT の効果的な活用〉

共有：役割ごとの振り返りが他者の次の課題設定に生きていく。学習支援ソフトを用いて、振り返りを共有できるようにすることで、それぞれの役割のポイントに気付いていけるようにする。

記録：話合いの様子を ICT 端末の撮影機能を用いて記録することで、自分たちの話合いを客観的に振り返ったり、子供のよさや課題を共有したりするなど、より具体的な視点で捉えていくことができるようにする。また、情報を書き留めるために、ノートではなく、ICT 端末に打ち込んでいく子供もいるだろう。メモの意味や目的も意識しながら、効果的に選択できるような環境を作っていきたい。

本時案

クラスみんなで決めるには

1/8

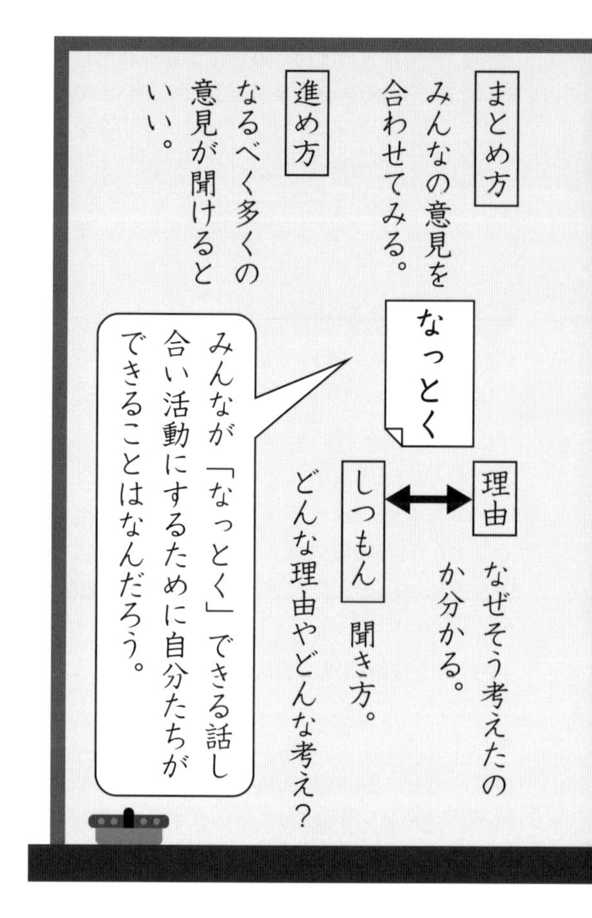

まとめ方
みんなの意見を合わせてみる。
進め方
なるべく多くの意見が聞けるといい。
なっとく
理由
なぜそう考えたのか分かる。
しつもん
聞き方。
どんな理由やどんな考え？
みんなが「なっとく」できる話し合い活動にするために自分たちができることはなんだろう。

本時の目標

・これまでの話合い活動を振り返りながら、課題を共有して単元の見通しをもつことができる。

本時の主な評価

・単元の見通しをもち、どのようなことを意識すれば自分たちの目指したい話合い活動になっていくのかを考えている。

資料等の準備

・「なっとく」の短冊

授業の流れ ▷▷▷

1 話合い活動の経験を振り返る〈15分〉

○これまでの話合い活動での議題やその経験を引き出すことで、話合い活動に対する課題を捉えさせたい。

T　これまでどんな話合いをしてきましたか。それはみんなが納得できましたか。

・お楽しみ会でやるゲームを決めたときは、多数決で決めてしまったけれど…。

・上手く自分の意見が伝えられなくて、聞いているだけになってしまったよ。

ICT 端末の活用ポイント

教科書 p.40にある二次元コードからよいところや課題を見つけてみたり、自分たちのこれまでの話合い活動と比べてみたりすることで、どんな話合い活動を目指していきたいのかを考えていくことができる。

2 話合い活動での課題を共有する〈20分〉

T　話合い活動では、どんなところが上手くいかないことが多いでしょう。

・意見があまり出ないで話合いが止まってしまうこともある。

・たくさん意見が出ても、それをまとめていくことが難しい。

・質問があまりできない。

・理由を上手く伝えていくことができない。

○話合いの課題は、「話合い全体を通しての課題」と「個々人の課題」が混在してくることが考えられる。板書を整理しながら、どちらの課題に対しても互いに解決の糸口を見いだしていくことができるような交流の場を設けながら、話合い活動に取り組む意欲を高めていきたい。

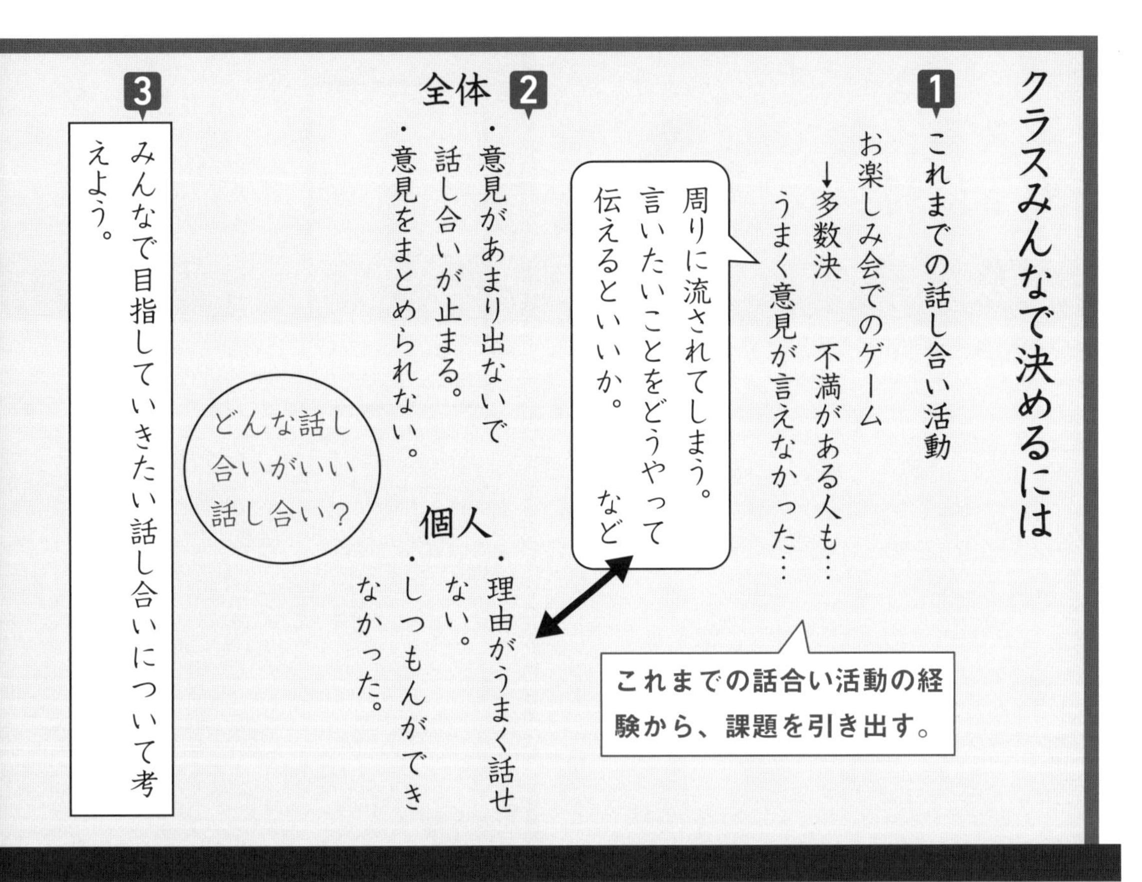

3 どんな話合い活動を目指していくか、学習の見通しをもつ〈10分〉

T　これからの話合いでは、どんなことに気を付けたらいいのでしょう。

・なるべく多くの人が納得できるようにするためには、理由が何なのかをしっかり考えていきたい。

・どんな理由かを聞く人も、ちゃんと聞いていくと質問ができるかもしれない。

・それを基に多数決じゃないまとめ方ができれば、みんなが納得できるようになるのかもしれないよ。

○「納得」をキーワードにしていくことで、そのためには自分がどうしていくべきか考えをまとめていく。

T　次回からどんなテーマで話合い活動ができるか考えてみてください。

よりよい授業へのステップアップ

継続的に話合いの素地をつくる

「話す・聞く」は普段当たり前に行っている行為ではあるが、そこにどこまで子供の意識が向いているのかを捉えていく必要がある。また、単元や教科に縛られることなく継続的に行っていくことで、子供の力は積み重なっていく。小グループで短時間のディベートを行ったり、場合によっては本単元でも最初に話合い活動を行ったりして、「なぜ、相手は自分の意見に納得してくれないのか」「どうすれば自分の思いが伝わるのか」など、話合いに対する課題意識をもたせることが大切である。

本時案

クラスみんなで決めるには

本時の目標

・話合いの役割について理解しながら、話し合いたい議題や目的を考えていくことができる。

本時の主な評価

・話合いの役割を理解しながら、目的を意識して、自分たちの生活とつながる話合いの議題を考えている。

資料等の準備

・話し合い活動での役割の例（役割一覧表）04-01
・４人ディベート 04-02
※スクリーンなどで掲示

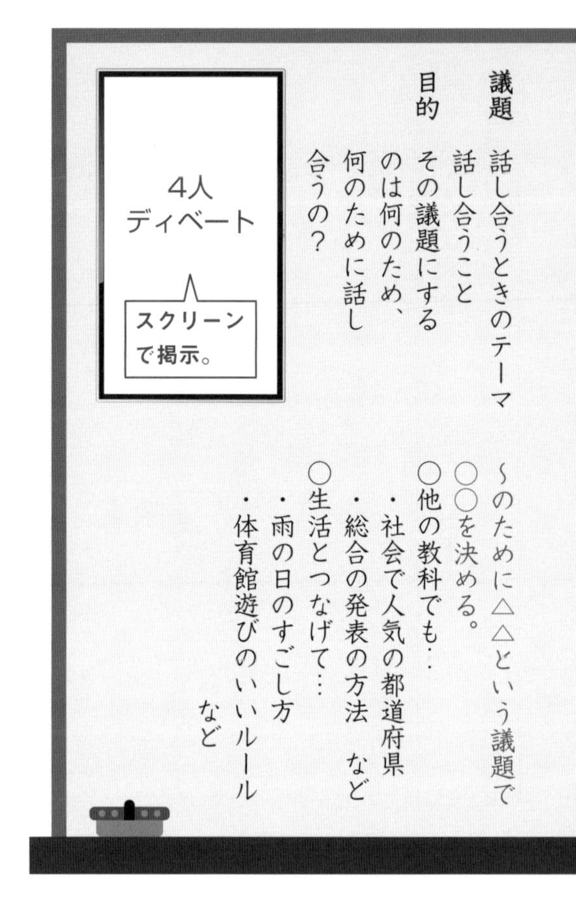

授業の流れ ▷▷▷

1 話合い活動の全体目標を設定する〈５分〉

○第１時での学習を振り返り、学級全体で「どんな話合い活動を目指していくのか」を確認する。

T　どんな話合い活動になればみんなが「納得」できる話合いと言えるだろう。

・みんなが自分の意見を話したり、質問したりできればいいのかな。
・それぞれの理由をちゃんと聞いて、それを比べていければみんなが納得しやすいのではないか。
・みんなの意見をきちんと整理していくことが必要だよ。

○単元の目標を板書し、話合いでどんな役割が必要かを考えさせる。

2 話合い活動での役割を捉える〈５分〉

○話合い活動での役割を確認する。子供の実態によっては提案者と参加者を区別せずに伝えていくことも考えられる。

T　話合いに必要な役割の１つが、「司会者」です。司会者がどんな仕事をしていけば、話合いはスムーズになっていくだろう。

・いろいろな人が話せるようにしていけばいいんじゃないかな。
・その人の意見に対してどう思うのかを、みんなに聞いていくといいのかも。
・意見が出ないときは、考える時間もつくってくれるといいな。

T　提案者や参加者は何に気を付けていけばいいかな。

・やっぱり理由を付けて話すことが大事。

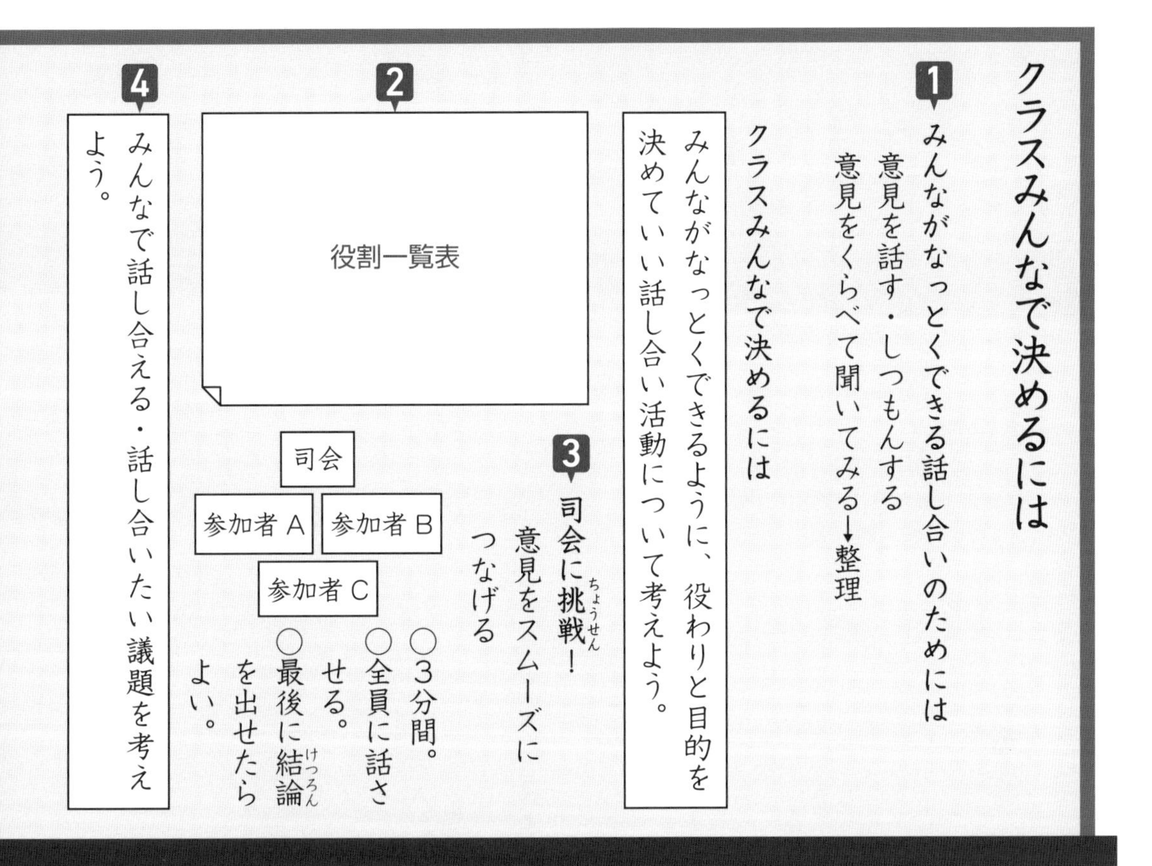

3 小グループで司会の役割を確認する 〈15分〉

T　司会はどんな言葉を使うとスムーズな話合いになるかな。

○ 4人グループで①司会、②参加者 A、③参加者 B、④参加者 C の役割を与え、簡単な議題で司会の練習を行う。3分程度で全員が話したり、意見をつないだりすることを意識させる。議題例は「将来のことを考えて、1日2時間授業するとしたらどの教科がいいか」など意欲的に参加者が意見を出し合えるものがよい。繰り返し全員に司会を経験させていき、司会への抵抗感をなくしていきたい。

ICT 端末の活用ポイント

話合いの様子を動画撮影していくことで自らの課題を振り返りやすくなったり、できるようになったことを自覚させたりすることができる。

4 みんなで話し合いたい目的と議題を考える 〈20分〉

T　話し合うテーマのことを「議題」と言います。みんなで話し合うときにはどんな目的で、どういう議題だと話し合えるのかを考えてみましょう。

・【他教科等との関連】ゲストティーチャーに感謝の思いを伝えるために、何をするのか。
・【学校生活との関連】雨の日の休み時間に安全に楽しく過ごすためには、何ができるか。

○「〜のために△△という議題で○○について決める」というような型を提示することで、議題を考えやすくする方法もある。

ICT 端末の活用ポイント

学習支援ソフトを用いることで、学級全体で話し合えそうな議題や必然性がある議題を整理したり、事前に決めたりすることもできる。

本時案

クラスみんなで決めるには

本時の目標

・議題に対する自分の考えをもち、話合い活動での役割ごとにできることを捉えて話合いの準備をすることができる。

本時の主な評価

❸伝え合うために必要な情報を選びながら、自分の意見をまとめたり、役割ごとの準備をしたりしている。【思・判・表】

資料等の準備

・話し合い活動の進行計画の例 04-03
・「なっとく」を生むキーワード 04-04

4 話し合いの準備

★話し合いは3つのグループ
司会→司会・記録（黒板）・時計と
記録（ノート）に役わり分たん。
提案者・参加者→自分の考えの伝え
方を考える。

多くの子供に異なる役割を体験させていく。

授業の流れ ▷▷▷

1 話し合うためには何が必要かを考える 〈10分〉

○前時に出た議題から、話しやすそうなものや子供が意見を出しやすいものを選び、議題について確認する。その際、目的については全員が共有できるようにしたい（ここでは「雨の日の休み時間に安全に楽しくすごすためには、何ができるか」を例に進めていく）。

T　話合いを行うまでにどんな準備が必要でしょう。

・議題に対してみんなが考えをもっておくとスムーズだと思う。
・司会だったら「こんなときはどうしたらいいのかな」ということを確認しておきたい。
・話合いってどのくらいの時間でする予定なのかを知りたい。

2 進行計画について知る 〈10分〉

○進行計画例を提示するが、時間配分については全体の意見を聞きながら設定していきたい。

T　これまでの話合い活動の中で、「まとめ方」に困っていることが多いと感じている人がたくさんいました。ですから、決め方について話し合う時間も取りましょう。

・決め方って多数決以外に何があるのかな。
・何を大切にして選ぶのかってことじゃないかな。

T　時間は、それぞれどのくらいあると話しやすいでしょう。

・１回目だから、まとめる時間は少し多めにとってもいいのではないかな。

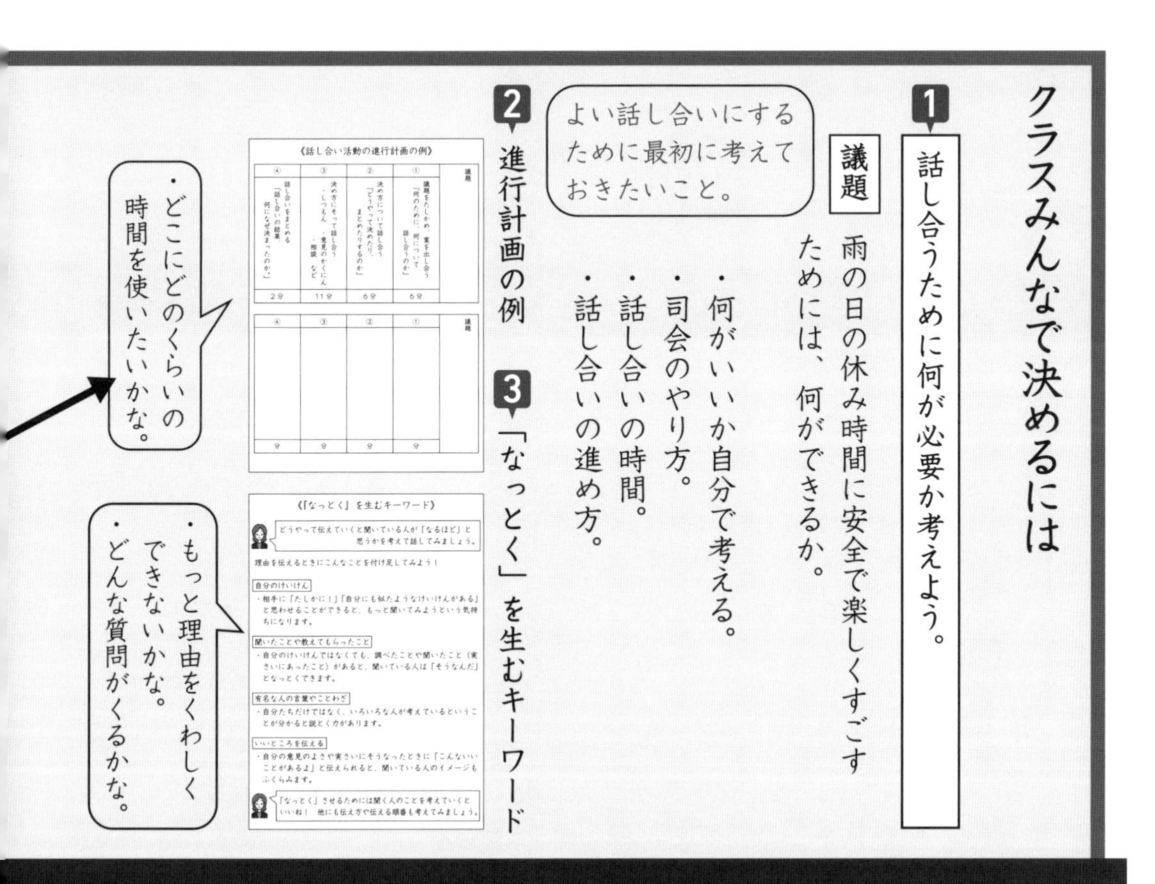

3 議題に対して自分の考えをまとめる〈10分〉

T　それぞれが議題に対して、自分はどう思っているのかを考えてみましょう。

・じっくり考えて、落ち着いて休み時間を過ごすことができる将棋がいいと考えた。勉強の集中力にもつながるかもしれない。

・たくさんの人数でできるトランプがあれば、みんなが楽しめるかもしれない。

○話合いでの役割にかかわらず、全員が議題に対して意見をもつことを大切にしていくことで、「みんな」の話合いであることを意識させたい。また、早く考えをまとめられる子供に対しては、どんな質問がくるか、その理由でみんなが納得できるのかなどを考えさせていくことで、個に応じた対応をしていく。

4 それぞれの役割ごとに話合いの準備を進める〈15分〉

○話合いでの役割は、子供の自主性を大切にしたい。また、次時からの話合いは3つのグループに分け、多くの子供に異なる役割を体験させることと話合い活動のよさや課題を比較させることを意識する。

→司会チーム（3人×3）：司会・黒板記録・時間／ノート記録で役割分担と全体の流れの確認

→提案者・参加者チーム（司会チーム以外の子供を3つに分ける）：自分の考えの伝え方の確認

ICT 端末の活用ポイント

ウェブブラウザなどを用いて、他のアイデアや第三者としての意見を取り入れるなど、自分の考えを深めていく活用も考えられる。

本時案

クラスみんなで決めるには

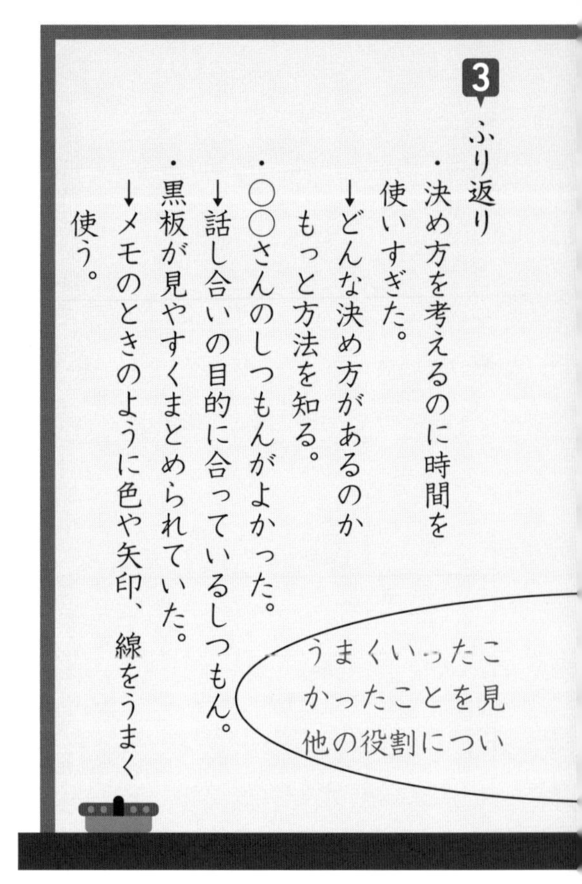

本時の目標

・話合い活動を通して、気付いたことや課題について振り返ることができる。

本時の主な評価

❶必要な情報をメモとして残しながら、話合いでの自分の発言につなげている。【知・技】
❷目的を意識しながら自らの役割を考えて課題に対する考えをまとめたり、話合いでの気付きをまとめたりしている。【思・判・表】

資料等の準備

・記録用ホワイトボード
・『聞き取りメモのくふう』でのノートや成果物

授業の流れ ▷▷▷

1 メモの工夫について振り返る 〈5分〉

○前回の「話す・聞く」単元では、『聞き取りメモのくふう』の学習を行っている。改めてメモの工夫について考えることで、学びのつながりを実感させたい。話合いの中でメモを取ることだけに注力してしまう心配もあるが、話合いの参加の形として認めてあげることも必要である。

T　話合いの中でメモは必要だと思いますか。
・いい意見や聞いてみたいことを忘れないためにも、メモはあったほうがいいと思います。
・メモは簡単に、素早く取れるように記号や省略などができると、話し合いながら取れるんじゃないかな。

2 話合い活動を行う 〈25分〉

○３グループに分かれて話合いを行う。動画撮影をすることと話し合う前に自分の目標をもたせることで、振り返りに生かしていきたい。また、教師は各グループの話合いを聞きながら、それぞれのよかった点や課題になりそうな点を見つけていく。

【評価したい子供の姿の例】
・進行計画に沿いながらも、臨機応変に意見と意見をつなげようとしている。
・決め方に沿って意見をまとめようとしている。
・自分の立場や理由をはっきりさせて思いを伝えたり、質問したりしようとしている。
・友達の発言に対して反応しながら、記録したり、意見を伝えたりしている。

クラスみんなで決めるには

1 メモの取り方
・記号　かんたんに、素早く書けるように。
・省略　話し合いに生かせるようにメモを取る。

『聞き取りメモのくふう』のノートや成果物

『聞き取りメモのくふう』のノートや成果物はスクリーンに映す。

2 話し合ってみて気付いたことをまとめよう。

〈今日の話し合いでがんばりたいこと〉
・議題からずれないように話し合いたい。
・司会としてスムーズに話し合いを進めたい。
・しつもんをしたい。

今日の話し合いの目標

1　時間を見ながら「まとめ」まで。
2　自分の思いをしっかり伝える。

とやいかな
つけながら
ても考える。

3 話合い活動について振り返り、共有する　〈15分〉

○話合いで上手くいったことやいかなかったことを振り返り、学級全体で共有することで、それぞれの話合いのよさや課題について検討していきたい。また、自分とは違う役割について考えることは、次回からの話合いにも生きていく。友達のよさについても考えていきたい。

T　自分たちの話合いを振り返ってみて、どんなことに気が付いたかな。
・「決め方」を決めることに時間がかかったけれど、どうすればよかったのかな。
・やっぱり質問することが難しかったけれど、A さんの質問は「確かに」と思った。
・黒板の記録が表みたいになっていて、とても分かりやすかった。

ICT 等活用アイデア

「話す・聞く活動」を動画として残すよさ

　話合いの記録を残し、見返すことは学習の振り返りに大変有効である。「こうやって伝えればよかった」「A さんの意見につなげて言えたかも」とそのときの話合いを具体的な視点で捉え直すことで、「次は…」という思いにつながっていく。また、話合いの最中には気が付けなかった周囲の聞き方（頷きやリアクションなど）や話し方の工夫（ジェスチャーや視線、表情など）に気付くきっかけにもなっていく。話合いを振り返る場を設定することが話合いの質を高めていく。

本時案

クラスみんなで決めるには

本時の目標

・話合い活動について振り返りながら、話合いで大切なことや改善点についてまとめようとする。

本時の主な評価

❹どのように話し合えばよりよい話合いとなるか検討しながら、次回の話合いに向けての課題を捉え、自分の話合い活動への取り組み方を考えようとしている。【態度】

資料等の準備

・「なっとく」を生むキーワード 04-04（スクリーンや壁などに掲示）

と発言しやすくなる。

○目的をはっきり意識していける。
○話し合いがずれない。

・しつもんが上手。
みんなでもっと目的を意識する。

4 自分が考えた話し合いのポイントは…

次の話し合いで気を付けていきたいところ。

授業の流れ ▷▷▷

1 前回の話合い活動の動画からよさを見つける 〈15分〉

○それぞれのグループのよかったところ（話し方やまとめ方、質問などの意見のやりとりの様子などを中心に）の動画を視聴し、価値付けていく。

T どのように意見をまとめていっているのか、次の話合いに生かせるポイントを見つけてみましょう。

・司会が今、何について話しているのかをしっかり伝えていくことが大事なのかも。
・目的を振り返りながら、それに沿ってまとめていけるといいのかも。
・記録がしっかり整理して書いてあると分かりやすいね。
・意見の後に理由を言うと、話したいことが伝わりやすいような気がするな。

2 教科書に記載された話合いと自分たちの話合いを比較する 〈10分〉

T どうして最初に話合いの目的や議題、進め方を確認するのだろう。

・何について話し合うのかがはっきりしたほうが、意見が出るのではないかな。
・次に何を言えばいいのか参加者や提案者が考えて参加できるよさがあるね。

○何のために話し合うのか、その目的を明確にすることが話合いのまとめにつながったり、活発な意見交流を生んだりしていく。自分たちの話合いに足りなかった部分に注目して比較させたい。

ICT 端末の活用ポイント

p.42の二次元コードでは話合い冒頭の様子を見ることができる。進め方だけではなく、話すスピードや視線などにも着目させていきたい。

クラスみんなで決めるには

1
〈各グループの動画を見て〉
・司会の進め方
↓今、何について話し合っているのか、目的が何かをかくにん。
・記録のしかた
↓そのまま書くのではなく整理しながら。
・意見の言い方
↓立場をはっきりさせてから理由を言う。

「納得」を生むキーワード

次の話し合いに自分が生かしていけると思ったところ。

2
話し合いをくらべて、話し合いのポイントを見つけよう。

話し合いの始め方	3【教科書の話し合いのよさ】
・何について話し合うのかを最初にはっきりさせている。	・考える時間をつくっている。
・話の流れが分かる	・司会だけではなく、参加者も目的をきちんと考えている。

3 自分たちの話合いとの共通点や相違点を共有する 〈10分〉

T　教科書と比べてみて、自分たちの話合いとの違いは何だろう。
・考えがなかなか出ないときに考える時間を取るのはいい方法かも。
・話合いの目的から少しずれてきちゃったような気がする。
T　どうしたら話合いの目的からずれないかな。
・司会も大事だけれど、それぞれが目的に合った意見を考えていけるといい。
・目的を考えてみると、どんな質問をしたらいいのかが分かるかもしれない。
○「自分たちの話合いをもっとよくしていくために」という意識をもたせていく。

4 話合いのポイントをまとめる 〈10分〉

○ここまでの活動を振り返り、話合いで大切にしたいことをそれぞれ考えていく。ここでは「『話し合い全体』をよくしていくために」という視点を重視していきたい。
T　次の話合いで、みんながもっと考えたほうがいいことは何だろう。
・司会でも、参加者でも話合いの目的を忘れないことが大切だ。
・何について話し合っているのかをしっかりみんなが考えていかないといけないね。
・次は何について話すかを考えながら、友達の話を聞いていけるといい。
・相手を納得させるためには、話す順番も大切なのかも。

本時案

クラスみんなで決めるには

本時の目標

・意見の共通点や相違点に着目し、より多くの人が納得できる結論を意識しながら、目的を考えて話合い活動を行うことができる。

本時の主な評価

❶必要な情報をメモとして残しながら話合いでの自分の発言につなげている。【知・技】
❷目的を意識しながら意見の共通点や相違点に着目して自分の考えをまとめている。【思・判・表】

資料等の準備

・第5時でまとめた話合いのポイント

○出された案。
○決め方のポイント。
○それぞれの意見の共通点や相い点。
○反対意見やつけ足しの意見などを図や矢印などを用いてたん的にまとめる。

3
○ふり返り
・前回の話し合いとくらべてみて

教師は黒板を整理し、記録係のノートはスクリーンなどで掲示する。

授業の流れ ▷▷▷

1 新しい議題について自分の考えをもつ 〈10分〉

○議題については、第2時で考えたものの中から子供と一緒に選んでいきたい。話合いの結論として子供たちの実生活に生かせるような議題が望ましい。
○今回の話合いは学級全体で話し合うものであり、まずは全員が議題に対しての考えをもつことで、「聞いてみたい」「伝えたい」という思いが生まれるはずである。意見をもった上で、話合い活動の役割を決めていく。

ICT端末の活用ポイント

学習支援ソフトなどを用いて、全員の意見を確認しながら話し合う方法も考えられる。意見をもつことが難しい子供の手立てにもなり得る。学級の実態に応じて検討していく。

2 役割を確認し、話合い活動を行う 〈30分〉

○役割を確認し、おおまかな進行計画を学級全体で確認していくが、自分が「司会の立場だったら」という視点をもって話合いに臨むことで、振り返りに生かす。
○今回の話合いでは、より多くの人が納得できる結論を目指すことを意識付け、そのために目的や意見の共通点や相違点に着目していく必要があることに気付かせたい。

T　みんなが納得できるまとめってどんなものだろう。
・いろいろな意見のよさを集めた結論じゃないのかな。
・それぞれの理由や思いが結論の中に入っていれば、いいまとめと言えるのではないかな。

クラスみんなで決めるには

目的を考えて、なっとくできるけつろんを出せる話し合いをしよう。

第5時でまとめた話合いのポイント

○みんなの意見のよさを合わせる。
○理由や思いを入れたまとめ。

議題
（例）：総合の発表でクラスの思いを伝えるためには、どんなキャッチフレーズがよいか。

1 〈自分の考え〉
・目的に合っているか
・伝え方はどうするか

2 〈役わり〉
・進行計画
自分が司会だったら…

〈話し合いの記録〉
○決めること。

3 話合い活動を振り返る 〈5分〉

○話合い活動を通して、前回の話合い活動よりもよくなったところ、次の話合いの課題、どうしてみんなが納得できる結論になったのか（ならなかったのか）などの観点を示しながら、話合い活動を振り返る。

T　今日の話合い活動を振り返ってみると、どんなところが前よりもよくなったかな。

・まとめ方を決めるときにたくさんの意見が出たことで、似ている意見や違う意見を考えていくことがやりやすかった。
・話合いのポイントを考えて自分の意見を伝えることができた。目的を考えたから、みんなの意見のよいところを生かしてまとめられたと思う。

よりよい授業へのステップアップ

子供が自分の言葉で話すために

話合い活動をする中で「話型」を意識しすぎてしまう場面がある。話型は話し方の見本として有効であり、支援を要する子供の手立てともなり得る一方で、子供本来の思いを制限してしまう一面もある。途切れ途切れでも子供がこれまでの学びを生かしながら少しでも話そうとする姿を価値付けていきたい。子供が自分から話し合いたい、伝えたいと思うためには、普段から子供が話そうとする姿を認め、褒めていくことが求められる。

本時案

クラスみんなで決めるには

本時の目標

・意見の共通点や相違点に着目し、より多くの人が納得できる結論を意識しながら、目的を考えて話合い活動を行うことができる。

本時の主な評価

❷目的を意識しながら意見の共通点や相違点に着目して自分の考えをまとめている。【思・判・表】

❸情報を比較したり、分類したりしながら、どのようにすればみんなが納得できる結論となるのかを考えて相手に伝えている。【思・判・表】

資料等の準備

・第５時でまとめた話合いのポイント

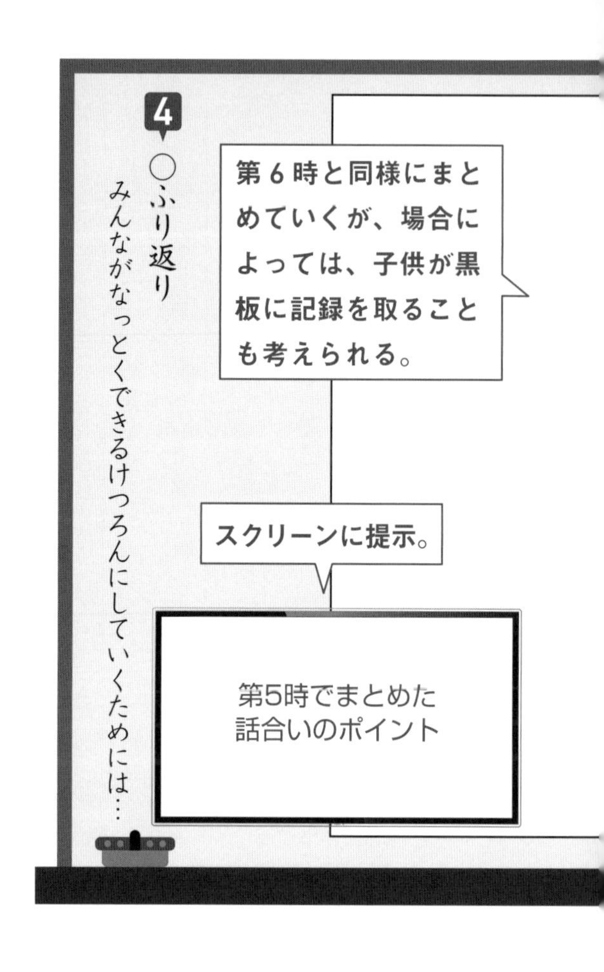

授業の流れ ▷▷▷

1 前回の話合い活動から生まれた課題を共有する 〈５分〉

T　今日の話合いでは、どんなところに気を付けるともっといい話合いができそうかな。

・話合いの目的を考えていくことはできたけれど、決めるまでに時間がかかってしまったから、もう少し意見を整理して話合いを進めていきたい。

・意見がなかなか出なくて司会が困ってしまう場面があったから、友達の意見に対して付け足しや質問を増やしていくといいかもしれないね。

○出てくる課題に対して、どうすればいいのか、その解決策の糸口を学級全体で考えていきたい。「自分が司会だったら…」という視点を生かしていく。

2 新しい議題に対して自分の考えをまとめる 〈10分〉

○議題に関しては、前時の話合いの続きという場合も考えられる。子供たちの実態を踏まえながら、議題や話合いの時間を決めていく。また、話合いの時間を確保するために、議題に対しての考えは家庭学習として考えてきてもよい。

ICT 端末の活用ポイント

これまでの話合いを撮影したものを学習支援ソフトで共有していくことで、自分の考えをどのように伝えると相手に伝わりやすいのかを検討していく材料とすることができる。他領域の学習と結び付けて、伝え方の構成を意識している様子やこれまでの学習から伝え方の工夫に着目している子供を紹介しながら、伝え方の具体例として活用していきたい。

クラスみんなで決めるには

意見を比べてもっとみんながなっとくできるけつろんを出せる話し合いをしよう。

1 前回の話し合いから
・意見を整理しながら話し合いを進めていく。
・司会だけではなく、みんなで話し合いを進めていく。

議題
(例):3年生にクラブ活動の楽しさを伝えるためには、どんな方法がよいか。

2 〈自分の考え〉
・伝える順番
→初め・中・終わり

3 〈役わり〉
・相談する時間をつくる。
・表や記号で意見を整理。

〈話し合いの記録〉

もし司会なら…

○似ている意見と違う意見を考えながら参加できればいい。

3 役割を確認し、話合い活動を行う〈25分〉

○役割を確認するだけではなく、前回その役割を担った友達からのアドバイスの時間などを設けたり、全体で役割ごとのポイントを共有したりと、子供同士の経験を結び付けていくことで、その役割での目標を設定する。

T　自分がもし司会の役割だったら、どんなことに気を付けたらいい話合いになるでしょう。

・意見が出ないときは、近くの人と相談する時間があるといいんじゃないかな。
・意見をどんなふうに仲間分けしたのかが分かりやすくできるといいかな。

4 話合い活動を振り返る　〈5分〉

○前回同様、話合い活動を通して、話合い活動のよくなったところ、次の話合いの課題、どうしてみんなが納得できる結論になったのか（ならなかったのか）などの観点を示しながら、話合い活動を振り返る。

ICT 端末の活用ポイント

学習支援ソフトや文書作成ソフトを用いて振り返りをする場合は、互いに見合えるような環境を作っていく。特に、司会や記録は全員が本単元で行えるものではない。それぞれの役割の中でどんな気付きが生まれたのかを時間をとって共有していくことで、話合い活動のそれぞれの役割や必要性を捉えていくことができる。

本時案

クラスみんなで決めるには

本時の目標

・話合いで大切なことや自分ができるようになったことを振り返り、みんなで話し合うときに必要なポイントをまとめようとする。

本時の主な評価

❹話合いの意義や楽しさを知り、目的や議題に沿って、話合いで必要なことを自分なりにまとめ、これからの話合い活動につなげようとしている。【態度】

資料等の準備

・特になし

どうしてその考えになったのか

話し合いをすることで自分の考えが変わったり、
もっと考えたりすることができる

3 「クラスみんなで決めるには」をふり返って

これまでの話し合いから変わったところ、できるようになったこと。

自分が話し合いの中で気を付けたところ。

友達から学んだこと、話し合いで友達のまねをしたいところ。

授業の流れ ▷▷▷

1 これまでの話合い活動を振り返る 〈15分〉

○話合いの様子を撮影した動画や書きためた振り返りを基に、話合いがどのように変わっていったのかを考えていく。

T　話合いではどんなことに気を付けるようになっていっただろう。

・最初はただ自分の意見を話すだけだったけど、だんだん、友達の言ったことを踏まえて話せるようになってきた。

・目的を考えて話し合っていけたかな。

ICT 端末の活用ポイント

学習支援ソフトを用いて、最初の話合いと最後の話合いの様子を比較できるようにしたい。「何に気を付けたからどう変わっていったのか」ということに着目して、学びの深まりを自覚させていく。

2 話合い活動のポイントをまとめる 〈15分〉

T　これからの話合いで大切にしていきたいことや気を付けていきたいことは何だろう。

・何のために話し合うのかを考えていくこと（目的）や、何について話し合うのかを分かっていることが大切です。

・話合いのそれぞれの役割を意識して、みんなで意見を整理していくとまとめやすい。

・似ている意見と違う意見を分けて考えてみるとみんなが納得できる結論になっていくね。

・しっかり理由を付けて話すと、みんなに納得してもらいやすくなったよ。

クラスみんなで決めるには

1 ここまでの話し合い活動
・自分の意見が友達の意見で少し変わっていった。
・目的に合わせて話していける。
・役わりを考えて話し合える。

○目的をみんなで考えて話し合えるようになってきた。

話し合いのポイントをまとめて、学びをふり返ろう。

2 〈話し合い活動のポイント〉
○何のために話し合うのか、何について話し合うのか
目的
司会を中心に話し合いがずれないようにする。
○それぞれの役わりをいしきしてみんなで整理
似ている意見に付け足す
立場を伝える
聞き方
○理由を付けてなっとくさせるように話す
伝え方や順番

3 単元での学びを振り返る〈15分〉

○自分ができるようになったところや最初と変わったところ、話合い活動の中で気を付けていったところ、友達のよかったところなど観点を示しながら、単元での振り返りをまとめていく。これまでの動画や振り返りを見返している様子を価値付けていくことで、学びの積み重ねを実感させる。

T　話合い活動の中で、自分が1番変わったところや友達の様子から気付いたことは何だろう。

・話合いは今まで聞いていることが多かったけれど、今回は目的を考えて、友達の意見と自分の意見を比べて考えていくことができた。

よりよい授業へのステップアップ

教科等横断的で継続的な話合い活動の充実

話合いへの関わり方には、それぞれの個性が見られる。とにかく発言しようとする子もいれば、黙々と記録を取っている子、反応を示しながら考えを深めている子などなど。議題によっても子供の関わり方は異なってくるだろう。この単元では、全体で話し合うことで、自分の考えに深化や変化がある楽しさを実感させることを大切にしたい。自分の考えを再構築していく経験を繰り返しながら、話合い活動の素地をつくっていく。

資料

1 話し合い活動での役割の例（第２時） 04-01

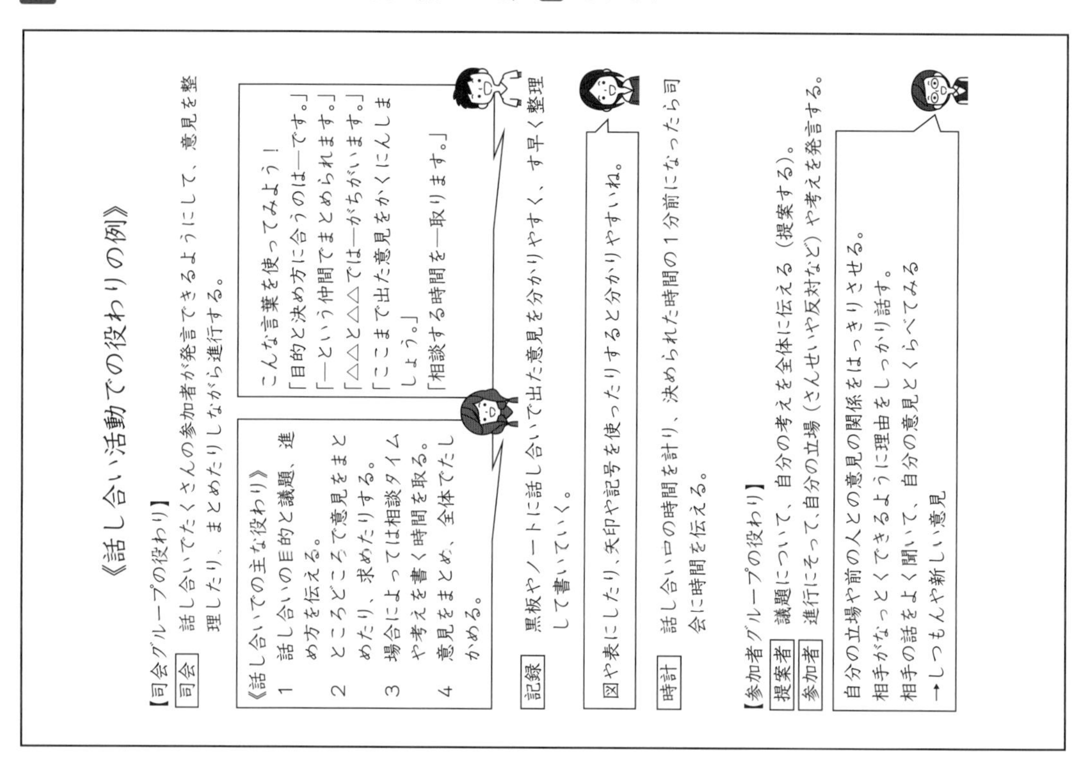

《話し合い活動での役わりの例》

【司会グループの役わり】

司会　話し合いでたくさんの参加者が発言できるようにして、意見を整理したり、まとめたりしながら進行する。

《話し合いでの主な役わり》
1　話し合いの目的と議題、進め方を伝える。
2　ところどころで意見をまとめたり、求めたりする。
3　場合によっては相談タイムや考えを書く時間を取る。
4　意見をまとめ、全体でたしかめる。

こんな言葉を使ってみよう！
「目的と決め方に合うのは―です。」
「―という仲間でまとめられます。」
「△△と△△では―がちがいます。」
「ここまで出た意見をかくにんしましょう。」
「相談する時間を―取ります。」

記録　黒板やノートに話し合いで出た意見を分かりやすく、す早く整理して書いていく。

図や表にしたり、矢印や記号を使ったりすると分かりやすいね。

時計　話し合いの時間を計り、決められた時間の１分前になったら司会に時間を伝える。

【参加者グループの役わり】

提案者　議題について、自分の考えを全体に伝える（提案する）。

参加者　進行にそって、自分の立場（さんせいや反対など）や考えを発言する。

自分の立場や前の人との意見の関係をはっきりさせる。
相手がなっとくできるように理由をしっかり話す。
相手の話をよく聞いて、自分の意見とくらべてみる
→しつもんや新しい意見

2 ４人ディベート（第２時） 04-02

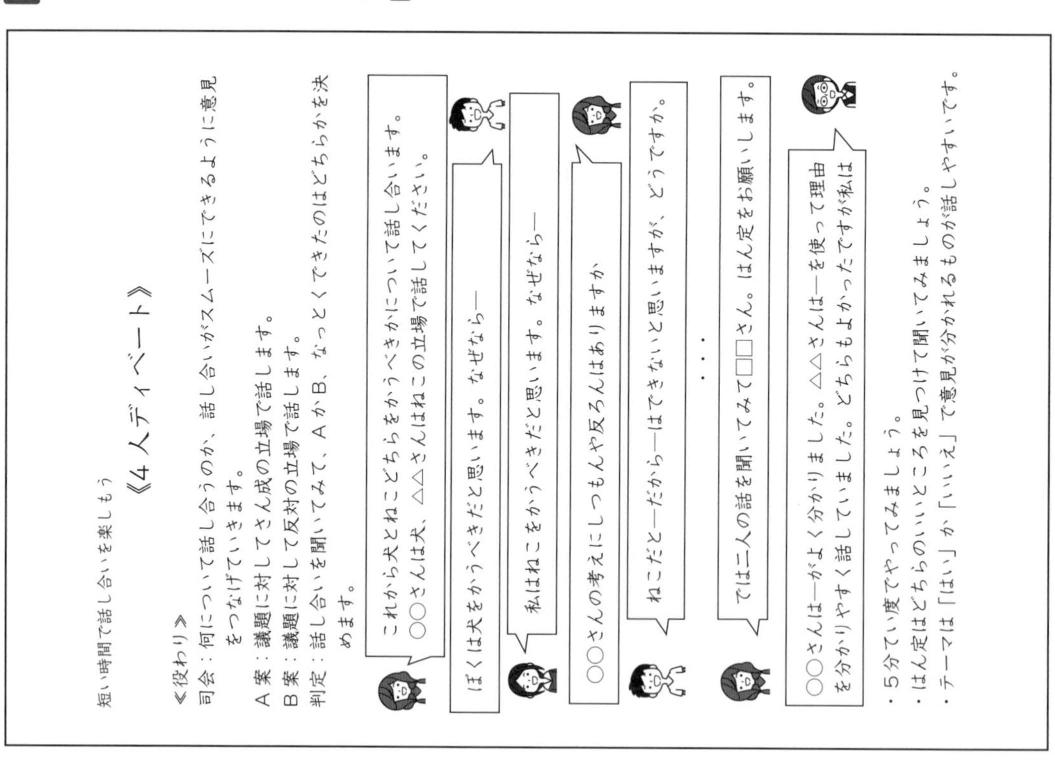

短い時間で話し合いを楽しもう

《４人ディベート》

≪役わり≫
司会：何について話し合うのか、話し合いがスムーズにできるように意見をつなげていきます。
A案：議題に対してさん成の立場で話します。
B案：議題に対して反対の立場で話します。
判定：話し合いを聞いてみて、AかB、なっとくできたのはどちらかを決めます。

これから犬とねこどちらをかうべきかについて話し合います。〇〇さんは犬、△△さんはねこの立場で話してください。

ぼくは犬をかうべきだと思います。なぜなら―

私はねこをかうべきだと思います。なぜなら―

〇〇さんの考えにしつもんや反ろんはありますか

ねこだと―だから―はできないと思いますが、どうですか。

・・・

では二人の話を聞いてみて□□さん。はん定をお願いします。

〇〇さんは―がよく分かりました。△△さんは―を使って理由を分かりやすく話していました。どちらもよかったですが私は

・５分てい度でやってみましょう。
・はん定はどちらのいいところを見つけて聞いてみましょう。
・テーマは「はい」か「いいえ」で意見が分かれるものが話しやすいです。

3 話し合い活動の進行計画の例（第３時） 04-03

《話し合い活動の進行計画の例》

	内容	時間
議題		
①	議題をたしかめ、案を出し合う 「何のために、何について 話し合うのか」	6分
②	決め方について話し合う 「どうやって決めたり、 まとめたりするのか」	6分
③	決め方にそって話し合う ・しつもん ・意見のかくにん ・相談 など	11分
④	話し合いをまとめる 「話し合いの結果、 何になぜ決まったのか。」	2分

	内容	時間
議題		
①		分
②		分
③		分
④		分

4 「なっとく」を生むキーワード（第３・５時） 04-04

《『なっとく』を生むキーワード》

どうやって伝えていくと聞いている人が「なるほど」と思うかを考えて話してみましょう。

理由を伝えるときにこんなことを付け足してみよう！

自分のけいけん

・相手に「たしかに！」「自分にも似たようなけいけんがある」と思わせることができると、もっと聞いてみようという気持ちになります。

聞いたことや教えてもらったこと

・自分のけいけんではなくても、調べたことや聞いたこと（実さいにあったこと）があると、聞いている人は「そうなんだ」となっとくできます。

有名な人の言葉やことわざ

・自分たちだけではなく、いろいろな人が考えているということが分かると説とく力があります。

いいところを伝える

・自分の意見のよさや実さいにそうなったときに「こんないいことがあるよ」と伝えられると、聞いている人のイメージもふくらみます。

「なっとく」させるためには聞く人のことを考えていくといいね！　他にも伝え方や伝える順番も考えてみましょう。

中心となる語や文を見つけて要約し、調べたことを書こう

未来につなぐ工芸品／工芸品のみりょくを伝えよう （12時間扱い）

単元の目標

知識及び技能	・比較や分類の仕方、必要な語句などの書き留め方、引用の仕方や出典の示し方、辞書や事典の使い方を理解し使うことができる。((2)イ) ・幅広く読書に親しみ、読書が、必要な知識や情報を得ることに役立つことに気付くことができる。((3)オ)
思考力、判断力、表現力等	・自分の考えとそれを支える理由や事例との関係を明確にして、書き表し方を工夫することができる。(B ウ) ・目的を意識して、中心となる語や文を見つけて要約することができる。(C ウ)
学びに向かう力、人間性等	・言葉がもつよさに気付くとともに、幅広く読書をし、国語を大切にして、思いや考えを伝え合おうとする。

評価規準

知識・技能	❶比較や分類の仕方、必要な語句などの書き留め方、引用の仕方や出典の示し方、辞書や事典の使い方を理解し使っている。(〔知識及び技能〕(2)イ) ❷幅広く読書に親しみ、読書が、必要な知識や情報を得ることに役立つことに気付いている。(〔知識及び技能〕(3)オ)
思考・判断・表現	❸「書くこと」において、自分の考えとそれを支える理由や事例との関係を明確にして、書き表し方を工夫している。(〔思考力、判断力、表現力等〕B ウ) ❹「読むこと」において、目的を意識して、中心となる語や文を見付けて要約している。(〔思考力、判断力、表現力等〕C ウ)
主体的に学習に取り組む態度	❺学習の見通しをもって、教材文や、工芸品の資料を読んだり、自分が興味をもった工芸品について調べたりまとめたりしようとしている。

単元の流れ

次	時	主な学習活動		評価
一	1	学習の見通しをもつ 教科書 p.47の工芸品の写真や地域によっては地域の工芸品を見たり、知っている工芸品について発表したりして、工芸品への興味や関心をもつ。 教材文を読み、感想を伝え合い、教科書 p.54-55を読んで、学習課題を設定したり学習計画を立てたりする。		❺
二	2 3 4 5	筆者は工芸品についてどのような思いをもっているのか、読み取る。 筆者が工芸品についての思いや考えを、どのような理由や事例を基に説明しているのか、読み取る。 2～4時間目の学習を基にして、筆者の思いとその理由や事例を要約する。	並行して工芸品に関する本を読む	❹❷

	6	要約した文章を読み合って、互いの要約の共通点や相違点を確かめ、要約の仕方を振り返ったり、筆者の思いをまとめたりする。	
三	7	工芸品の魅力を伝える見通しをもち、並行読書や自分で調べたものの中から、一番興味をもったものを決める。	❶❷
	8	教科書 p.58–59を読んで、「博多おり」の魅力の伝え方について理解し、自分が興味をもった工芸品の魅力について情報を整理する。	
	9	文章の組み立てを考えたり、写真や絵の配置を考えたりする。	
	10	自分が興味をもった工芸品の魅力を伝える文章を書く。	❸
	11	自分が興味をもった工芸品の魅力が伝わるか文章を推敲する。	
	12	互いの文章を読み合って、自分の文章のよいところを見つける。 学習を振り返る	

授業づくりのポイント

〈単元で育てたい資質・能力〉

本単元では、「読むこと」から「書くこと」が複合的に関連するため、比較的多くの時間を要することと多様な言語活動に取り組むことが考えられる。そのため、「単元の目標」や「評価規準」には複数の指導事項が挙げられる。言語活動の中心となるのは「読むこと」であり「書くこと」であるため、思考・判断・表現の項目が重点的な指導事項であるが、それらを支えるのは、情報を収集し活用する能力である。それは、知識・技能にある狭義的な意味ではない。例えば、要約するときに、中心となる語や文を見つけることは情報を収集する能力であるし、収集した情報を論理的な文章にすることは情報を活用する能力である。工芸品の魅力を伝える場合でも、「自分にとって」という「メガネ」を通して情報を収集したり整理したりすることが必要である。目的を明確にした情報の収集と活用の能力を育てたい単元である。

〈教材・題材の特徴〉

教材文は、７段落で構成されている。筆者の思いは題名に表れているように、「工芸品を未来につなぐ」ということである。特に、２段落目に、その思いが明確に表れている。また、その理由は、２つあるとして第３段落と第４段落につながっており、大変分かりやすい組み立てと言える。「読むこと」の指導事項として「要約」があることから、このような分かりやすい組み立てになっていると考えられるが、「書くこと」の「自分の考えやそれを支える理由や事例との関係を明確に」することにもつながる文章構成と言える。５段落では、３・４段落の理由をまとめ、６段落では筆者自身の体験を書いている。子供たちも、この６段落のように筆者自身の体験があることで説得力を感じるだろうし、体験から生まれた「一人の職人」という言葉が印象に残るだろう。７段落は、工芸品を未来につなぐことが、環境にも配慮しているという視点の広がりが見られ、子供が伝える工芸品にもその視点は一考させてもよい。

〈ICT の効果的な活用〉

調査：各自の ICT 端末でインターネットや電子図鑑などを利用して、工芸品について調べる。

共有：各自が要約した文章並びに各自が書いた工芸品の魅力を写真に撮ったり電子化したりして、読み合う。

記録：許可を得た上で、必要な場合は、工芸品の資料について、写真に撮ったり、体験できるものは動画を撮影したりする。

本時案

未来につなぐ工芸品／工芸品のみりょくを伝えよう

1/12

本時の目標

・学習の見通しをもって、教材文や、工芸品の資料を読もうとする。

本時の主な評価

❺学習の見通しをもって、教材文や、工芸品の資料を読もうとしている。【態度】

資料等の準備

・地域の工芸品か教科書に出てくる工芸品の実物（もちろん難しい場合は無理をしない）
・教科書 p.47の工芸品の写真

p.47二風谷イタの写真

・北海道平取町二風谷（ひらとりちょうにぶだに）
・江戸時代後期から
・アイヌ文様の木のおぼん
↓日本の先住民族（おもに北海道に住む）

p.47箱根寄木細工の写真

・神奈川県箱根、小田原
・江戸時代後期から
・ちがう色の木をよせ集めてもようを作る

3 「未来につなぐ工芸品」を読んで、きょうみをもったこととその理由を書こう

授業の流れ ▷▷▷

1 工芸品について知り、学習の見通しをもつ 〈15分〉

○教科書 p.47の工芸品の写真を見て、感想を交流する。
T　この写真にある品物を見て、どんなことを感じますか。
・なんか古そう。
・でも、高級感がある。
T　どんなところが高級感があるのかな。
・模様が細かく描かれているところ。
・何か、職人さんの手が込んでそうな感じがする。

ICT 端末の活用ポイント

教科書 p.47の工芸品の写真だけを、各 ICT 端末に送信する。大型スクリーン等で見るよりもより細かい部分まで気付くことができる。

2 教科書 p.47の工芸品を調べる 〈15分〉

T　この写真の品物には、それぞれ名前が付いています。
○工芸品の名前を知る。
・地域の名前が付いている。
T　そうですね。地域の伝統工芸品です。
・私たちの地域にもあるのかな。
・昔からあるのかな。
T　よい疑問が出ていますね。では、この４種類の工芸品について、興味があるものを調べてみましょう。
・「箱根寄木細工は江戸時代がはじまり」って書いてあるよ。

ICT 端末の活用ポイント

ICT 端末で興味をもった工芸品について、検索する。

未来につなぐ工芸品

大牧(おおまき)　圭吾(けいご)

1 写真を見て、感じたこと

p.47尾張七宝の写真

p.47二風谷イタの写真

p.47房州うちわの写真

p.47箱根寄木細工の写真

・古そう。
・高級感がある。
・細かい作業をしていそう。
・職人(しょく)さんの手がこんでそう。

2 これらの工芸品を調べてみよう

・場所
・始まり
・特徴
など、項目を共通にする。

p.47尾張七宝の写真

・愛知県名古屋市・あま市
・江戸時代後期
・やき物、図がらに銅や銀の線

p.47房州うちわの写真

・千葉県南部
・江戸時代中ごろから
・日本三大うちわの一つ

3 教材文を読んで、問いや感想をもつ　〈15分〉

T　調べてみてどうでしたか。
・江戸時代からあるものがありました。
・昔のものを受け継いでいて「すごいな」と思いました。
T　そうですね、では、教科書にある『未来につなぐ工芸品』を読んで、もう少し詳しく学んでみましょう。
○教師による範読を聞き、教材文を読む。
T　さて、どんな感想をもちましたか。教科書の『未来につなぐ工芸品』を読んで、どんなことに興味をもったか、書きましょう。

ICT 端末の活用ポイント

ICT 端末に入力したり、ノートに書いたものを写真に撮ったりして、データ化する。

ICT 等活用アイデア

地域の工芸品について、県外の小学校と交流する

４年生では、社会科の内容で県内の伝統文化について学習するであろう。その学習と合わせて、本単元を進めてもよい。その場合、発信する相手は、同じ都道府県でないことが望ましい。実現することは難しいかもしれないが、オンラインによる交流が当たり前となった現在、このような学習に教師は前向きに取り組むべきであろう。県外の小学校と交流するという目的や相手意識が、子供の意欲を高め、地域の工芸品に対する理解や愛着を深めることにつながると期待したい。

本時案

未来につなぐ工芸品／工芸品のみりょくを伝えよう

2/12

本時の目標

・目的を意識して、中心となる語や文を見つけて要約することができる。
・幅広く読書に親しみ、読書が必要な知識や情報を得ることに役立つことに気付くことができる。

本時の主な評価

❹「読むこと」において、目的を意識して、中心となる語や文を見つけて要約している。【思・判・表】
❷幅広く読書に親しみ、読書が必要な知識や情報を得ることに役立つことに気付いている。【知・技】

資料等の準備

・伝統工芸品についての本や資料

四
○のこしたい理由二
・かんきょうを未来につないでくれる。
未来につないでくれる。

五
○他にもいろいろなよさがある
・便利さ
・使いごこち
・色や形
・もようの美しさ

七
○工芸品を手に取ってほしい

3
筆者の思いや工芸品のよさについて感じたことや思ったことを書こう

授業の流れ ▷▷▷

1 前時の振り返りから本時のめあてをもつ 〈10分〉

○前時に記録した問いを全体で確かめる。
T　前回の皆さんから出た問いや感想を送っていますので、見てください。
・「未来につなぐ」という言葉が印象的という感想が多いな。
・どうして、そんなに未来に残したいのだろう。
T　よい問いが出てきましたね。それでは、今日は、筆者の思いを読み取ってみましょう。

ICT 端末の活用ポイント

前時に教材文を読んで出た問いや感想を各 ICT 端末に送信する。前回、データ化しているとすぐに送信することができる。

2 教材文を読んで、筆者の思いを読み取る 〈25分〉

T　それでは、各自読んでみましょう。筆者の未来に残したいという思いが分かるところに線を引いてみましょう。
○子供たちが教材文を読む。
T　難しい語句はありましたか。
・ありません。
T　どんなところに線を引きましたか。何段落に書いてあったかも教えてくださいね。
・２段落目なんですけど、筆者は、「工芸品のよさを伝える仕事をしている」とあります。

ICT 端末の活用ポイント

デジタル教科書であれば、線を引いたところを大型画面で共有する。

未来につなぐ工芸品　大牧（おおまき）圭吾（けいご）

1 みんなの感想を読んで

・未来につなぐというのがいんしょうてき。
・いろいろな工芸品があることが分かった。
・筆者はなぜ工芸品を未来にのこしたいのか。

異なる種類の感想を書く。

めあて

筆者の工芸品に対する思いを読み取ろう。

2

段落　筆者の思いが分かる部分

二　○工芸品を作る職人が大すき。
職人が生み出す工芸品も大すき。

○は見出しのように、各段落をまとめる。

なぜ筆者は生み出すという言葉を使っているのか。
・作るだと機械的だから。
・使う人のことを大切に思い、ていねいに作っていることを「生み出す」と表現した。
・職人にとって工芸品は子どもみたいなもの。

工芸品を使う人や工芸品を作る職人がへっている。

工芸品を未来にのこしたい。
工芸品のよさを伝える仕事をしている。

工芸品にはどんなよさがあるのか。

三　○のこしたい理由一
・工芸品が日本の文化やげいじゅつを

3 本時の学習を振り返り、今後の見通しをもつ 〈10分〉

T　筆者の思いを読み取ることができましたね。本文の中で出てきた工芸品には、何がありましたか。
・奈良墨。
・南部鉄器。
・木曽漆器。
T　よく覚えていますね。教科書以外にも、伝統工芸品はたくさんあります。それらが載った本をいくつか用意しましたので、授業と並行して読んでいきましょう。それでは、今日の学習のまとめをしましょう。筆者の思いを読み取って、感じたことや工芸品について思ったことを書きましょう。

よりよい授業へのステップアップ

伝統工芸品についての本や資料を紹介する

伝統工芸品についての本や資料を集めておくことで、授業以外の場面で、子供が工芸品について興味をもって調べたり、読書の幅を広げたりすることを期待する。また、1つの工芸品について詳しく述べたものと種類ごとにまとまっているものを比較して、本による情報の差異に目を向けさせるのもよい。

本時案

未来につなぐ工芸品／工芸品のみりょくを伝えよう

3/12

本時の目標

・目的を意識して、中心となる語や文を見つけて要約することができる。

本時の主な評価

・「読むこと」において、目的を意識して、中心となる語や文を見つけて要約している。

資料等の準備

・特になし

4 筆者の説明のしかたで気付いたことを書こう

・筆者は、工芸品のよさを伝えるために、理由の説明を、一つ目、二つ目としていた。

・工芸品によって未来につなぐものを分けて説明していた。

授業の流れ ▷▷▷

1 前時の振り返りから本時の見通しをもつ 〈10分〉

○前時に記録したまとめを全体で確かめる。

T　前回、筆者の思いを読み取って感じたことや工芸品のよさについて思ったことを書きました。どんなことを書きましたか。

・筆者は工芸品を未来に残したいと思っている。

・工芸品は、未来につないでいることが２つありました。１つは、日本の文化や芸術で、もう１つは、環境でした。

T　よく読み取れていますね。皆さんもいいですか。筆者は工芸品のよさを、どのように説明していたのでしょうか。

ICT 端末の活用ポイント

一人一人の記録をデータで共有する。

2 各段落のつながりを確かめる 〈15分〉

T　皆さんも、これから地域の工芸品のよさを伝えますね。ですから、筆者が、どのように自分の工芸品に対する思いや工芸品のよさを説明しているか、読み取っていきましょう。どのようなところに気を付けて読んでいけばよいでしょうか。

・各段落の大切な言葉や文を取り出す。

・取り出した言葉や文で段落を短くまとめる。

・段落に見出しを付けるのはどうかな。

T　他にありますか。どうでしょうか。皆さん、段落ごとに大切な言葉や文を取り出して、段落に名前を付けてみましょう。

ICT 端末の活用ポイント

前回の板書を写真で撮影しておき、共有する。

未来につなぐ工芸品

大牧（おおまき）　圭吾（けいご）

1 めあて

筆者は工芸品に対する思いや工芸品のよさをどのように説明していたか読み取ろう。

2 ○どのように読み取るか

・各段落の大切な言葉や文を取り出す。
・取り出した言葉や文で段落を短くまとめる。
・段落に見出しを付ける。

各段落の大切な言葉や文から段落に見出しを付けてみよう。

←

3 グループでたしかめ合おう

・一つにまとめなくてよい。
・よい見出しはタブレットに記録する。

1段落目だけ各グループが記録したものを各グループの子供に板書させてもよい。

3 グループで段落の見出しを確かめ合う 〈15分〉

T　それでは、グループになって、各段落にどんな見出しを付けたのか確かめ合ってみましょう。まとめる必要はありませんよ。

・1段落目は、どんな見出しにした？
・僕はね、「身近にある工芸品」にした。
・どうして、「身近にある」っていう言葉を入れたの。
・「みなさんが毎日使っている」って書いてあったから、身近にあるのかなと思って。
・私は、「土地の気候やしげんをいかした工芸品」にした。
・それ、私も同じ。
・確かめ合うだけでいいから、２つを書いておくね。次、二段落目にいこう。

4 本時を振り返り、次時への見通しをもつ 〈５分〉

T　皆さん上手に確かめ合うことができましたね。各グループでよい見出しはありましたか。次回、各グループでどんな見出しが出たのかを確認しましょう。

T　それでは、今日の学習で、筆者の説明の仕方で気付いたことを書きましょう。

○子供はノートか ICT 端末に気付いたことを書く。

・筆者は、工芸品のよさを伝えるために、１つ目の理由、２つ目の理由と言って段落を分けていて分かりやすくなっていた。
・筆者は、工芸品によって、何を未来につなぐのかを分けて説明していた。

本時案

未来につなぐ工芸品／工芸品のみりょくを伝えよう 4/12

本時の目標

・目的を意識して、中心となる語や文を見つけて要約することができる。

本時の主な評価

・「読むこと」において、目的を意識して、中心となる語や文を見つけて要約している。

資料等の準備

・特になし

授業の流れ ▷▷▷

1 筆者の説明の仕方で気付いたことを共有する 〈10分〉

T　皆さんが、筆者の説明の仕方について、気付いたことを見てみましょう。

・確かに、筆者は、工芸品のよさを伝えるために、１つ目の理由、２つ目の理由と言って段落を分けていた。僕も理由を説明するときに使うことがあります。

・工芸品によって、未来につなぐものを分けているから分かりやすいんだね。

・南部鉄器は作り方もイメージができないから、写真があってよかったと思う。

T　皆さん、段落ごとの大切な言葉や文に着目して見出しを付けることを通して、筆者の説明の仕方を理解していて、いいですね。

2 各グループの見出しを参考にして、各自７段落分を選ぶ 〈25分〉

T　それでは、各段落にどんな見出しが付いたのか、各グループで出たものをみんなで見てみましょう。先生が、各グループから出た見出しを段落ごとにまとめておきました。

・段落ごとに見出しがまとまっていて見やすいです。

・先生、ありがとうございます。

○自分との共通点や相違点に気を付けて、本文に合うように、よいと思う見出しを選ぶ。

ICT 端末の活用ポイント

教師がオンラインアンケートにまとめて、子供がそれを選択するようにすると、自分が選んだものと全体の傾向を可視化することができる。

未来につなぐ工芸品　大牧（おおまき）圭吾（けいご）

1 筆者の説明のしかたで気付いたこと

・筆者は、工芸品のよさを伝えるために、一つ目の理由、二つ目の理由と言って、段落を分けている。
→自分たちも理由を説明するときに使うことがある。

・工芸品によって、未来につなぐものを分けている。
○奈良墨
→日本のげいじゅつや文化
○南部鉄器
→かんきょう
・南部鉄器は作り方もイメージができない。
→写真があるからイメージができる。

気付いたことを具体的に示すために板書する。

2 めあて

各グループの見出しを参考にして、本文に合う見出しを選ぼう。

3 全体の傾向を知り、自分が選んだものと比較する〈10分〉

T　それでは、皆さんがどんな見出しを選んだのか、全体の傾向を確かめてみましょう。
・１段落目は、僕が選んだ「職人の手仕事で作られる工芸品」が一番多く選ばれている。
・２段落目は、「工芸品を未来にのこしたい筆者の思い」と「工芸品に対する筆者の思い」が同じくらいだ。「未来にのこしたい」という言葉があったほうがいいと思うな。
T　今、A さんがつぶやいたように、「この言葉は外せない」というものはありますね。短くまとめればいいというものではありませんね。全部見て、気付いたことを書いておきましょう。

ICT 等活用アイデア

データに慣れ、データを活用する力を育てる

授業において、ICT 端末の使用は、アナログだったものをデジタルに置き換えるだけでなく、デジタルだからこそできることに向かっていくことが大切である。

本時においては、教師が前時に子供のグループが提出した段落の見出しを、オンラインアンケートの形式にしておいて、授業内に子供が選択したものがその場でデータ化されてグラフや図になって表れてくるという事例を示した。

本時案

未来につなぐ工芸品／工芸品のみりょくを伝えよう 5/12

本時の目標

・目的を意識して、中心となる語や文を見つけて要約することができる。

本時の主な評価

・「読むこと」において、目的を意識して、中心となる語や文を見つけて要約している。

資料等の準備

・教師が要約した文例 05-01
・要約シート 05-02
→ ICT 端末でも代用が可能
・教科書上巻 p.90–91

○要約の目安
・二百字くらい。
※難しい場合は、文字数を意識しなくてもよい。

3 要約したことをふり返ろう

授業の流れ ▷▷▷

1 要約について確かめる 〈15分〉

○要約する目的意識をもつ。
T　前回まで、筆者の工芸品に対する思いやよさの説明の仕方を学んできましたね。皆さん、よく読み取ることができましたね。前回は、各段落の見出しを自分で選ぶことまでしましたね。先生はそれを使って、この文章を要約してみました。要約は、上巻でもやりましたから大丈夫ですか。
・文章を短くまとめること。
T　ただ単に短くすればいいのではなかったね。上巻の p.90を確認しましょう。
・話題を押さえないといけないね。
・全体のまとめとか中心となる文を使う。
T　それでは、先生が要約した文を見てください（悪い例を示す）。

2 自分で要約に取り組む 〈25分〉

T　それでは、各自要約してみましょう。筆者の工芸品に対する思いと工芸品のよさが伝わるように要約することが大切ですね。
　自分が選んだ見出しをつなげるだけでなく、何を入れて何を入れないかを判断して要約しましょう。
○子供たちが各自要約する。
○工芸品に対する思いを入れたか、工芸品のよさを入れたかなどの確認事項を板書する。

ICT 端末の活用ポイント

ICT 端末に入力することができる学級であれば、書き直したり、いわゆる加除修正が行いやすいため、字数制限のある要約を書く場合は、ICT 端末が便利である。

未来につなぐ工芸品

大牧（おおまき） 圭吾（けいご）

1 要約って何だろう？

・文章を短くまとめること。
・文の種類によって要約のしかたはちがう。

説明的文章

・話題をおさえること。
・中心となる言葉や文を使うこと。
・問いと答えを明らかにすること。

○先生が要約したものはどうだろう？

・段落の見出しをつないだだけ。
・筆者の工芸品に対する思いが伝わってこない。

教師の悪い例を示す。

2 めあて

筆者の工芸品に対する思いと工芸品のよさが伝わる要約をしよう。

これはぜったいに入れよう！

○筆者の工芸品に対する思い

○工芸品のよさ

「これは絶対に入れよう！」と押さえどころを落とさないようにする。

3 本時の学習を振り返り、今後の見通しをもつ 〈5分〉

T　皆さん、集中して取り組みましたね。要約はうまくいきましたか。

・200字にまとめるのが難しかった。
・筆者の工芸品への思いと工芸品のよさをまとめるのが難しかったけど、何をまとめるのかが分かっていたからよかった。
・タブレットでやったので、書いたり消したりがやりやすかった。

T　それでは、要約してみた感想を書いておきましょう。次回は、要約した文章を読み合いますよ。

ICT 端末の活用ポイント

ICT 端末に入力し、次回の読み合いに活用する。例えば、グループでまとめておいて、それを他のグループが読むという活動が考えられる。

よりよい授業へのステップアップ

字数を変更して要約する

教科書では、200字以内となっていることから、200字以内を条件にして要約する学級が多いだろう。しかし、子供の要約する力や実態は様々である。200字は目安というようにして、字数を設定してもよい。そのためには、教師自身が本文を要約してみることが大切である。

要約が困難な子供には、字数を設けずに、大切な言葉や文を使って短くまとめてみるという学習でもよい。

本時案

未来につなぐ工芸品／工芸品のみりょくを伝えよう 6/12

本時の目標

・目的を意識して、中心となる語や文を見つけて要約することができる。

本時の主な評価

・「読むこと」において、目的を意識して、中心となる語や文を見つけて要約している。

資料等の準備

・子供が要約した文章
・コメントシート用のワークシート 05-02

○他の人のよいところ
・筆者が大切にしている「職人」のことが入っていてよかった。
・工芸品のよさと日本の未来にのこしたい理由が書かれていた。
目標達成すばらしい！
○自分のよいところ
・大切な言葉や文を入れて要約できた。

前時に押さえたポイントを振り返れるようにする。

授業の流れ

1 グループで読み合う方法を知る〈10分〉

○前時の学習感想を共有する。
T　要約をがんばりましたね。
○グループで読み合う方法と本時のめあてを確かめる。
T　それでは、前回予告したように、今日は他の人の要約した文章を読みますよ。
・緊張するなあ。
T　グループに、他のグループの人の要約した文章を配ります。グループで相談して、よいところを見つけてコメントしてください。もし、アドバイスが必要だと感じたら、アドバイスも書いてあげましょう。

2 グループで他グループの要約した文章を読み合う〈25分〉

○グループになって、他のグループの人が要約した文章を読み合い、よいところを見つけてコメントを書く。
・筆者がどうして工芸品が好きか、日本の未来に残したいと思っているのかが短くまとまっていていいですね。「一人の職人」という言葉を入れているのもいいと思いました。
・工芸品を日本の未来に残したい筆者の理由が書いてあるのはいいと思います。工芸品のよさについても書いてあると、もっといいと思いました。

未来につなぐ工芸品

大牧（おおまき） 圭吾（けいご）

1 めあて

他の人の要約した文章を読んで、よいところを見つけて、コメントしよう。

2 コメントをする方法

①グループみんなで一人の要約を読み合う。
②相談してよいところを見つける。
③要約した文章の番号（右上）と同じ番号をコメントシートの右上に書いて、コメントを書く。
④アドバイスしたいことがあれば、加える。
⑤一人分が終わったら次の要約を読み合う。

板書するだけでは難しいので、説明しながら書くとよい。

3 みんなの要約を読んで

3 読み合った感想を共有する〈10分〉

T　はい、時間になりました。それでは１班の人が読んだ要約は２班の人のものですから、コメントを２班の人に渡しましょう。要約したものに番号がありますね。コメントシートの番号と合っていますか。番号はグループでの番号と同じです。コメントシートが渡されたら、どんなコメントが書かれているか読んで、要約について振り返りましょう。

・「一人の職人」という言葉を入れたことが褒められていてうれしいな。
・要約は難しかったけど、大切な言葉や中心となる文を入れておけば、いいんだな。

○互いの要約を読み合い、要約の仕方を振り返ったり、筆者の思いをまとめたりする。

よりよい授業へのステップアップ

コメントを全体で共有する

各グループがどんなコメントをしたのか、学級全体で共有する時間を設定すると、コメントをする立場では無責任なことは書けないと自覚し、どのようなコメントがよさを伝えるコメントになるかということを学ぶことができる。コメントされる立場では、褒めてもらえれば当然うれしいし、自信にもつながる。

教師も全てを子供に任せるのではなく、模範となる要約をした子供のものを示し、どのようなコメントをしたのか公開するとよい。

本時案

未来につなぐ工芸品／工芸品のみりょくを伝えよう 7・8/12

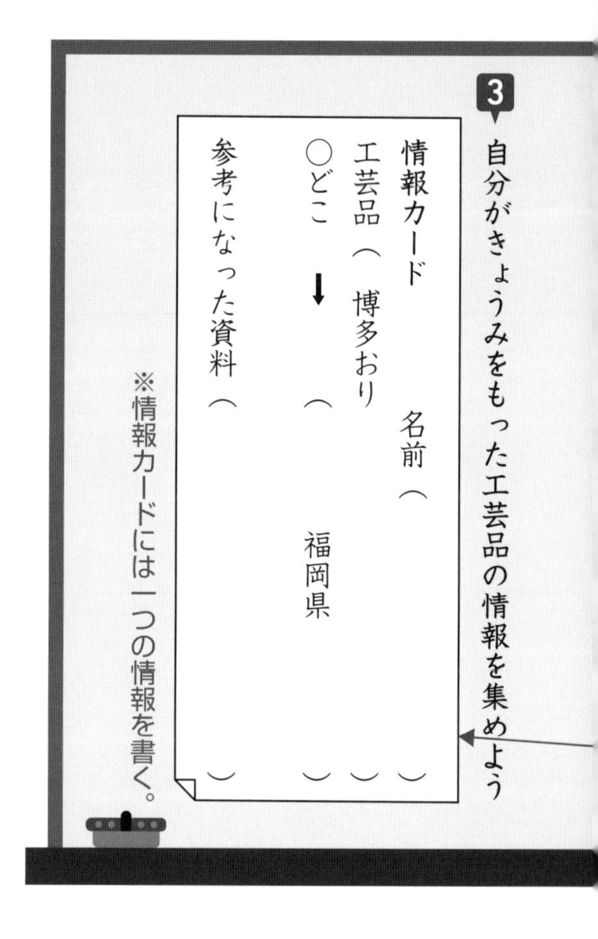

本時の目標

・幅広く読書に親しみ、読書が、必要な知識や情報を得ることに役立つことに気付くことができる。

本時の主な評価

❶比較や分類の仕方、必要な語句などの書き留め方、引用の仕方や出典の示し方、辞書や事典の使い方を理解し使っている。【知・技】
❷幅広く読書に親しみ、読書が、必要な知識や情報を得ることに役立つことに気付いている。【知・技】

資料等の準備

・伝統工芸品についての本や資料
・情報カード（付箋紙でも可）

授業の流れ ▷▷▷

1 自分が興味をもった工芸品について発表し合う 〈10分〉

○学習の見通しをもつ。
T　これまで、要約をしてきましたが、これからは、自分が興味をもった工芸品のよさを伝えられるように学習していきます。工芸品の本や資料を教室に置いていましたが、興味をもったものはありましたか。
・僕は、線香花火がいいかな。
・私は、お弁当のときに使っている曲げわっぱにします。
・私は、書道教室に行っているから、筆にしようと思います。
T　皆さん、朝読書や休み時間に、伝統工芸の本を読んで、いろいろと見つけていましたからね。大体決まっていそうですね。

2 「博多おり」を参考にして、伝え方を理解する 〈20分〉

○教科書 p.58–59の「博多おり」の文章を参考にして、伝え方を学ぶ。
T　それでは、各自が選んだ工芸品をどのように伝えたらよいか、教科書 p.58–59にある「博多おり」を参考に学んでいきましょう。どんな情報が読み取れますか。
・どこで作られているか。
・「博多おり」っていう名前だから、博多で作られているよね。
・どんなものか。
・何から作られているか。
・工芸品の特徴。
・どんなことに使われるか。
・写真があって分かりやすいね。

工芸品のみりょくを伝えよう

1 みんながきょうみをもった工芸品は何だろう

・線香花火
・曲げわっぱ
・ふで
・吹きガラス
・しょうぎの駒
・こけし
・足袋

教師が板書するのではなく、画用紙の短冊に書くか、ICT端末で共有するほうが効率がよい。

2 めあて

工芸品のよさをどのように伝えたらよいかを知って、情報を集めよう。

○「博多おり」から、どのような情報が読み取れるか。
・どこで作られているか。
・どんなものか。
・何から作られているか。
・とくちょう。
・どんなことに使われるか。
・工芸品の写真や作っているところの写真。
・使いやすさと美しさ。

カードを画用紙などに拡大しておき、貼るというイメージ。

3 自分が興味をもった工芸品から情報を集める 〈60分〉

T 『未来につなぐ工芸品』を要約してきたから、中心となる文や大切な言葉をしっかりと読み取ることができていますね。それでは、自分が興味をもった工芸品についても、同じように情報を集めてみましょう。今、みんなが出してくれた項目ごとに、情報カードに書いていきましょう。

○各自、本や資料から情報を集め、情報カードに記録する。ウェブサイトから情報を集めてもよい。

・この本は、「曲げわっぱ」のことだけで1冊書かれているから、情報量がたくさんある。
・本とインターネットの両方から情報を集めよう。

よりよい授業へのステップアップ

実感を伴った情報も集めたい

第1時に提示したように、地域の工芸品を別の地域の小学校と交流する場合、できれば実際に作っているところに見学に行ったり体験させてもらったりして、実感を伴った情報を集めたい。

別の地域の小学校との交流が難しい場合でも、実際のものを校費で購入するなどして手に触れ、使って、自分が感じるよさを伝えたい。

購入が難しいことも考えられる。その場合は、その工芸品と同じようなものをつくる作業をしてみるとよい。

本時案

未来につなぐ工芸品／工芸品のみりょくを伝えよう 9/12

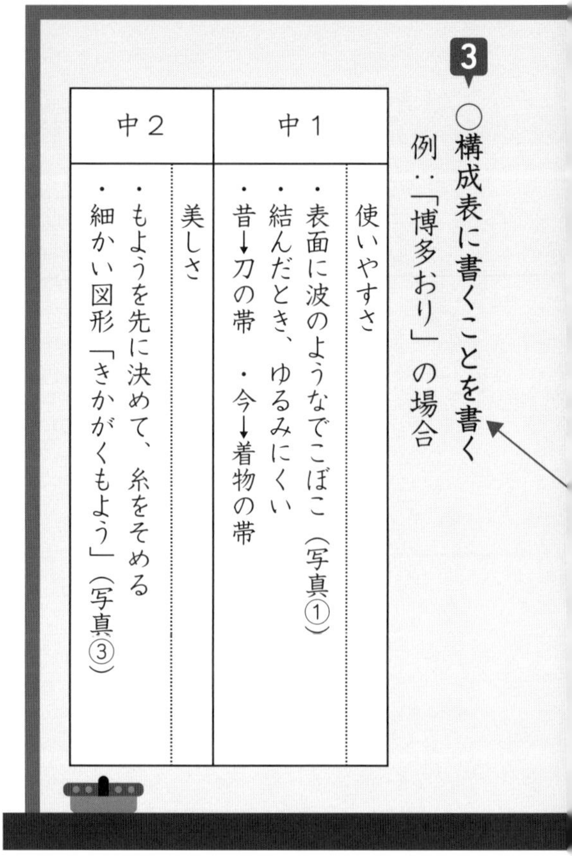

本時の目標

・比較や分類の仕方、必要な語句などの書き留め方、引用の仕方や出典の示し方、辞書や事典の使い方を理解し使うことができる。

本時の主な評価

・比較や分類の仕方、必要な語句などの書き留め方、引用の仕方や出典の示し方、辞書や事典の使い方を理解し使っている。

資料等の準備

・伝統工芸品についての本や資料
・情報カード（付箋紙でも可）
・構成表 05-03

授業の流れ ▷▷▷

1 情報の分類の仕方、出典の書き方を確かめる〈10分〉

○学習の見通しをもつ。

T　前回まで、自分が興味をもった工芸品について、情報を集めてきましたが、よい情報は集まりしたか。

・はい。曲げわっぱは、１冊の本になっていたので、とてもたくさんの情報がありました。

・線香花火については、本にも載っていたけれど、インターネットで調べたら、知らない情報がたくさんあったので、それも書きたいと思いました。

T　皆さん、たくさん調べて、情報もたくさん得られましたね。今日は、たくさんある情報を整理して、何をどのように書くか考えていきましょう。

2 集めた情報を整理する〈15分〉

T　以前にも参考にした「博多おり」では、どんなテーマで伝えようとしていましたか。

・「使いやすさ」と「美しさ」です。

T　そうですね。そのためにどんな情報があったかというのを整理したのが、これですね。

○第７時の板書の写真や記録したものを見る。

・先生、「使いやすさ」と「美しさ」じゃなきゃだめですか。

T　いい質問ですね。他にどんなことを書きたいですか。

・「職人さんの思い」を書きたいです。

T　その工芸品のよさが伝われば、テーマは自分で決めていいですよ。そのために情報を整理して、テーマを決めましょう。

工芸品のみりょくを伝えよう

1 めあて

情報を整理して、何をどのように書くか考えよう。

○集めた情報をどうするか
・伝えたいことによって分類する。
・どこからの情報なのかを分かるようにしておく。
（情報カードに出典を書いているか）

情報カード　名前（　　）
工芸品（博多おり　　）
○何の情報（どこ　➡　福岡県　）
○出典

2
○情報を整理する
・工芸品の何を伝えるか（テーマ）。
例：「博多おり」
①使いやすさ
②美しさ
➡段落を分けている。

「博多おり」の文章がどのような構成になっているか子供と一緒に考えながら進める。

3 整理した情報に基づいて構成する〈20分〉

T　それでは、情報の整理をしてテーマが決まりましたか。
・私は、曲げわっぱで、「手間とぬくもり」にしようと思います。
・僕は、線香花火で、「いろいろな形と手作り」にしようと思います。
○構成表に、テーマを書き、情報カードを貼ったり、メモをしたりする。
T　皆さん、それぞれテーマを「○○と□□」というようにしていますので、構成表の「中1」に○○、「中2」に□□と見出しを書いて、情報カードを貼ったり、どの写真を載せるかメモをしたりしておきましょう。次の時間は、いよいよ書きますよ。

よりよい授業へのステップアップ

学習進度や情報量は、一人一人異なる

書くことの学習過程では、子供によって進度や取材段階における情報量に差異が生じる。本時の場合、情報の収集が十分でなかったり、過多だったりすることがある。例えば、情報収集が十分でない子供は、「中1」「中2」と「中」の段落が2つにならないかもしれない。自分が使っていない工芸品についてよさを説明するというのは難しい作業のため、何を伝えたいかを明確にして書くことを優先して、2つのことを伝えることにとらわれすぎないように、教師の助言が必要となる。

本時案

未来につなぐ工芸品／工芸品のみりょくを伝えよう

10・11／12

本時の目標

・自分の考えとそれを支える理由や事例との関係を明確にして、書き表し方を工夫することができる。

本時の主な評価

❸「書くこと」において、自分の考えとそれを支える理由や事例との関係を明確にして、書き表し方を工夫している。【思・判・表】

資料等の準備

・リーフレット用の用紙

3
○「書くときのポイント」を見て、伝えたいことが伝わるかすいこうしよう
自分で
←
友達にも見てもらおう

写真②

授業の流れ ▷▷▷

1 文例を参考にして、書き方を確かめる 〈15分〉

T　前時は、「中」の構成表ができましたね。文章全体の構成について、文例を参考にして、確かめましょう。

○子供の実態に応じて、「博多おり」か教師の文例を使って書き方を確かめる。

・工芸品のよさを伝えるために、１つ目の理由、２つ目の理由と書いて、段落を分けています。
・「例えば」を使って、使い方の具体例を説明しています。
・写真について、何番目の写真かが分かるように説明しています。
・まとめでは、「このように」という言葉を使っています。
・初めに、工芸品が何かを説明しています。

2 工芸品の魅力について、リーフレットに書く 〈60分〉

T　それでは、リーフレット用の用紙を配ります。線が入ったものと入っていないものがありますので、書きやすいほうを選んで書いてください。

○罫線ありのほうには、写真の貼る位置もある。罫線なしのほうには、写真を貼る位置も自分で考えられるようにする。

○リーフレットなので、本文は、見開きで１ページ程度、表紙を付けるなどの工夫も考えられる。

ICT 端末の活用ポイント

オンラインで交流を検討している学級は、各自の ICT 端末に入力する。検討していない学級でも、子供の実態に応じて選択させてもよい。

工芸品のみりょくを伝えよう

1

みりょくの伝え方をたしかめよう

○「書くときのポイント」

例：「博多おり」

・一つ目、二つ目で段落を分けている。

↓どうして、二つ挙げているのだろう？

○みりょくを伝えるから、よさが一つだけではないことを伝えたほうが読んだ人に伝わる。

・「例えば」を使って、使い方のくわしい例を挙げる。

・写真について、何番目の写真なのかを分かるようにする。

・「このように」を使って、まとめている。

・「初めに」で、何の工芸品について説明するのか書いている。

教師が決めるのではなく、子供とともに書くときのポイントを押さえていく。

2

めあて

工芸品のみりょくをリーフレットに書いて伝えよう。

○どちらか選んで書こう

■白紙

文字の大きさや文の量、写真の位置を自由に決められる

■線あり

写真①

文の書く位置、写真の位置が決まっている

3 観点に沿って推敲する 〈15分〉

T それでは、書き終えた人も何人かいるようですね。自分で決めたテーマに合った内容になっているかなど、「書くときのポイント」に合わせて確かめてみましょう。

○まずは、自分で観点に沿った推敲をして、友達にも読んでもらって、伝わり方などを確かめてもらう。

・初めに、何の工芸品について説明するか書いてある。

・テーマに合わせて、1つ目、2つ目が書かれている。

・使い方について説明するとき、「例えば」という言葉を使っている。

・「このように」という言葉を使って、まとめている。

よりよい授業へのステップアップ

子供の実態に応じた単元づくりで「もの」のよさを伝える

本単元においては、子供一人一人が関心をもった工芸品のよさを伝えることを取り上げている。その理由は、子供一人一人が自分の関心に沿った工芸品を調べて、まとめたほうが「学びの主体」として取り組めるからである。しかし、工芸品で好きなものを見つけられない子供もいるだろう。その場合、好きな「もの」に取り組ませてもよい。その「もの」のよさを伝えられる文章が書ければよいと考えていく。

本時案

未来につなぐ工芸品／工芸品のみりょくを伝えよう

12/12

本時の目標

・自分の考えとそれを支える理由や事例との関係を明確にして、書き表し方を工夫することができる。

本時の主な評価

・「書くこと」において、自分の考えとそれを支える理由や事例との関係を明確にして、書き表し方を工夫している。

資料等の準備

・全員のリーフレット
・感想シート（付箋紙でも代替可能）

・自分も職人さんになりたい。
○文章の書き方で気付いたこと
・段落を内容のまとまりで分けて書いていて、読みやすかった。
・みんな工芸品のみりょくを二つ以上見つけていてよいと思った。
・写真と文が合っていた。
○単元全体をふり返って感想を書こう

授業の流れ▷▷▷

1 共有の仕方を確かめる 〈10分〉

T　皆さん、リーフレットは完成していますね。今日は、お互いのリーフレットを読み合って感想を伝え合いますよ。どのように共有するか確かめましょう。
○子供の実態に応じた共有の仕方を選ぶ。
例１：異なる工芸品を調べた子供同士でグループになって、互いのものを読み合う。
→様々な工芸品について知る。
例２：同じ工芸品を調べた子供同士でグループになって、互いのものを読み合う。
→様々な観点で魅力の伝え方があることを知る。
例３：全員のリーフレットをテーブルに置き、興味をもったものを取って読み合う。
→様々な工芸品や魅力の伝え方を知る。

2 互いのリーフレットを読み合う 〈25分〉

T　読んだら、読んだ人はその工芸品のよさをどんなふうに感じたか、文章の書き方でいいなと思ったことを、感想シートに書いて伝えましょう。
○他にも、「チェックシート」や「評価カード」などにあらかじめ、共有する観点を示して、チェックや○を付ける方法がある。観点としては以下の項目が考えられる。
①何の工芸品か書かれている。
②どこの工芸品か書かれている。
③工芸品の魅力が２つ以上書かれている。
④どんな使い方をするか書かれている。
⑤写真や絵で工芸品のよさを表している。
⑥内容のまとまりで段落を分けている。
など

工芸品のみりょくを伝えよう

1 めあて

おたがいのリーフレットを読み合って、感想を伝え合おう。

○やり方
・グループの自分以外のリーフレットを読む。
・感想シートに感想を書く。
①工芸品のよさをどんなふうに感じたか。
②文章の書き方でよいところはどこか。
・グループ全員の人が読み終わったら、リーフレットをテーブルに置く。
・テーブルからきょうみのあるものを取っていく。
・感想シートに感想を書く。

共有に多くの時間を使いたいため、あらかじめ用意して読んで確認する。

2 ○リーフレットを読んで感想を伝え合おう

3 ○友達のリーフレットを読んだ感想
・他の工芸品についても調べたくなった。
・日本にはこんなにたくさんの工芸品がある。
・自分も工芸品を作ってみたい。
・自分も工芸品を使ってみたい。

3 単元全体を振り返る 〈10分〉

T　皆さん、友達のリーフレットを読んで、どんな感想をもちましたか。
・僕は、和紙を調べたんですけど、他の工芸品についても調べてみたいと思いました。
・関連して、こんなにたくさんの伝統工芸品が日本にあるんだなって思いました。
・自分で書いた感想でもいいですか。
T　いいですよ。
・それぞれの工芸品にはたくさんの魅力があって、２つ選ぶのが大変でした。でも、魅力を伝えられたから、私も「一人の職人」になれたかなと思いました。
T　素晴らしい感想ですね。それでは、皆さんも単元全体を振り返って、感想を書きましょう。

ICT 等活用アイデア

全員のリーフレットをデータ化して閲覧できるようにする

授業内で、全員分を共有することは難しいだろう。読んで終わりではなく、左の展開にも示したように、気付いたことを書いて伝えることも「書くこと」の学習過程としては必要なことである。そこで、全員のリーフレットをデータ化して、朝の会などに見合うようにしてもよいだろう。その際、国語科の授業中に共有した感想シートも付けて、どんな感想が書かれていたかを「共有」することも、感想を書くことの力を育てることになる。

資料

1 教師が要約した文例（第5時） 05-01

筆者は、工芸品と工芸品を作る職人が大すきで、工芸品を日本の未来にのこしたいと考えています。その理由は二つあります。一つ目の理由は、日本の文化やげいじゅつを未来につなぐところです。二つ目の理由は、かんきょうを未来につなぐところです。他にも、道具としての便利さ、使いごこち、色や形、もようの美しさなど、さまざまなよさがあります。筆者は、「一人の職人」として、工芸品を次の時代にのこそうとがんばっています。

20×20

2 要約シート・コメントシート（第5・6時） 05-02

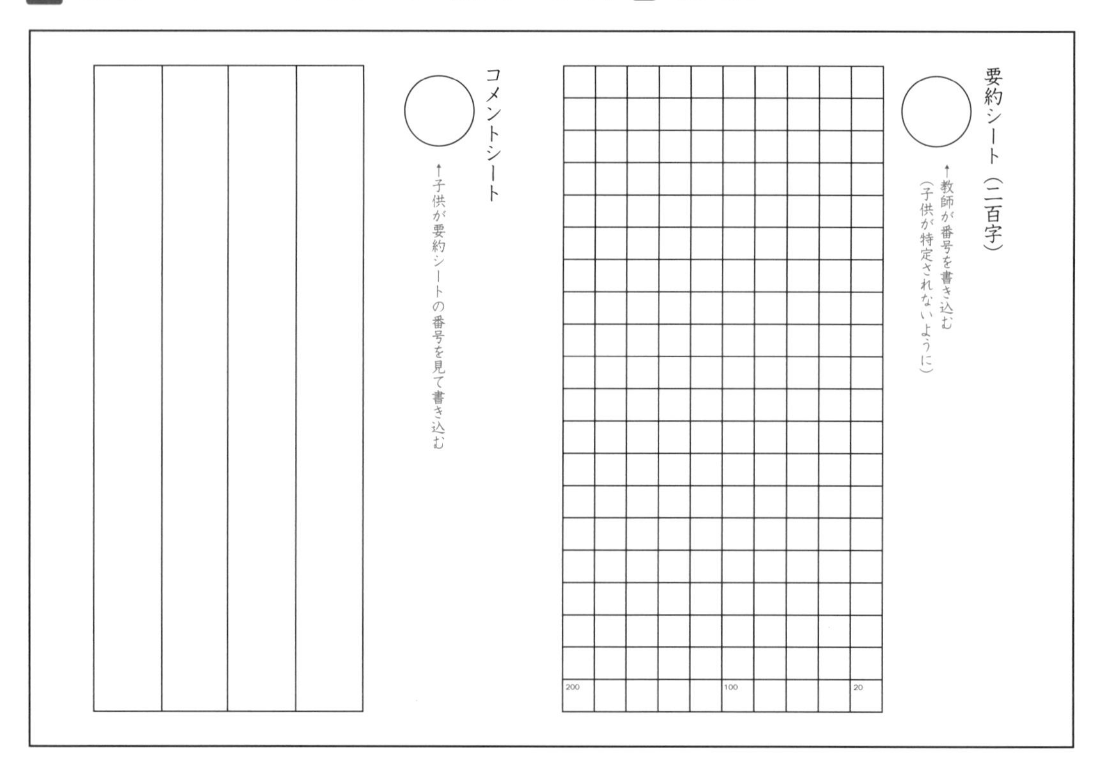

3 構成表（第９時） 05-03

構成表

四年　組　名前（　　　）

○リーフレットに書くこと文章の組み立てを考えよう

初め	中1	中2	終わり
	見出し	見出し	

4 構成表（記入例） 05-04

構成表

四年　組　名前（　　　）

○リーフレットに書くこと文章の組み立てを考えよう

初め	中1	中2	終わり
大館（おおだて）の曲げわっぱにした理由 ・おべんとう箱に使っているから　→写真1 ・どうやって木を曲げているのか不思議に思ったから	見出し　手間 ・よい木を選ぶ（秋田杉は勝手にきってはいけないため、材木屋さんから買う） ・木とむきあう（どのくらいうすくできるか木と「しんけん勝負」） ・ことことにる ・ゴロという道具にまいて丸める　→写真2 ・木バサミでとめておく（十日ほどおく）→写真3 ・底板をつける ・木の皮（山桜の皮）でとじる	見出し　ぬくもり 木のぬくもり ・木の命をいただいている 人のぬくもり ・多くの人の手がかかっている	他に調べて初めて分かったこと ・秋田杉が使われている（秋田杉は手に入れるのがむずかしい） ・むれないから味が変わらない これからも大切に使っていきたい

慣用句　2時間扱い

単元の目標

知識及び技能	・長い間使われてきた慣用句の意味を知り、使うことができる。((3)イ)
思考力、判断力、表現力等	・相手や目的を意識して、経験したことや想像したことなどから書くことを選び、伝えたいことを明確にすることができる。(B ア)
学びに向かう力、人間性等	・言葉がもつよさに気付くとともに、幅広く読書をし、国語を大切にして、思いや考えを伝え合おうとする。

評価規準

知識・技能	❶長い間使われてきた慣用句の意味を知り、使っている。(〔知識及び技能〕(3)イ)
思考・判断・表現	❷「書くこと」において、相手や目的を意識して、経験したことや想像したことなどから書くことを選び、伝えたいことを明確にしている。(〔思考力、判断力、表現力等〕B ア)
主体的に学習に取り組む態度	❸進んで慣用句の意味を知り、学習の見通しをもって、慣用句を使った文章を書こうとしている。

単元の流れ

時	主な学習活動	評価
1	教材文を読み、昔から伝わる慣用句について知る。 学習の見通しをもつ 学級の慣用句辞典を作ることを知る。 国語辞典を使って、教科書 p.61の慣用句や興味のある慣用句の意味を調べ、どのように例文が書かれているかを確かめる。	❶
2	国語辞典を作る人になったつもりで、提示された慣用句の意味を調べ、例文を作る。 作った例文を友達と交換して読み、正しく慣用句を使えているかどうかを確かめ合う。 それぞれが作った慣用句の例文を集め、学級の慣用句辞典にまとめる。 学習を振り返る	❷ ❸

授業づくりのポイント

〈単元で育てたい資質・能力〉

本単元のねらいは、長い間使われてきた慣用句の意味を知り、日常生活でも使うことができるようにすることである。日常的に慣用句を使うようになると、表現したいことのイメージをより相手に豊かに伝えることができる。そのため、国語辞典を使って慣用句の意味を調べ、慣用句の例文を作る活動を通して、慣用句を使うことに親しめるようにする。

また、国語辞典を使って慣用句を調べるときは、その慣用句の中心となる言葉を引き、そこから慣用句を探すという調べ方も身に付けさせたい。

〈教材・題材の特徴〉

慣用句は、いくつかの言葉が組み合わさって、もとの言葉とは違った新しい意味をもつようになった決まり文句である。

例えば、「肩を落とす」は「肩」と「落とす」という言葉を合わせたものだが、「肩が落ちる」という意味ではなく、「がっかりする」という意味である。

慣用句は、頭、顔、耳、目、鼻、口など体に関する言葉、心に関する言葉、動物や植物に関する言葉、食べ物に関する言葉など、身の回りにある言葉を使ったものがたくさんある。慣用句辞典づくりをきっかけに、たくさんの慣用句を知り、日常生活の中で使っていくようにしたい。

〈言語活動の工夫〉

国語辞典を作る人になったつもりで、慣用句の意味を調べて例文を作り、それぞれが書いたものを集めて学級の慣用句辞典を作るという言語活動を設定する。全員分を1冊にまとめて製本し、教室に置いて、いつでも手に取って読めるようにする。また、慣用句辞典を他学級と交換して読み合うと、様々な慣用句やその例文にふれることができる。

[具体例]
○頭を冷やす
　意味：怒りを抑えて、気持ちを落ち着かせる。冷静になる。
　例文：弟とけんかをしていたら、お母さんに「2人とも、少し頭を冷やしなさい！」と怒られてしまった。

〈ICT の効果的な活用〉

共有：ICT 端末の文書作成ソフトなどを用いて、調べた慣用句やその意味、例文を書くことにより、学級全体で交流したり、学級の慣用句辞典をまとめたりしやすくなるだろう。

本時案

慣用句

本時の目標

・長い間使われてきた慣用句の意味を知り、使うことができる。

本時の主な評価

❶長い間使われてきた慣用句の意味を知り、使っている。【知・技】

資料等の準備

・１人１冊の国語辞典
　※本単元では『例解小学国語辞典』（三省堂）を使用している。
・慣用句辞典
・ワークシート① 06-01

3 慣用句の意味や例文を調べる
・仲を取り持つ。
・えりを正す。
・労をねぎらう。
・世話を焼く。
・頭を冷やす。
他には、どんな慣用句があるか調べる。

国語辞典に加え、ICT端末で調べるなどしてもよい。

授業の流れ ▷▷▷

1 教材文を読み、昔から伝わる慣用句について知る 〈10分〉

〇慣用句について知る。

T　慣用句とは、いくつかの言葉が組み合わさって、もとの言葉とは違った新しい意味をもつようになった決まり文句です。例えば、「肩を落とす」「羽をのばす」などがあります。

T　他には、どんな慣用句を聞いたり、使ったりしたことがありますか。

・うり二つ
・頭をひねる
・鼻が高い

T　今日は、国語辞典を使って、慣用句の意味や使い方を調べましょう。

〇本時のめあてを板書する。

2 学級の慣用句辞典を作ることを知る 〈10分〉

T　国語辞典を作る人になったつもりで、１人１ページを担当して書き、それぞれが書いたものを集めて学級の慣用句辞典を作ります。

・おもしろそう。
・作ってみたい。

T　学級の慣用句辞典には、どんなことを書いたらいいですか。

・慣用句
・意味
・例文（使い方）
・イラストや４コマ漫画を入れると、慣用句の使い方が伝わりやすくなる。

慣用句（かんようく）

慣用句の意味や使い方を調べよう。

1
○慣用句
いくつかの言葉が組み合わさって、
新しい意味をもつようになった決まり文句。

例
・かたを落とす……がっかりする。
×かたが落ちる
・羽をのばす……自由にのびのびする。
×羽がのびる、長くなる。

2
四年○組慣用句辞典
慣用句辞典に書くこと
・慣用句を一つ選ぶ
・意味
・例文
・イラスト

3 国語辞典を使って、慣用句の意味や例文を調べる 〈25分〉

T　国語辞典を使って、教科書 p.61の慣用句の意味を調べ、どのように例文が書かれているか確かめてみましょう。

・仲を取り持つ　・えりを正す
・労をねぎらう　・世話を焼く
・頭を冷やす

T　教科書に出ている慣用句の他に、どんな慣用句があるか調べてみましょう。

ICT 端末の活用ポイント

教科書に出ている慣用句の他に、どんな慣用句があるかを調べるときに、ウェブブラウザで検索すると探しやすい。

よりよい授業へのステップアップ

いろいろな慣用句を知り、語彙を増やす

本時の導入で慣用句を紹介するときに、例えば、「肩を落とす」を「肩が落ちる」とは言わないことを伝え、慣用句は比喩が決まり文句になっていることに気付けるようにするとよい。

慣用句は、頭、顔、耳、目、鼻、口など体に関する言葉、心に関する言葉、動物や植物に関する言葉、食べ物に関する言葉など、身の回りにある言葉を使ったものがたくさんある。これらの言葉を国語辞典で調べると、慣用句が載っているので探しやすい。

本時案

慣用句

本時の目標

・学級の慣用句辞典に載せたい慣用句を選び、その慣用句の意味を調べて、例文を書くことができる。

本時の主な評価

❷「書くこと」において、相手や目的を意識して、経験したことや想像したことなどから書くことを選び、伝えたいことを明確にしている。【思・判・表】
❸進んで慣用句の意味を知り、学習の見通しをもって、慣用句を使った文章を書こうとしている。【態度】

資料等の準備

・1人1冊の国語辞典
・教師の文例
・ワークシート② 06-02

友達と交かんして読み合う
・慣用句を正しく使えているか。
・分かりやすい文章になっているか。

3 慣用句辞典を読み合う

授業の流れ ▷▷▷

自分が担当したい慣用句を決める 〈10分〉

○本時のめあてを確認する。
○前時で見つけた慣用句を発表する。
・足が棒になる　・肩をもつ
・心がおどる　・つるの一声
・道草を食う　・馬が合う
○板書した慣用句の中から、自分が担当したい慣用句を決める。
・「馬が合う」に決めた。どんな例文を書こうかな。
・「道草を食う」はよく使う慣用句だから、分かりやすい例文を書いてみんなに伝えたい。
・「つるの一声」って、どういう意味？　どうやって使うの？　調べてみたい。

2 国語辞典で調べて、意味と例文を書く 〈25分〉

○学級の慣用句辞典の書き方を知る。
○慣用句の意味を調べ、例文を書く。
T　国語辞典で、慣用句の意味や用例を調べましょう。慣用句を使うことにふさわしい場面を想像して、例文を書きましょう。例文に合ったイラストも描くと、読む人にとって分かりやすくなります。
○作った例文を友達と交換して読み、正しく慣用句を使えているかどうかを確かめ合う。
T　作った例文を友達と交換して、読み合いましょう。正しく慣用句を使えているか、慣用句を使う場面が分かる文章になっているかを確かめましょう。

慣用句(かんようく)

四年○組の慣用句辞典を作ろう。

1 自分がたん当したい慣用句を決める

例・足がぼうになる　・肩をもつ
・心がおどる　・つるの一声
・道草を食う　・馬が合う

子供が発表した慣用句を板書する。

2 意味と例文を書く

ページの書き方の例

・慣用句
・意味
・例文
・イラスト

3 学級の慣用句辞典にまとめ、読み合う 〈10分〉

○それぞれが書いたページを集め、学級の慣用句辞典にまとめる。
○完成した慣用句辞典を読み、感想を伝え合う。
T　それぞれが書いたページを読み合い、感想を伝え合いましょう。
・慣用句の意味や使い方が分かったから、生活の中で使ってみよう。
・いろいろな慣用句があるんだなあ。
○学習の振り返りをする。

ICT 端末の活用ポイント

ICT 端末の文書作成ソフトなどを用いて、調べた慣用句やその意味、例文を書くことで、学級で交流したり、学級の慣用句辞典をまとめたりすることに活用できる。

よりよい授業へのステップアップ

慣用句への興味・関心を高める言語活動の工夫

全員分のページを一冊にまとめて製本するとき、五十音順に並べる、体に関する言葉・心に関する言葉・動物や植物に関する言葉を含む慣用句ごとに並べるなど、編集の仕方を工夫するとよい。完成した学級の慣用句辞典は、教室に置いていつでも手に取って読めるようにしたり、他学級と交換して読み合ったりして、慣用句への興味・関心を高めたい。

資料

1 ワークシート①（第1時） 06-01

慣用句（かんようく）

名前（　　　　）

国語辞典を使って次の慣用句を調べて、意味と例文を書きましょう。

慣用句	意味	例文
仲を取り持つ		
えりを正す		
労をねぎらう		
世話を焼く		
頭を冷やす		

2 ワークシート②（第2時） 06-02

名前

慣用句	
意味	
例文	

3 ワークシート②（記入例）06-03

慣用句辞典のページ記入例

慣用句	頭を冷やす
意味	いかりをおさえて、気持ちを落ち着かせる。冷静になる。
例文	弟とけんかをしていたら、お母さんに、「二人とも、少し頭を冷やしなさい！」と、おこられてしまった。

声に出して楽しもう

短歌・俳句に親しもう（二）　1時間扱い

単元の目標

知識及び技能	・易しい文語調の短歌や俳句を音読したり暗唱したりするなどして、言葉の響きやリズムに親しむことができる。((3)ア)
学びに向かう力、人間性等	・言葉がもつよさに気付くとともに、幅広く読書をし、国語を大切にして、思いや考えを伝え合おうとする。

評価規準

知識・技能	❶易しい文語調の短歌や俳句を音読したり暗唱したりするなどして、言葉の響きやリズムに親しんでいる。(〔知識及び技能〕(3)ア)
主体的に学習に取り組む態度	❷学習課題に沿って短歌や俳句を繰り返し音読し、風景を最も想像できる作品とその理由を伝え合う中で、進んで言葉の響きやリズムに親しもうとしている。

単元の流れ

時	主な学習活動	評価
1	学習の見通しをもつ 短歌３首を声に出して読む。 現代語訳を参考に風景を思い浮かべ、それぞれの表現の特徴を見つける。 俳句３句を声に出して読む。 現代語訳を参考に風景を思い浮かべ、それぞれの季語を見つける。 風景を最も想像できる作品を１つ選び、その理由を記述する。 同じ作品を選んだ子供同士や学級全体で理由を共有する。 学習を振り返る 学級全体で共有したことを意識しながら、選んだ作品を音読したり暗唱したりする。	❶ ❷

授業づくりのポイント

〈単元で育てたい資質・能力〉

本単元のねらいは、上巻の「短歌・俳句に親しもう（一）」と同様、文語調の短歌や俳句がもつ、言葉の響きやリズムに親しむ態度を育むことである。そのために、繰り返し音読したり、自分が選んだ作品を暗唱したりする。また、言葉に着目し、作品に描かれた風景を想像することも必要である。風景を最も想像できる作品を選び、その理由を考えたり、共有したりする活動を通して、言葉のよさに気付き、自分なりの解釈を得られるようにしたい。

[具体例]
◯風景を思い浮かべ、作品の表現の特徴や季語を見つける。
【短歌】
「晴れし空仰げばいつも　口笛を吹きたくなりて　吹きてあそびき」→三行詩
「金色のちひさき鳥のかたちして銀杏ちるなり夕日の岡に」→色彩豊かな語句
「ゆく秋の大和の国の薬師寺の塔の上なる一ひらの雲」→「の」の繰り返し
【俳句】
「柿くへば鐘が鳴るなり法隆寺」→秋の季語「柿」
「桐一葉日当たりながら落ちにけり」→秋の季語「桐一葉」
「秋空につぶてのごとき一羽かな」→秋の季語「秋空」

〈教材・題材の特徴〉

短歌・俳句は、風景や心の揺れについて、五・七・五あるいは五・七・五・七・七という短詩型で表現されることが大きな特徴である。無駄なく凝縮した表現を繰り返し読むことで、言葉の響きやリズムを感じることができるだろう。また本単元では、読者が風景を想像しやすい作品が掲載されている。風景を想像する手がかりとなる言葉に着目し、そのよさや作品の世界観を自分なりに捉えられるようにしたい。さらに、掲載されている作品は、秋を詠んだものが多いため、授業の最後には他の季節を詠んだ作品を紹介してもよいだろう。子供たちが今後の学習で、短歌や俳句をより楽しく味わえるようにしたい。

〈言語活動の工夫〉

本単元では、風景を想像できる作品を１つ選び、その理由を伝え合う言語活動を設定する。その際、自分が選んだ短歌・俳句で着目した言葉は何か、そこから何を感じたのか、思い描いたのかを記述するようにする。また、自身の感じ方を大切にしながらも、学級全体で共有した際、着目した言葉や、同じ言葉から感じ取ったものが他者と異なることにも気付かせるようにしたい。

[具体例]
◯「金色の～」→「金色」「銀杏」「夕日」から、黄色でいっぱいの美しい風景を想像した。
◯「ゆく秋の～」→「ゆく秋の」から、冬直前の少し寂しいけどすがすがしい薬師寺の風景を想像した。
◯「柿くへば～」→「柿」「鐘」から、秋の柿を法隆寺の鐘と一緒に楽しんでいるように感じた。
◯「秋空に～」→「つぶてのごとき」から、秋の空をたった一羽で力強く飛ぶ鳥を思い浮かべた。

〈ICT の効果的な活用〉

調査：教科書 p.63の二次元コードにある音声を聞いて、リズムを確認できるようにする。また、検索機能を用いて、馴染みのない言葉について調べ、図や画像とともに確認することにより、風景の想像やその手がかりとなる言葉選びに生かせるようにする。

共有：学習支援ソフトなどを用いて、風景を最も想像できる作品とその理由を共有することで、短歌・俳句を構成する言葉のよさや、幅のある解釈への気付きを促す。

本時案

短歌・俳句に親しもう（二）

本時の目標

・短歌や俳句を声に出して読み、風景を最も想像できる作品とその理由を伝え合うことを通して、文語調の言葉の響きやリズムに親しむことができる。

本時の主な評価

❶易しい文語調の短歌や俳句を音読したり暗唱したりするなどして、言葉の響きやリズムに親しんでいる。【知・技】
❷学習課題に沿って短歌や俳句を繰り返し音読し、風景を最も想像できる作品とその理由を伝え合う中で、進んで言葉の響きやリズムに親しもうとしている。【態度】

資料等の準備

・作品を選んだ理由カード 07-01
・他の季節の風景を詠んだ短歌や俳句 07-02

3
◎選んだ作品とその理由
①晴れし・口笛→青空の下で楽しんだ遊びを思い出す
②金色・銀杏・夕日→黄色の美しい風景
③ゆく秋の→冬直前の少しさびしいけどすがすがしい風景
④柿・鐘→秋の柿を法隆寺の鐘とともに楽しんでいる
⑤桐一葉→こう葉した桐の葉がゆっくりひらひら落ちる
⑥つぶてのごとき→秋の空をたった一羽で力強く飛ぶ鳥

共有の際に他の子供から賛同された視点・感想を取り上げる。

授業の流れ ▷▷▷

1 短歌３首を読み味わう 〈10分〉

T　短歌３首を音読しましょう。
○五・七・五・七・七のリズムを確認する。
T　現代語訳を参考に風景を思い浮かべ、それぞれの表現の特徴を見つけましょう。
・「晴れし空〜」は、三行に分かれて書かれている。
・「金色の〜」は、色を表す語句が多く使われている。
・「ゆく秋の〜」は、「の」が繰り返されている。

2 俳句３句を読み味わう 〈10分〉

T　俳句３句を音読しましょう。
○五・七・五のリズムや季語があることを確認する。必要に応じて、２、３年生の教科書（上巻）p.91を示す。
T　現代語訳を参考に風景を思い浮かべ、それぞれの季語を見つけましょう。
・「柿くへば〜」は「柿」で秋の季語。
・「桐一葉〜」は「桐一葉」で秋の季語。
・「秋空に〜」は「秋空」で秋の季語。

ICT端末の活用ポイント

展開 1 2 において、「大和の国」や「桐一葉」など、馴染みのない言葉について個々で調べたり、共有したりする。この際、歌の他の表現と併せて言葉の意味を想像できるようにする。

短歌・俳句に親しもう（二）

風景をそうぞうしながら、言葉のひびきやリズムを楽しもう。

1

【短歌】◎表現のとくちょうを見つけよう

①晴れし空仰げばいつも
口笛を吹きたくなりて
吹きてあそびき
→三行に分かれている

②金色のちひさき鳥のかたちして銀杏ちるなり夕日の岡に
→色を表す語句

③ゆく秋の大和の国の薬師寺の塔の上なる一ひらの雲
→「の」のくり返し

2

【俳句】◎季語を見つけよう

④柿くへば鐘が鳴るなり法隆寺→「柿」（秋）

⑤桐一葉日当たりながら落ちにけり→「桐一葉」（秋）

⑥秋空につぶてのごとき一羽かな→「秋空」（秋）

3 風景を最も想像できる作品を選び、その理由を伝え合う〈25分〉

T　風景を一番想像できるものを１つ選び、その理由を書きましょう。

○想像の手がかりとなる言葉に着目して、どのようなことを感じたり思い描いたりしたのかを記述するようにする。

T　全体で交流しましょう。

○最初は同じ作品を選んだ子供同士で意見を見合い、その後、学級全体で共有する。

T　最後に交流したことを意識しながら、自分が選んだ作品を音読したり暗唱したりしましょう。

ICT 端末の活用ポイント

学習支援ソフトを用いて、作品を選んだ理由をカードに記述する。このとき、教師が具体例をいくつか提示するとよい。

ICT 等活用アイデア

自分の考えを共有する

本単元の言語活動として設定した「風景を最も想像できる作品を選び、その理由を伝え合う」活動に取り組む際、より簡潔に、より幅広く交流できるようにしたい。そのために、理由を記述したカードを作品ごとのスライドに載せて、全員が閲覧できるようにする。このことは、同じ作品を選んだ者同士で、着目する言葉や感じ方の違いを理解し、最後の音読・暗唱に生かすことにつながる。また、選ばなかった作品についても自分とは異なる視点で味わうことができるだろう。

資料

1 作品を選んだ理由カード（第1時） 07-01

短歌・俳句に親しもう（二）

◯風景をもっともそうぞうできる作品を一つ選び、その理由をカードに書こう。

①風景をもっともそうぞうできる作品を一つ選ぼう。

『いにしへの奈良の都の八重桜今日九重に匂ひぬるかな』
の風景が一番そうぞうできそうだな。

②そうぞうの手がかりとなった言葉を決めよう。
（一つでも複数でも◎）

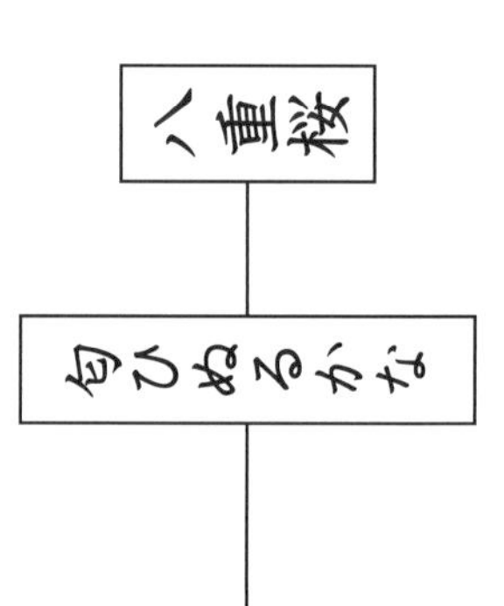

③どのようなことを感じたり、思いえがいたりしたのか書こう。

花びらいっぱいの八重桜であふれていて、とてもはなやかで、きれいな風景だと思う。

④作品ごとに集めよう。

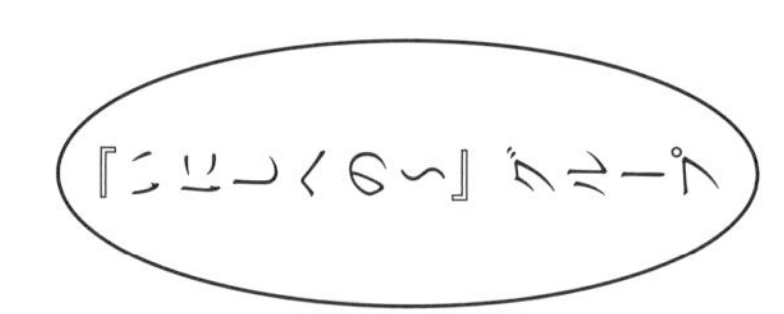

2 他の季節の風景を詠んだ短歌や俳句（第１時） 07-02

短歌・俳句に親しもう（二）

○春・夏・冬の風景をよんだ短歌や俳句も見てみよう。

■花さそふ比良の山風吹きにけり漕ぎゆく舟のあと見ゆるまで　宮内卿

→山のさくらの花をさそうように、比良山（びわ湖西岸にある山）から山風がふき下ろしてきた。びわ湖の湖面が、風でちった花びらでおおわれていたよ。こいでいく舟のあとが見えるほどになるまで。

■道のべに清水流るる柳陰しばしとてこそ立ちどまりつれ　西行

→清らかな水が流れている、道のほとりのやなぎの木かげに、ほんの少しの時間すずもうと思って、つい立ち止まってしまったよ。

■水たまりくぼみて白く氷れるを踏みも砕かず幼ならねば　片山貞美

→水たまりが、くぼんで白くこおっているが、それをふんで、くだくようなことはしない。もう、私はおさない子どもではないのだから。

■春の海ひねもすのたりのたりかな　与謝蕪村

→春の海は、風も波もおだやかだなあ。こののんびりとした様子が、一日中続いているのだ。

■日本の空の長さや鯉のぼり　落合水尾

→五月をむかえたある日。あちらこちらの家でこいのぼりがあげられている。それを見ていると、こいのぼりが、日本の空すべてに続いているように感じられるなあ。

■これがまあつひの栖か雪五尺　小林一茶

→これがなんとまあ、とうとうたどり着いた人生最後の住まいなのだろうか。雪が深くふりつもる、その中にあるけれども。

【引用・参考文献】
須藤敬（文）阿木二郎（絵）（１９９６）『まんが短歌なんでも事典』金の星社
石塚修（文）宮坂栄一（絵）（１９９６）『まんが俳句なんでも事典』金の星社

3年生で習った漢字

漢字の広場④ （2時間扱い）

単元の目標

知識及び技能	・第3学年までに配当されている漢字を書き、文や文章の中で使うことができる。((1)エ)
思考力、判断力、表現力等	・間違いを正したり、相手や目的を意識した表現になっているかを確かめたりして、文や文章を整えることができる。(B エ)
学びに向かう力、人間性等	・言葉がもつよさに気付くとともに、幅広く読書をし、国語を大切にして、思いや考えを伝え合おうとする。

評価規準

知識・技能	❶第3学年までに配当されている漢字を書き、文や文章の中で使っている。(〔知識及び技能〕(1)エ)
思考・判断・表現	❷「書くこと」において、間違いを正したり、相手や目的を意識した表現になっているかを確かめたりして、文や文章を整えている。(〔思考力、判断力、表現力等〕B エ)
主体的に学習に取り組む態度	❸読み手に伝わるように、正確な漢字を用いて文章を書こうとしている。また、漢字を使った言葉の組み合わせを工夫し、見通しをもって文章を書こうとしている。

単元の流れ

時	主な学習活動	評価
1	学習の見通しをもつ 教科書に載っている漢字を使い、学校の様子を紹介するというめあてを確認する。 教科書に示されている漢字の読み方を確認する。 教科書の絵を参考にして、学校の様子を紹介する文章を書く。	❶❸
2	前時に書いた学校の紹介文を学級内で読み合う。 3年生に見せるための紹介文を書く。 学習を振り返る 互いの文章を読み合い、感想を伝える。	❷

授業づくりのポイント

〈単元で育てたい資質・能力〉

3年生までに学習した漢字を書き、文や文章の中で使えることと、自分が書いた文章が正確か、相手や目的を意識した表し方ができているかどうかを確認できることを、本単元のねらいとしている。漢字は、適宜読んだり書いたりすることで定着すると考えられる。3年生までに学習した漢字を使って文章を書く時間を、意図的に設定することで、文や文章の中で漢字を正しく使えるようにしていきたい。

〈教材・題材の特徴〉

本単元における文章づくりは、「学校生活」がテーマとなっている。

「学校」は子供にとって毎日のように通っており、様々な経験をしている場所である。「学校」に対するイメージも、子供一人一人異なっているだろう。教科書に記載された漢字を使いながら、自分たちの学校に対するイメージを言語化できるようにする。自分にとって身近な題材が学習の対象となるとき、子供は主体的になるのではないだろうか。同じ言葉を使って文章を作ったとしても、隣の子は全く違う文章を作るかもしれない。そのようなズレを共有することも、言葉の見方・考え方を広げるきっかけにできるだろう。

〈言語活動の工夫〉

「学校」という題材に対して、子供たちは興味をもって学習に取り組むことができることが期待できる。また、「3年生に学校のことを紹介する」という言語活動を設定することで、相手・目的意識を明確にすることもできる。「3年生が知らない、この学校のことを伝える文章を書こう」と投げかけてみると、よりやる気になるだろう。3年生までの漢字の復習ができることに加え、3年生と4年生の交流の機会にすることもできる。

[具体例]

ちいきの方に教わった**昔遊**びをしょうかいします。教わったのは、「竹とんぼ」の**遊**び方です。**実物**を使って教えてくださいました。**昭和**の時代から遊んでいたそうです。4年生の教室にあるので、今度**遊**びに来てください。

〈ICT の効果的な活用〉

調査：漢字の読み方・使い方を調べる。

共有：学校を紹介する文章を写真に撮り、モニターなどに映し出すことで、大勢の子供たちが一斉に見られるようにする。

本時案

漢字の広場④

本時の目標

・既習の漢字を使い、文や文章を作ることができる。

本時の主な評価

❶既習の漢字を使い、学校を紹介するための文や文章を作っている。【知・技】
❸読みやすいように、正確な漢字を用いて文章を書こうとしている。【態度】

資料等の準備

・p.64の挿絵のコピー

・図書室にはたくさんの本があります。私は、神話や童話を読むことが好きです。
・四年生の算数では、面積の学習をします。二年生で学習した倍の考え方を使った問題もときます。
・総合的な学習の時間では、昭和の遊びを教わりました。ちいきの方が実物を持ってきて、遊び方を見せてくださいます。
・校庭では、50m走のタイムを計ります。何秒で走れるかドキドキします。
・体育館でも体育ができますが、今は工事をしているので使えません。今日も、大工さんが仕事をしています。

授業の流れ ▷▷▷

1 本時のめあてと学習活動を確認する〈10分〉

T　教科書 p.64には、3年生までに学習した漢字が載っています。これらを使って学校の様子を表す文章を書きましょう。
・教科書に載っていない漢字も使っていいですか。
・自分たちの学校とは違うこともあるみたいだな。
T　皆さんがすでに知っている漢字が載っています。正しく書くことを意識しましょう。
○3年生までに学習した漢字の復習に加え、丁寧に文字を書くことも意識できるようにする。

2 漢字の読み方を確認する〈10分〉

T　教科書に載っている漢字の読み方を確認しましょう。
○漢字には音読み・訓読みがあることを確認し、教科書では示されていない読み方も押さえておく。

神話（しんわ）　神（かみ）
使用（しよう）　使（つか）う
返事（へんじ）　返（かえ）す
起立（きりつ）　起（お）きる
問題（もんだい）　問（と）い
実物（じつぶつ）　物（もの）
体育（たいいく）　育（そだ）てる
校庭（こうてい）　庭（にわ）

など

漢字の広場④

1 学校の様子を表そう。

・教科書64ページにのっている漢字を使って、しょうかい文を書く。
・教科書にのっていない漢字を使ってもよい。

2 漢字の読み方

音読み
神話　しんわ
使用　しよう
返事　へんじ
起立　きりつ
問題　もんだい
校庭　こうてい

訓読み
・神　かみ
・使う　つか（う）
・返す　かえ（す）
・起きる　お（きる）
・問い　と（い）
・庭　にわ

教科書p.64の挿絵のコピー

3 みんなが考えた学校の様子

早く書き終えた子供から、黒板に考えた文や文章を書いていくようにすると、時間が余ることへの対応になる。

3 学校の様子を表す文や文章を書く〈25分〉

T　では、教科書に載っている漢字を使って、学校の様子を表す文や文章を作りましょう。
・図書室にはたくさんの本があります。私は、神話や童話を読むことが好きです。
・４年生の算数では、面積の学習をします。２年生で学習した倍の考え方を使った問題も解きます。
・総合的な学習の時間では、昭和の遊びを教わりました。地域の方が実物を持ってきて、遊び方を見せてくださいます。
・校庭では、50m 走のタイムを計ります。何秒で走れるかドキドキします。
・体育館でも体育ができますが、今は工事をしているので使えません。今日も、大工さんが仕事をしています。

よりよい授業へのステップアップ

一文の中に、できるだけ多くの漢字を使う

本単元では、既習の漢字を復習するというねらいがある。漢字学習は、ただ機械的に書くだけでは、定着しにくい。そこで、「一つの文の中にできるだけ多くの漢字を入れましょう」というように投げかける。一文が長すぎると読みづらくなるということも伝えながら、どれだけの漢字を使うことができるか、そこに子供たちは楽しさを感じるだろう。

ある程度の条件を示すことで、子供の思考が活性化されることもある。

本時案

漢字の広場④

本時の目標

・書いた文章を読み合い、感想を伝え合うことができる。

本時の主な評価

❷読み手に伝わるように、正確な漢字を用いて文章を書いている。【思・判・表】

資料等の準備

・p.64の挿絵のコピー
・漢字の広場④ワークシート 08-01

3 読み合った感そう

・四年生の学習のことが書かれていていい。算数の面積は、三年生も気になっていると思う。
・歯の学習のことを、ほ健室の先生に話したら喜んでいた。
・総合的な学習の時間のことを、もっとしょうかいするといい。
・三年生が知らないことを考えるのがむずかしかった。

各グループで１人ずつ黒板に書きたい子供を募り、その子供が書くことも考えられる。

授業の流れ ▷▷▷

1 本時のめあてと学習活動を確認する 〈10分〉

T 前回は、教科書に載っている漢字を使って、学校の様子を表す文や文章を書きました。今日は、自分たちの学校のことを３年生に紹介する文や文章を書きましょう。
・３年生宛てだから、知らない漢字には振り仮名を書いたほうがいいな。
・３年生がまだ知らないことを考えてみよう。
○「３年生に向けて書く」という相手意識を明確にする。

2 ３年生に向けて学校の紹介文を書く 〈20分〉

T では、皆さんが通っている学校のことを３年生に紹介する文や文章を書きましょう。
○３年生が知らない内容、例えば４年生の学年行事等を紹介できるとよい。
・図書室には、世界地図がモニターに表示されます。調べたい国を選ぶと、情報を知ることができます。
・４年生は、校庭の花だんで花を育てています。毎週、金曜日に相談をする時間があります。
・４年生の算数では、長方形や正方形の面積を求める学習をします。自分たちで問題を作ることもあります。
・保健室で歯の学習をします。健康な歯にするために大事なことを教わります。

漢字の広場④

1

三年生に学校のことをしょうかいしよう。

・教科書64ページにのっている漢字を使って、学校のしょうかい文を書く。
・三年生に向けて。
・四年生の学習、学年行事のこと。

教科書p.64の挿絵のコピー

2

みんなが考えた学校のしょうかい文

・図書室には、世界地図がモニターに表示されます。調べたい国を選ぶと、じょうほうを知ることができます。
・四年生は、校庭の花だんで花を育てています。毎週、金曜日に相談をする時間があります。
・四年生の算数では、長方形や正方形の面積を求める学習をします。自分たちで問題を作ることもあります。
・ほ健室で歯の学習をします。健康な歯にするために大事なことを教わります。

3 互いの文章を読み合い、感想を伝える 〈15分〉

T　書いた紹介文を読み合います。よいと思ったこと、漢字が正しく使えているか、３年生にとって分かりやすいかを見てあげましょう。

〇ペア、グループなど、学級の実態に応じて読み合う相手を決める。

・４年生の学習のことが書かれていてよいと思います。算数の面積は、３年生も気になっていると思います。
・歯の学習のこと、保健室の先生に話したら喜んでいました。

ICT 端末の活用ポイント

紹介文を写真に撮り、アプリで共有すると、短時間に大勢の紹介文を閲覧することができる。

よりよい授業へのステップアップ

学校の特徴を考えて文章を書く

教科書の挿絵は、文づくりのためのヒントになる。それに加えて、自分たちの学校の特徴を踏まえて文を作るようにしたい。子供が学習に対して主体的になる手立ての１つが、課題が自分たちの生活に関係していることである。また、４年生ならではの学年行事の紹介文を書いて、３年生が来年度に向けて期待をもてるようにしたい。

漢字は、実際に使うことによって覚えていくことを子供自身が実感し、前向きに漢字の学習に取り組めるようにしたい。

資料

1 漢字の広場④ワークシート（第2時） 08-01

漢字の広場④

四年（　　）組　氏名（　　　　　　　　　　）

三年生で学習した漢字を使って、学校の様子をしょうかいしよう。

図書室	
教室	
ほ健室	
多目的室	
校庭	
体育館	

2 漢字の広場④ワークシート（記入例） 08-02

漢字の広場④

四年（　　）組　氏名（　　　　　　　　）

三年生で学習した漢字を使って、学校の様子をしょうかいしよう。

図書室	図書室には、世界地図がはってあります。外国語活動で学習した国がどこにあるのか調べるとおもしろいです。
教室	四年一組では、じゅぎょうで指名されると起立して答えを言います。算数では、図形の面積を求める問題をたくさんときます。
ほ健室	サッカーボールが顔にぶつかって鼻血が出ました。ほ健の先生に手当てをしてもらいました。
多目的室	総合の時間は、多目的室で活動することが多いです。ちいきの方が、日本の昔遊びを教えてくださいます。
校庭	校庭の花だんでは、いろいろな花を育てています。生き物係が水やりをしています。重いジョウロを持つのが大変そうです。
体育館	四年生は、体育の時間にマット運動をします。四月は、そく転にチャレンジしました。今度は、開きゃく前転をしてみたいです。

つながりを見つけながら読み、おもしろいと思ったことを話し合おう

友情のかべ新聞 （8時間扱い）

単元の目標

知識及び技能	・幅広く読書に親しみ、読書が、必要な知識や情報を得ることに役立つことに気付くことができる。((3)オ)
思考力、判断力、表現力等	・登場人物の気持ちの変化や性格、情景について、場面の移り変わりと結び付けて具体的に想像することができる。(C エ)
学びに向かう力、人間性等	・言葉がもつよさに気付くとともに、幅広く読書をし、国語を大切にして、思いや考えを伝え合おうとする。

評価規準

知識・技能	❶幅広く読書に親しみ、読書が、必要な知識や情報を得ることに役立つことに気付いている。(〔知識及び技能〕(3)オ)
思考・判断・表現	❷「読むこと」において、登場人物の気持ちの変化や性格、情景について、場面の移り変わりと結び付けて具体的に想像している。(〔思考力、判断力、表現力等〕C エ)
主体的に学習に取り組む態度	❸課題に粘り強く取り組み、見通しをもって、物語のおもしろいと思ったことを話し合おうとしている。

単元の流れ

次	時	主な学習活動	評価
一	1	学習の見通しをもつ 全文を読み、感想を伝え合う。 学習課題を設定し、学習計画を立てる。	
二	2	物語の設定を捉え、登場人物の性格や行動を確認する。	
	3 4	物語の謎について、語り手である「ぼく」は何を手がかりに推理したのか考える。	❷
	5	物語の最初と最後で「東君」と「西君」の関係がどう変化したのか考える。	❷
	6	物語のおもしろいと思ったところについて、理由とともに書きまとめる。	
三	7	おもしろいと思ったところについて、話し合う。	❸
	8	学習を振り返る 単元の学びを振り返り、身に付けた力を確認する。 教師によるブックトークを聞き、幅広く読書に親しむ。	❶

授業づくりのポイント

〈単元で育てたい資質・能力〉

本単元で育てたい資質・能力は、登場人物の変化や行動の理由について、場面と場面とを結び付けながら具体的に想像する力である。「東君」「西君」２人の謎を解き明かすためには、物語全体から手がかりとなる叙述を見つけることが重要である。１つの場面だけではなく、複数の場面から考えることで、場面のつながりを意識して読むことができると考える。また、謎を解き明かす展開の中から、おもしろさを見つけ、友達と話し合う活動を通して、読書に親しむ態度も育めるようにしたい。

〈教材・題材の特徴〉

本教材は、語り手である「ぼく」が学校生活で起きる出来事の謎を推理し、解明していく物語教材である。昨今、子供向けにも多くのミステリー小説が出版されており、子供たちにとって、身近なジャンルの物語と言える。ミステリーのおもしろさは、事件の謎を「なぜだろう？」と考えながら推理したり、読み進めていくうちに伏線を回収しながら謎が解明されたりする点にあるだろう。本教材は、いくつかの謎とその謎を解明する推理が分かりやすく描かれている。解明する手がかりを物語全体から見つけることで、場面のつながりを意識して読むことができる教材である。

[具体例]
謎：仲が悪いはずの２人が一緒にいる。→推理：お互いを監視していた。
謎：２人は油性ペンを使わなかった。→推理：油性ペンをさわりたくなかった。
謎：２人はプリンを取り合わなかった。→推理：後ろめたさで食欲がなかった。

〈言語活動の工夫〉

本単元では、「物語のおもしろいと思ったところを話し合う」という言語活動を設定した。この活動は、共通の物語を読んだ者同士が話し合うからこそ、共感し合ったり、新たな気付きを得たりすることができる。このことから、話し合う相手は、同じ学級の友達とする。おもしろいと思ったところが同じ（似ている）子供同士で話し合ったり、おもしろいと思ったところが違う子供同士で話し合ったりするなど、グループを意図的に編成することで、多様な考え方があることに気付かせたい。

[具体例]
　まずは、おもしろいと思ったところが同じ子供同士で話し合う。→共感し合ったり、理由の違いに気付いたりすることができる。次に、おもしろいと思ったところが違う子供同士で話し合う。→同じ物語を読んでも、一人一人の感じ方などに違いがあることに気付くことができる。

〈ICT の効果的な活用〉

表現：ICT 端末のホワイトボード機能を活用し、初発の感想を書き出す。ICT 端末を使用することで、友達がどんな感想を書いたのかをその場で確認できる。また、物語を読んで不思議に思ったことなどを、ICT 端末上で分類することにより、学習計画づくりに生かすこともできる。

共有：おもしろいと思ったところとその理由を話し合う際に、プレゼンテーションソフトを活用することもできる。「おもしろいと思ったところ」と「その理由」をシートに分けることで、考えを論理的に伝えやすくなる。また、聞き手は友達の考えを視覚的にも捉えやすくなる。

本時案

友情のかべ新聞

本時の目標

・物語を読んだ感想を伝え合い、学習課題を明確にもつことができる。

本時の主な評価

・物語を読んだ感想をもち、見通しをもって学習に取り組んでいる。

資料等の準備

・特になし

3
学習計画
・物語の設定をとらえる。
・出来事のつながりについて考える。
・登場人物の関係について考える。
・物語のおもしろさをまとめる。
・おもしろいと思ったことを話し合う。
・学習をふり返る。

子供と一緒に学習計画を立てる。

授業の流れ ▷▷▷

1 単元で身に付けたい力を明確にする 〈10分〉

T　これまでの物語では、どんなことに着目して学習してきましたか。
・登場人物の行動
・気持ちの変化　など
T　今回の学習のゴールは、「つながりを見つけて読み、おもしろいと思ったところを話し合おう」です。
○単元で身に付ける力を子供と共有する。
T　物語の「つながり」とは何でしょう。
・場面のつながり
・出来事のつながり
・登場人物のつながり
T　学習のゴールを目指して、『友情のかべ新聞』という物語を読んでみましょう。

2 教師の範読を聞き、初発の感想を書く 〈20分〉

○初発の感想を書く観点を確認してから、範読をする。
・物語を読んでおもしろいと思ったこと。
・物語を読んで不思議に思ったこと。
・みんなで話し合い解決したいこと。
T　『友情のかべ新聞』を読んだ感想を書きましょう。
・「ぼく」が推理するところがおもしろい。
・不思議な出来事のつながりを確かめたい。
・東君と西君の関係について考えたい。

ICT 端末の活用ポイント

初発の感想を ICT 端末のカード機能を活用すると、視覚的に誰がどんな感想をもったのかを確認することができる。

友情のかべ新聞　はやみね　かおる

学習のゴールを知り、見通しをもとう。

1 学習のゴール

つながりを見つけて読み、おもしろいと思ったところを話し合おう。

2 『友情のかべ新聞』を初めて読んだ感想を書く

〈感想を書く観点〉
・おもしろかったところ。
・不思議に思ったところ。
・みんなで話し合い、かいけつしたいこと。

〈感想〉
・「ぼく」がすいりするところがおもしろい。
・不思議な出来事のつながりをたしかめたい。
・東君と西君の関係について考えたい。

3 学習課題を設定し、学習計画を立てる　〈15分〉

○感想を伝え合い、学習課題を設定する。

T　おもしろいと思ったことや不思議に思ったことなどについて、話し合いましょう。

○学習課題を基に、子供と学習計画を立てる。

・物語の設定を捉える。
・出来事のつながりについて考える。
・登場人物の関係について考える。
・物語のおもしろさをまとめる。
・おもしろいと思ったことを話し合う。
・単元の学習を振り返る。

よりよい授業へのステップアップ

身に付けたい力の明確化

単元の導入時に、今回の単元ではどのような国語の力を身に付けることが目的なのか、子供たちと共通理解を図る。身に付けたい力が明確になることで、子供は粘り強く課題に取り組んだり、自己の学びを調整したりすることができるようになる。

また、身に付けたい力を意識した上で初発の感想を書くことにより、ねらいに即した学習課題を設定しやすくなると考える。

本時案

友情のかべ新聞

本時の目標

・物語の設定、登場人物の性格や行動を捉えることができる。

本時の主な評価

・物語の設定、登場人物の性格や行動について、叙述を基に捉えている。

資料等の準備

・東君、西君のイラスト
・ワークシート① 09-01
・拡大したワークシート（掲示用）

月	金	木	水	火
				東君と西君が
				いっしょに読書、サッカー。 プリンを取りに行かなかった。

授業の流れ ▷▷▷

1 本時のめあてを確認し、音読をする 〈15分〉

○本時のめあてを確認する。
T　学習計画表で、今日のめあてを確認しましょう。今日のめあては、「物語の設定を捉える」ことです。
○これまでの学習経験を想起し、物語の設定の捉え方を確認する。
T　どのような点に着目して読めばいいですか。
・時
・場所
・登場人物
・語り手　など
T　時や場所、登場人物などに注目して音読しましょう。
○必要に応じてサイドラインを引きながら音読するように声をかける。

2 物語の設定を確認する 〈15分〉

T　読み終えたら時や場所、登場人物などについてノートに整理しましょう。
〈時〉
月曜日から翌週の月曜日の放課後
〈場所〉
学校
〈登場人物〉
ぼく、東君、西君、先生
〈語り手〉
ぼく
○登場人物については、主な人物を確認できるとよい。東君と西君については、性格や特徴を押さえることが、今後の読みにつながる。

友情のかべ新聞　はやみね　かおる

1 物語の設定をとらえよう。

2 物語の設定
〈時〉
月曜日からよく週の月曜日
〈場所〉
学校
〈登場人物〉
ぼく…気になったことがあると答えが出るまで考える。
東君…サッカーが好き・算数が好き・ねこが好き
西君…読書が好き・国語が好き・犬が好き

3 登場人物の行動

曜日	だれが	何をした
月	東君と西君が	花びんをわった。 かべ新聞を作った。

東君のイラスト

西君のイラスト

3 登場人物の行動を整理する〈15分〉

○登場人物の行動について整理する。

T　いつ・誰が・何をしたのか整理しましょう。

○子供の実態に応じてワークシートを活用する。

・月曜日：西君と東君が花びんを割った。かべ新聞を作った。

・火曜日：２人は一緒に本を読み、サッカーをした。プリンを取りに行かなかった。

・水曜日：西君が先生のほうを見ていると、東君が西君のそでを引っぱった。

・木曜日：東君が西君に声をかけた。

・金曜日：西君が東君に本を貸した。

よりよい授業へのステップアップ

学習方法の選択

物語の設定や登場人物の行動を整理する際、表を使ってまとめると分かりやすい。そのときにノート、ワークシート、ICT 端末など、何を使ってまとめるのかを子供自身に選択させることも１つの方法である。自分なりに工夫してまとめたい子供は、ノートに書く。書くことへ抵抗がある子供はワークシートや ICT 端末などを用いる。学習の方法を選択することは、子供の主体性を高めることにつながると考える。

本時案

友情のかべ新聞

本時の目標

・出来事のつながりについて、場面の移り変わりと結び付けて具体的に想像することができる。

本時の主な評価

❷物語の謎を「ぼく」はどのような推理で解明したか、場面の移り変わりと結び付けて想像している。【思・判・表】

資料等の準備

・全文掲示
・ワークシート② 09-02
・拡大したワークシート（掲示用）

3 グループやクラス全体での共有

カメラ機能を活用すると、考えを共有しやすい。

授業の流れ ▷▷▷

1 本時のめあてを確認し、音読をする 〈第3時〉

○本時のめあてを確認する。

T　学習計画表で、今日のめあてを確認しましょう。今日のめあては、「出来事のつながりについて考える」ことです。

○音読する目的と視点を明確にしてから音読する。

T　物語の謎と「ぼく」の推理に着目して、音読をしましょう。

○重要な言葉を探しながら読むように声をかける。

○必要に応じてサイドラインを引きながら音読するように声をかける。

2 出来事のつながりを考える 〈第3時〉

T　物語の中には、どのような謎がありましたか。

・2人が急に一緒に過ごし始めた。
・プリンを取りにも行かなかった。
・新聞のはしから、青いよごれが付いていた。

T　それらの謎を「ぼく」はどのような推理で解明しましたか。

・お互いから目を離せなくて一緒にいた。
・後ろめたさで食欲がなくなった。
・2人がもみ合って油性ペンが掲示板に当たった。

○全文掲示をして、物語全体のつながりを捉えられるようにする。

友情のかべ新聞　はやみね　かおる

1 出来事のつながりを考えよう。

つながり…物語のなぞ―「ぼく」のすいり

2 出来事のつながり

物語のなぞ	「ぼく」のすいり
二人が急にいっしょにすごし始めた。	おたがいから目をはなせなくなった。
プリンを取りに行かなかった。	後ろめたさで食よくがなくなった。
西君が先生のほうを見ていると、東君がそでを引っぱった。	相手が先生に言ってしまうのではないかと思った。

3 グループや学級全体で共有する〈第4時〉

○前時で、考えたことをグループで話し合う。

T　読み取ったことをグループで話し合いましょう。

○同じところや違うところを見つけながら、話し合うように指導する。

○友達の意見を聞いて「なるほど」と思った点は、書き加えてよいことを伝える。

T　グループで出た意見を全体で共有しましょう。

ICT端末の活用ポイント

カメラ機能を活用して、自分のノートを写真に残しておく。自分の考えを全体に伝えたいときに、電子黒板に映しながら考えを伝えられる。

よりよい授業へのステップアップ

全文掲示

教科書のように数ページにわたって物語が書かれていると、出来事のつながりがつかみにくい場合がある。教材文を1枚のシートにつなげて物語全体が見えるようにすると、場面と場面のつながりや物語の全体像が見えやすくなる。1人ずつに配布することは難しいかもしれないが、教室に拡大した教材文を掲示しておき、教師がペンで関連する叙述をつないでいくと、視覚的にも理解が深まるだろう。

本時案

友情のかべ新聞

本時の目標

・登場人物の関係の変化について、場面の移り変わりと結び付けて具体的に想像することができる。

本時の主な評価

❷登場人物の関係の変化について、場面の移り変わりと結び付けて具体的に想像している。【思・判・表】

資料等の準備

・全文掲示
・ワークシート③ 09-03
・東君と西君のイラスト

○物語の終わり
東君と西君の関係
・仲よくなった。
・いっしょにサッカーや読書をするようになった。
・おたがいのことをりかいした。

教科書p.78-79のイラスト

授業の流れ ▷▷▷

1 本時のめあてを確認し、音読する 〈10分〉

○本時のめあてを確認する。

T　学習計画表で、今日のめあてを確認しましょう。今日のめあては、「東君と西君の関係について考える」ことです。

○目的と視点を明確にしてから音読する。

T　東君と西君の関係の変化に気を付けて、音読をしましょう。

○東君と西君の関係について考えるため、2人の行動に着目して読むように声をかける。

○必要に応じて、サイドラインを引きながら読むように声をかける。

2 東君と西君の関係の変化について考える 〈15分〉

T　東君と西君の関係が、どのように変化したのかを考えましょう。

○1人で課題を解決する時間を確保する。

○物語の最初と最後を比較することで、東君と西君の関係の変化を捉えられるようにする。

T　物語の最初、東君と西君の関係はどうでしたか。

・仲が悪かった。
・いつも対抗心を燃やしていた。

T　物語の最後、東君と西君の関係はどうなりましたか。

・お互いのことを理解し合った。
・仲よくなった。

友情のかべ新聞　はやみね　かおる

1 東君と西君の関係について考えよう。

2 ○物語の初め
東君と西君の関係
・仲が悪い。
・いつもたいこう心をもやしていた。

教科書p.66のイラスト

3 なぜ？

・おたがいから目をはなせなくなり、いつもいっしょにいるうちに、相手のことが分かってきたから。
・「そんなにいやなやつじゃない」と思うようになったから。

3 2人の関係が変化した理由を考える〈20分〉

T　考えたことをグループや全体で共有しましょう。

・物語の最初は仲が悪かったけど、物語の最後には、仲よくなった。

T　なぜ、東君と西君の関係は変化したのでしょう。

○なぜ、東君と西君の関係が変化したのか、そのきっかけを叙述を基に考えられるようにする。

・お互いから目を離せなくなり、いつも一緒にいるうちに相手のことが分かってきた。
・「そんなにいやなやつじゃない」と思うようになった。

ICT等活用アイデア

カメラ機能を活用して自分の考えを記録する

カメラ機能を活用して、自分の考えを書いたノートを写真に残しておく。自分の考えを学級全体へ発表したいときに、ノートの写真を電子黒板に映し出すことで考えを共有しやすくなる。また、聞く側にとっても、視覚的に友達の考えを捉えやすくなる。

教師が子供のノートやワークシートを記録しておくことで、評価の資料として扱ったり、次時の導入時に紹介したりして共有することもできる。

本時案

友情のかべ新聞

本時の目標

・物語のおもしろいと思ったことについて、理由とともにまとめることができる。

本時の主な評価

・物語のおもしろさと理由をまとめている。

資料等の準備

・全文掲示
・ワークシート④  09-04
・拡大したワークシート（掲示用）

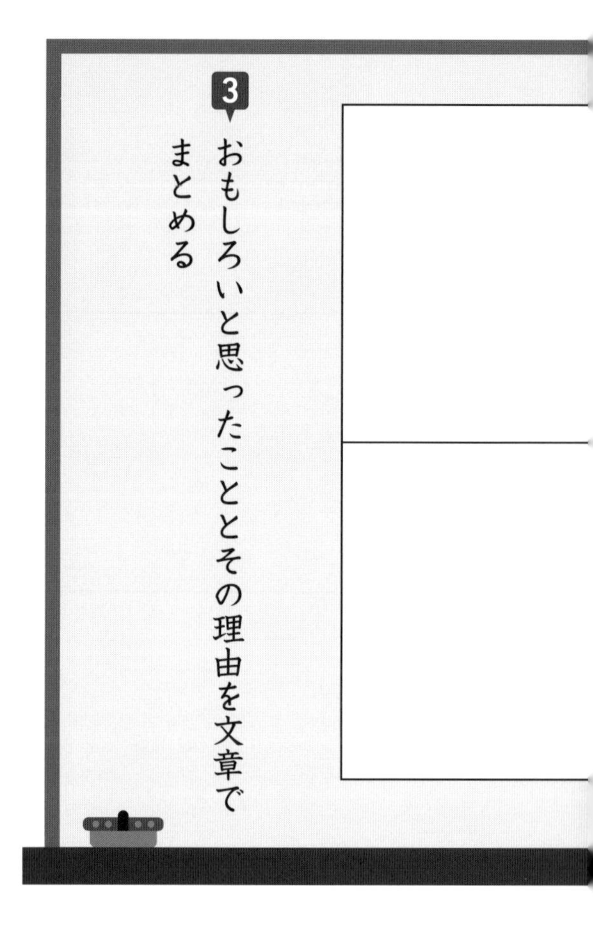

授業の流れ ▷▷▷

1 本時のめあてを確認し、音読する 〈10分〉

○本時のめあてを確認する。

T　学習計画表で、今日のめあてを確認しましょう。今日のめあては、「物語のおもしろいと思ったことについてまとめる」ことです。

○目的と視点を明確にしてから音読する。

T　自分がおもしろいと思ったことを確認しながら、音読をしましょう。

○第１時で確認した学習のゴールを想起させ、出来事のつながりや登場人物のつながりに関連したおもしろさを見つけるように指導する。

○必要に応じて、サイドラインを引きながら読むように声をかける。

2 おもしろいと思ったこととその理由を考える 〈20分〉

T　物語を読んで、おもしろいと思ったことを書き出しましょう。

○物語の謎に着目させる。

○初発の感想を読み返したり、これまで学習したことを想起したりすることで、書く事柄を考えさせる。

・東君と西君が油性ペンをさわろうともしなかったこと。

・東君と西君がプリンを取りに行かなかったこと。

T　おもしろいと思った理由を書きましょう。

・油性ペンをさわりたくないと思うような出来事があったのかなと想像できたから。

・食欲がなくなるほど後ろめたさを感じていて、反省している様子が伝わるから。

友情のかべ新聞　はやみね　かおる

1 おもしろいと思ったところをまとめよう。

2 『友情のかべ新聞』を読んで、おもしろいと思ったこととその理由

おもしろいと思ったところ	理由
東君と西君が油性ペンをさわろうともしなかったことに「ぼく」が着目したこと。	二人が油性ペンをさわりたくないと思うような出来事があったのかなとそうぞうできたから。
東君と西君がプリンを取りにも行かなかったこと。	食よくがなくなるほど二人は後ろめたさを感じていて、反省している様子が伝わったから。

3 おもしろいと思ったこととその理由をまとめる〈15分〉

T　おもしろいと思ったところとその理由を文章でまとめましょう。

○着目した謎とそれを解き明かす証拠の叙述を結び付けて、おもしろさを説明するように指導する。

○必要に応じて教科書 p.81の「ノートの例」を参考にさせる。

・プリンを取りに行かなかったこと。なぜなら、後ろめたさで食欲がなく、反省している様子が伝わるから。

ICT 端末の活用ポイント

ICT 端末のプレゼンテーションソフトを活用し、おもしろいと思ったところとその理由をまとめることもできる。

ICT 等活用アイデア

プレゼンテーションソフトを活用して、自分の考えをまとめる

　おもしろいと思ったこととその理由をまとめるときに、ICT 端末のプレゼンテーションソフトを活用することもできる。「おもしろいと思ったこと」と「その理由」をそれぞれのシートに分けて考えることで、思考が整理されやすくなる。

　また、次時での友達との共有では、画面に映し出すことで、考えを論理的に伝えやすくなる。また、聞き手にとっても、友達の考えを視覚的にも捉えやすくなると考える。

本時案

友情のかべ新聞

本時の目標

・物語のおもしろいと思ったことを友達と話し合おうとする。

本時の主な評価

❸物語のおもしろいと思ったことを話し合おうとしている。【態度】

資料等の準備

・全文掲示

・自分では、気付かなかったおもしろさを見つけている友達がいた。
・「おもしろさ」は人によってちがう。

友達との話合いを振り返る活動を設定し、同じ物語を読んでも多様な感じ方があることに気付かせる。

授業の流れ ▷▷▷

1 本時のめあてを確認し、書いた文章を読み直す 〈10分〉

○本時のめあてを確認する。

T　学習計画表で、今日のめあてを確認しましょう。今日のめあては、物語の「おもしろいと思ったことについて話し合おう」です。

○前回、書いた文章を読み直す。

T　前回、自分が書いた文章を読み直しましょう。物語のどのようなところがおもしろいと思いましたか。

・油性ペンの謎。
・プリンの謎。
・「東君」と「西君」の関係の変化。

○教師は、事前に子供たちの書いた文章に目を通し、意図的なグループ編成や適切な支援ができるようにしておく。

2 おもしろいと思ったことを友達と話し合う 〈20分〉

T　おもしろいと思ったところを友達と話し合いましょう。

○話し合う観点を明確にする。

T　どんなことに気を付けて話し合えばいいですか。

・自分と友達の考えを比べながら話し合う。
・同じところや違うところを見つけながら話し合う。
・物語のつながりを意識して話し合う。

○おもしろいと思ったことが同じ・違う友達同士で文章を読み合い、感想を伝える。

T　おもしろいと思ったことが同じ、または似ている友達同士で話し合いましょう。次に、おもしろいと思ったことが違う友達同士で話し合いましょう。

友情のかべ新聞　はやみね　かおる

1
おもしろいと思ったことを話し合おう。

2
話し合う観点
・自分と友達の考えをくらべながら話し合う。
・同じところやちがうところを見つけながら話し合う。
・物語のつながりを意しきしながら話し合う。
① おもしろいと思ったところが同じ・にている友達どうしで話し合う。
② おもしろいと思ったところがちがう友達どうしで話し合う。

3
友達との話し合いを通して感じたこと
・おもしろいと思ったところは同じだったけど、理由がちがった。

3 友達との話合いを通して、感じたことを発表する　〈15分〉

T　友達との話合いを通して、どんなことを感じましたか。
○友達との話合いを振り返る活動を設定し、同じ物語を読んでも多様な感じ方があることに気付かせる。
・おもしろいと思ったところは同じだったけど、理由が違った。
・自分では、気付かなかったおもしろさを見つけている友達がいた。

ICT 端末の活用ポイント

ICT 端末上でお互いの書いた文章を読み合ったり、読んで感じたことをを書き残したりする活動も考えられる。

よりよい授業へのステップアップ

言語活動の工夫

本単元では、「物語のおもしろいと思ったところを話し合う」という言語活動を設定した。共通の物語を読んだ者同士が話し合うからこそ、共感し合ったり、新たな気付きを得たりすることができる。このことから、話し合う相手は、同じ学級の友達とする。おもしろいと思ったことが同じ（似ている）子供同士で話し合ったり、おもしろいと思ったことが違う子供同士で話し合ったりするなど、グループを意図的に編成することで、多様な考え方があることに気付かせたい。

本時案

友情のかべ新聞

本時の目標

・幅広く読書に親しみ、読書のよさに気付くことができる。

本時の主な評価

❶幅広く読書に親しみ、読書のよさに気付いている。【知・技】

資料等の準備

・教科書 p.82–83「この本、読もう」に紹介されている本
・教師が子供に紹介したいミステリーの本

③
名たんていが登場するミステリー

名探偵が登場するミステリーの表紙

名探偵が登場するミステリーの表紙

3
ミステリー作品を読んでみよう。

授業の流れ ▷▷▷

1 単元の学習を振り返る 〈15分〉

T 単元の学習を振り返りましょう。
〇学習を振り返り、どんな力が身に付いたか、子供自身が実感できるようにする。
〇振り返りの観点を確認する。
・友達と話し合って、感じたこと。
・つながりに着目して読むことのよさ。
・今回の学習で身に付いたこと。 など

ICT 端末の活用ポイント

単元の振り返りには、ICT 端末のアンケート機能を活用することもできる。簡単にグラフ化することもでき、保存管理も容易になる。

2 教師によるブックトークを聞く 〈15分〉

T 作品の中で謎が生まれ、解き明かされていく物語をミステリーと言います。今回は、いくつかのミステリーをテーマごとに紹介します。
〇同一作者のミステリー作品を紹介する。
→はやみねかおるさんの物語
〇小学生が活躍するミステリー
→小学生が謎を解く物語
〇名探偵が登場するミステリー
→名探偵が事件を推理、解決する物語
〇それぞれの物語の最初の場面を読み聞かせたり、おすすめのポイントを紹介したりする。

友情のかべ新聞　はやみね　かおる

1

単元の学習をふり返ろう。

〈ふり返りの観点〉
・友達と話し合って、感じたこと。
・つながりに着目して読むことのよさ。
・今回の学習で身に付いたこと。　など

2

ブックトーク

① はやみねかおるさんのミステリー

はやみね かおるさんの 本の表紙

はやみね かおるさんの 本の表紙

② 小学生がかつやくするミステリー

小学生が活躍 するミステリー の表紙

小学生が活躍 するミステリー の表紙

3 自分の読みたいミステリー作品を読む　〈15分〉

T　自分の読みたいミステリー作品を選んで、読みましょう。

○子供が一人一人手に取って読書できるように、学校図書館や地域の図書館と連携して本を用意する。

○授業時間内に読み切ることができなくても、読み始めることで、子供は続きが気になり、休み時間や放課後の時間に読み進めることが期待される。この活動を、朝読書や図書の時間、家庭での読書にもつなげたい。

T　「おもしろそうだな」と思った本を友達と紹介し合いましょう。

よりよい授業へのステップアップ

学校図書館や地域図書館との連携

昨今、子供向けにも多くのミステリー小説が出版されている。ミステリーのおもしろさは、事件の謎を「なぜだろう？」と考えながら推理したり、読み進めていくうちに伏線を回収しながら謎が解明されたりする点にあるだろう。本教材を通して感じたミステリーのおもしろさを、他の作品でも味わえるようにしたい。そこで、学校図書館や地域図書館と連携し、関連図書を事前に用意しておくとよい。できれば、1人1冊ミステリー作品を手に取って読むことのできる環境を作りたい。

資料

1 ワークシート①（第2時） 09-01

友情のかべ新聞

四年（　　　　）

○登場人物の行動を表にまとめましょう。

曜日	月	火	水	木	金	月
だれが						
何をした						

2 ワークシート②（第3・4時） 09-02

友情のかべ新聞

四年（　　　　）

○物語のなぞと「ぼく」のすいりを結び付けて考えましょう。

物語のなぞ						
「ぼく」のすいり						

3 ワークシート③（第５時）09-03

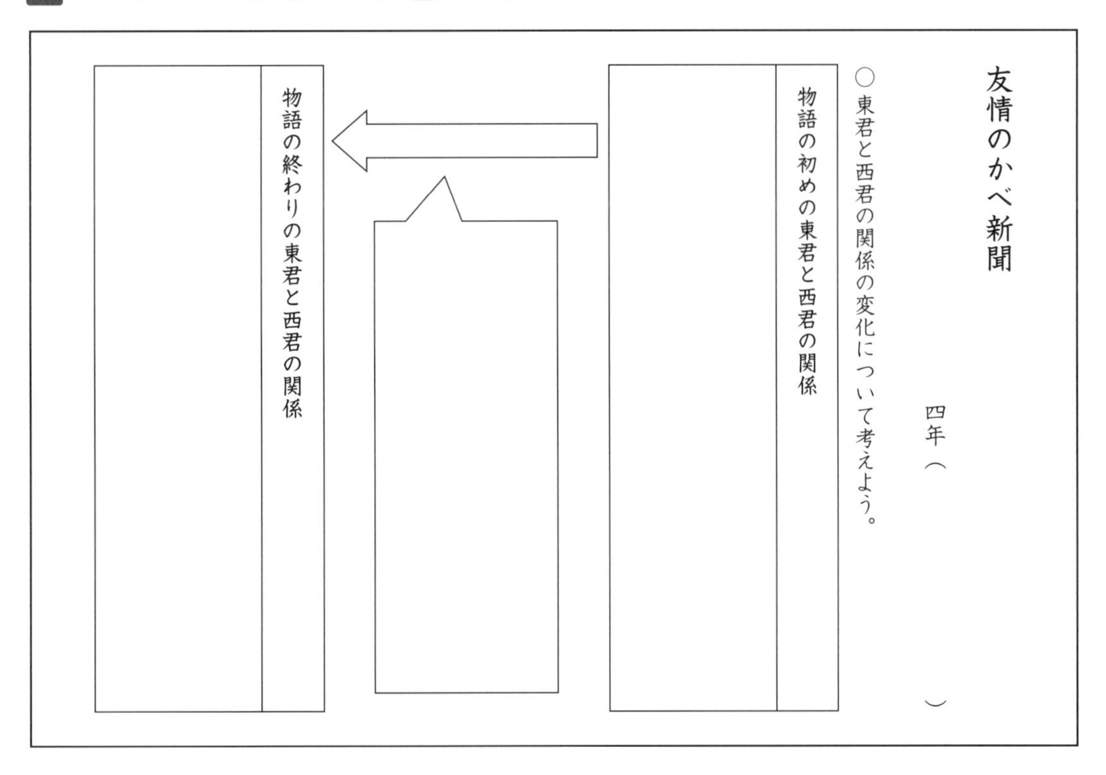

4 ワークシート④（第６時）09-04

友情のかべ新聞

四年（　　）

○おもしろいと思ったところとその理由を考えよう。

おもしろいと思ったところ			
理由			

理由や例を挙げて、考えを書こう

もしものときにそなえよう （10時間扱い）

単元の目標

知識及び技能	・考えとそれを支える理由や事例など、情報と情報との関係について理解することができる。((2)ア)
思考力、判断力、表現力等	・自分の考えとそれを支える理由や事例との関係を明確にして、書き表し方を工夫することができる。(B ウ)
学びに向かう力、人間性等	・言葉がもつよさに気付くとともに、幅広く読書をし、国語を大切にして、思いや考えを伝え合おうとする。

評価規準

知識・技能	❶考えとそれを支える理由や事例など、情報と情報との関係について理解している。(〔知識及び技能〕(2)ア)
思考・判断・表現	❷「書くこと」において、自分の考えとそれを支える理由や事例との関係を明確にして、書き表し方を工夫している。(〔思考力、判断力、表現力等〕B ウ)
主体的に学習に取り組む態度	❸積極的に、自分の考えとそれを支える理由や事例を明確にし、学習の見通しをもって、調べて考えたことを文章に書こうとしている。

単元の流れ

次	時	主な学習活動	評価
一	1	学習の見通しをもつ 地震や津波、台風、大雨、大雪、噴火等の出来事を思い出したり、当時のニュース映像や新聞記事を読んだりして、気付いたことを友達と共有し合う。	❸
	2	「『マイ防災ブック』を作り、発表会を開く」という学習課題を知る。 地震や津波、台風、大雨、大雪、噴火等から大きなテーマを決める。	
二	3・4	大きなテーマごとにグループを作り、複数の本や図鑑を読んだりインターネットで調べたり、詳しく知っている人からインタビューをしたりして、気になったことや分かったことをカードにまとめる。	❶
	5・6	調べたことをまとめたカードを内容ごとに分類して整理する。 書きたい内容を「構成メモ」に整理し、自分の考えを明確に伝えられるようにする。	❶
	7・8	読む人に、自分の考えが伝わるように文章を書く。 書いた文章を読み返し、調べたグループで文章を読み合う。	❷
三	9・10	保護者や地域の方を招待し、「『マイ防災ブック』発表会」を開く。 学習を振り返る	❸

授業づくりのポイント

〈単元で育てたい資質・能力〉

本単元のねらいは、理由や例を挙げて、考えを書くことである。そのために、単元の流れにおいては、課題ごとにグループを作り、自分の考えと友達の考えを共有する活動、書き終えた後、それぞれが書いた文章を発表する活動を取り入れ、書き手の考えを踏まえながら感想を伝えたり、友達の感想を知ったりすることで、自分の文章のよさや改善点に気付かせたい。

〈教材・題材の特徴〉

近年、日本では地震などの自然災害が数多く起きており、子供にとって身近な教材である。実際、避難経験のある子供や、親戚が被災者となった子供もいるであろう。そのような状況の中で、子供が自ら「もしものときにそなえるには、どうしたらよいか」と、この単元を通して学習することはとても意義のあることである。本単元の言語活動例として、「マイ防災ブック」を作るという活動を例示している。子供が「防災隊員」になりきり、家族や地域のために備えることを調査し、レポートにまとめる。カリキュラム・マネジメントとして、総合的な学習の時間との関連を図った学習を展開してもよいだろう。

〈言語活動の工夫〉

単元の導入で、地震や津波、台風、大雨、大雪などの出来事を思い出したり、当時のニュース映像や新聞記事を読んだりしたときのことを共有し合う。実際に避難したことがある子供や、親戚や知り合いが被災した経験がある子供もいるだろう。その経験を踏まえ、「もしものときにそなえる」ことを自分事として捉え、文章に書き表し、友達に伝えることができるようにする。単元の最後に、「マイ防災ブック」として学校公開日や学習発表会で保護者や地域の方を招待し、自分の作品を発表する機会を設ける。また、でき上がった作品を学校図書館に掲示し、他の学級や他の学年と共有してもよい。

[具体例]

◯地震や大雨など、自然災害はいつ起こるか分かりませんね。当時の新聞やニュースを見て、これまでの出来事を振り返ってみましょう。
・私は川のそばに住んでいます。大雨の時避難勧告が出て、近くの公民館に避難しました。
・親戚が被害にあって、とてもつらい思いをしました。
・大きな地震や台風のために避難訓練もしているよね。
◯「そなえあれば、うれいなし」という言葉がありますね。実際、どう備えたらいいか、自分たちで調べて、「マイ防災ブック」を作りましょう。
・大雨のときは、早めに避難所に行くことが大切だね。
・いつ地震がくるか分からないから、家具をしっかり留め付けてあるか確認したほうがいいね。
・ペットと一緒に避難してもいいのかな。知りたい人もいるはず。
・でき上がった「マイ防災ブック」を地域の方にも発表すると参考にしてもらえそう。

〈ICT の効果的な活用〉

調査：課題を調べる際、ICT 端末の検索機能を活用するとよい。災害の動画資料を参考にしてもよい。

共有：発表会では ICT 端末のプレゼンテーションソフトを活用して資料を提示する。

本時案

もしものときにそなえよう

本時の目標

・言葉がもつよさに気付くとともに、幅広く読書をし、国語を大切にして、思いや考えを伝え合おうとする。

本時の主な評価

❸積極的に、自分の考えとそれを支える理由や事例を明確にし、学習の見通しをもって、調べて考えたことを文章に書こうとしている。【態度】

資料等の準備

・地震、台風、津波、大雨などの災害の写真や新聞記事
・ニュース映像
・ラジオニュース

・ハザードマップをかくにんしておく。

火事

・火災警報器（けいほうき）を付けておく。
・だんぼうのそばにもえやすいものを置かない。

大雪

・すべりにくい靴（くつ）をはく。
・車の中に閉じこめられたときにそなえて、毛布やカイロを用意しておく。

授業の流れ ▷▷▷

1 学習の見通しをもつ 〈20分〉

○自然災害のニュースを見て、気付いたことを発表する。

T　地震や大雨など、自然災害はいつ起こるか分かりません。当時の新聞やニュースを見てこれまでの出来事を振り返りましょう。

・令和６年の元旦に北陸で地震があったとき、親戚がしばらく避難していました。
・災害は突然起こるから、訓練や備えが大切。

T　自然災害について、どのように備えておくとよいのか調べて、いざというときのための資料としてまとめてみましょう。

・自分に関係ありそうな災害を調べたいな。
・「マイ防災ブック」っていうのはどうかな。

○教科書を読み、学習の見通しをもつ。

2 気付いたことをグループで交流する 〈25分〉

○自然災害のニュースや新聞記事から気付いたことをグループで伝え合う。

T　先ほど見た映像や写真、新聞記事から、自然災害に備えるにはどうしたらいいか、グループで交流しましょう。

・私の家では、防災リュックを用意しているよ。
・災害の種類で対応が違ってくるよね。
・小さい子やお年寄りは備えておく物が違うと思うな。

ICT 端末の活用ポイント

グループで意見を交流する際、ICT 端末の付箋機能を活用するとよい。

もしものときにそなえよう

3 めあて
調べるテーマを決め、グループに分かれよう。

1 じしん・台風・つなみ・
2 大雨・大雪・火事

4 じしん
・家具を固定する。
・たなの上に物を置かない。

災害の写真や新聞記事など

気付いたことを発表する。

台風
・窓を養生テープでほ強する。
・風に飛ばされて危ないものは中にしまっておく。

津波
・じしんが来たらすぐつなみが来るかもしれない。
・日ごろから高台ににげられるようにしておく。

大雨
・ひなん勧告(かんこく)が出る前にひなんする。

3 調べるテーマを決め、グループに分かれる 〈25分〉

○地震や津波、台風、大雨、大雪、噴火などから大きなテーマを決める。

T　どのような災害の備えについて書くか、テーマを決めて、知りたいことをノートに書きましょう。

・私は地震について調べたいな。90歳のひいおばあちゃんとおじいちゃんとおばあちゃんと暮らしているから、地震のときにお年寄りが必要な物を知らせたい。

○自分が調べる大きなテーマごとにグループを作る。

T　大きなテーマごとにグループを作って、同じテーマの仲間と協力して調べていきましょう。

・地震をテーマにする人は多いかな。

4 グループごとに、自分が知りたいことを伝え合う 〈20分〉

○大きなテーマごとに集まり、自分が知りたいことを伝え合う。本時の後に、家庭学習でテーマについて調べておく。

T　グループごとに、自分が知りたいことを伝え、意見を交流しましょう。

・私は地震のとき、高齢者が備えておくとよい物を調べたいと思います。

・私のおじいちゃんは携帯電話を普段からポケットに入れているよ。

T　出た意見を学級全体で共有しましょう。

ICT 端末の活用ポイント

ICT 端末のコメント機能を使って、他のグループの友達からの意見も聞くと、情報を増やすことができる。

本時案

もしものときにそなえよう

本時の目標

・考えとそれを支える理由や事例など、情報と情報との関係について理解することができる。

本時の主な評価

❶考えとそれを支える理由や事例など、情報と情報との関係について理解している。【知・技】

資料等の準備

・取材メモ
・図書資料・新聞記事
・地域のハザードマップや避難場所情報の資料
・電子黒板または実物投影機

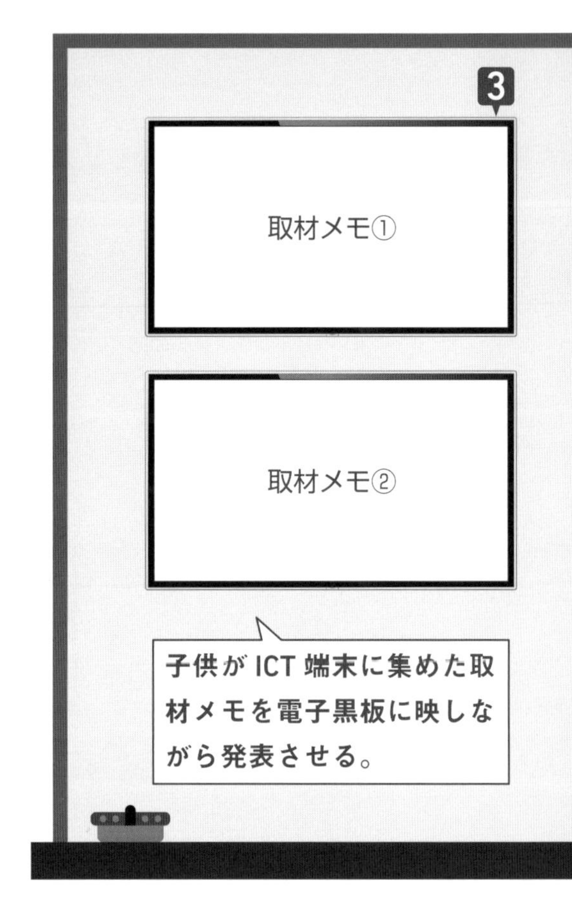

3
取材メモ①
取材メモ②
子供がICT端末に集めた取材メモを電子黒板に映しながら発表させる。

授業の流れ ▷▷▷

1 自分のテーマについて調べ、取材メモにまとめる 〈30分〉

○前時が終わってから、各自家庭学習などで調べる時間をとっておく。

T　取材メモを種類ごとにまとめて整理しましょう。

・私は地域の図書館で調べてきたよ。
・インターネットの情報だけではなくて図書の資料からも見つけないと、その情報が正しいか分からないよね。

○グループで調べたことを交流する。

T　グループで調べたことを交流して、自分の取材メモに付け足しましょう。

・私は「地震に備えて家具を固定しておく」という取材メモを付け足そう。

2 もう一度取材メモを整理し、足りないものを調べる 〈40分〉

○図書資料やPCから足りない情報を付け足したり、情報が正しいかどうかを確かめたりする。必要があれば、インタビューをする。

T　取材メモに付け足したり、付け足した情報が正しいかどうか、資料を調べたりして確認しましょう。インタビューをしてもいいですよ。

・私は、地域センターの方に避難所の役割についてインタビューをすることにしました。

ICT端末の活用ポイント

インタビューしたことを動画に撮ったり写真に記録したりするとよい。その際は、必ず相手に許可をとるように助言する。

もしものときにそなえよう

1

活動の流れ

①取材メモを整理する。
②グループで交流して、取材メモを付け足す。
③もう一度整理する。
④足りないものを調べる。

2

気付いたこと

・同じことが本や新聞記事にも書いてある。
・正しいかどうか分からないじょうほうは信用しない。
・相手に一番伝えたいことを書く。
◎自分が知りたいことがはっきり分かるじょうほうを見つける。

3

めあて

調べたことをグループで共有しよう。

3 調べたことを共有し、情報を整理する 〈20分〉

○調べた事柄をテーマごとのグループで交流し、考えを広げる。

T 調べたことをグループで交流しましょう。気付いたことや付け足したいことがあったら、取材メモに付け足しましょう。

・○月○日のＡ新聞の記事の内容が、「○○」という図書資料にも書いてありました。
・私は、地域センターの方にインタビューをしました。地域にどんな方々が住んでいるのかあらかじめ把握して、高齢者の方や障害のある方、小さい子供にも対応できるようにしていると分かりました。

○取材メモから気付いたことを発表する。

・自分が一番知りたくて、みんなにも伝えたいことを選ぶ必要があるね。

よりよい授業へのステップアップ

一番伝えたい情報を整理する

たくさん集まった情報の中から、自分が知りたいことに合った情報や、相手に一番伝えたい情報を選ぶことができるように助言する。

また、次時の構成の際、選んだ情報のどちらを先に書くのか、書く順序も意識させるとよい。さらに、書く順序を意識させるには、相手がどんなことを求めているのか、相手の立場に立ち戻って情報を整理し直すことに留意させる。

本時案

もしものときにそなえよう

本時の目標

・考えとそれを支える理由や事例など、情報と情報との関係について理解することができる。

本時の主な評価

❶考えとそれを支える理由や事例など、情報と情報との関係について理解している。【知・技】

資料等の準備

・ワークシート 10-01、10-02

中①
中②
終わり

授業の流れ ▷▷▷

1 取材メモを内容ごとに分類して整理する 〈20分〉

○前時の取材メモを基に、ワークシートに整理し直す。取材メモはICT端末のプレゼンテーションソフトやカード、付箋紙に書くようにしておくと、本時で整理がしやすい。

T 取材メモを内容ごとに整理して、ワークシートにまとめましょう。

・避難するときに必要な持ち物も調べたんだな。

・取材メモが多い内容と少ない内容があるぞ。

ICT端末の活用ポイント

ICT端末のプレゼンテーションソフトを活用して取材メモをまとめると、後で分類したり発表したりするときに便利である。

2 グループで交流し、一番伝えたい内容を決める 〈25分〉

○読む人に役立つかどうかを考えて意見を伝えるように助言する。

T 自分のワークシートを友達に見せた後、自分が伝えたい内容を発表しましょう。聞いている人は、読む人に役立つかどうかを考えて意見を伝えましょう。

○グループで交流したことを基に、取材メモを見直す。取材メモがいくつかあるときは、番号を付けるようにする。

T グループで交流したことを基に、自分の取材メモを見直して、一番伝えたい内容を決めましょう。

・雨や川の状況を見て早めに行動することが1番で、地域の情報は2番にしよう。

もしものときにそなえよう

1

めあて①

2

取材メモを内容ごとに分類して整理しよう。

活動の流れ

①取材メモを内容ごとに整理する。
②グループで交流する。
③もう一度整理する。
④相手に一番伝えたい取材カードを決める。
※気をつけること
読む人（相手）に役立つかどうか。

3

めあて②

自分の考えをはっきり伝えられるように構成メモに整理しよう。

初め

3 「構成メモ」に整理し、自分の考えを明確にする 〈20分〉

○ワークシートを ICT 端末で共有したり、拡大したものを掲示したりし、活動の見通しがもてるようにする。教科書の例を基に、説明する。

T　考えを伝える文章を書くために、構成メモを書きましょう（板書参照）。

・教科書の例はこんな組み立てになっていたんだね。
・初めと終わりに自分の考えを書くんだ。
・中①と中②の具体例を入れ替えてもよさそうだね。
・地域の方が何を一番知りたいと思っているのかな。相手が知りたいことを最初に伝えたほうがよさそうだな。

4 「構成メモ」を書き、友達と交流して、メモを見直す 〈25分〉

○例を基に構成メモを書く。初めと終わりもカードに書き、後で入れ替えることができるようにする。

T　例を基に構成メモを書きましょう。終わったら交流コーナーへ行って、でき上がった友達と交流しましょう。交流した後は必ず見直しをしましょう。

・初めには、自分の考え。中には、インタビューしたことにしよう。読む相手に伝わるかな。
・どうしてこの順序にしたの？
・私は、ペットと一緒に避難することができるということを伝えたいから、これを最初に書くことにしたよ。

本時案

もしものときにそなえよう

本時の目標

・自分の考えとそれを支える理由や事例との関係を明確にして、書き表し方を工夫することができる。

本時の主な評価

❷「書くこと」において、自分の考えとそれを支える理由や事例との関係を明確にして、書き表し方を工夫している。【思・判・表】

資料等の準備

・ワークシート 10-01、10-02

□引用したり参考にしたりした本を出典としてまとめてあるか。
□字のまちがいなどがないか。

（グループ交流）
・「なるほど。」となっとくしたこと。
・「分かりやすいな。」と思った書き方。
・気になること。
・くわしく知りたいこと。

授業の流れ ▷▷▷

1 教科書の例文を読み、書き方の工夫を見つける 〈10分〉

○教科書の例文を音読し、気付いたことに線を引く。

T　教科書の例文を読み、どのような書き方の工夫があるか、気付いたことを発表しましょう。

・初めには自分の考えが書いてある。
・中の最初の言葉は、「なぜなら」と書いて、理由を表しているよ。
・「もう1つ、理由があります。」という書き方をして、2つ目の理由を書いているね。
・どちらの例を先に書くか、順序によって相手への伝わり方も違うね。

2 例文を参考にして「構成メモ」を確認しながら記述する 〈35分〉

○例文の初めと終わりを入れ替えたり、文末を替えたり、同じ意味で違う言葉に置き換えてみる。

T　前の時間、Aさんが、「初めと終わりを入れ替えてもよさそうだ」と気付きました。それを基に、この例文の初めと終わりを入れ替えたり、同じ意味でも違う言葉にしてみたり工夫して書きましょう。

○子供の実態に応じて、子供自身に考えさせてもよいし、学級全体で確認しながら取り組んでもよい。

・最初に呼び掛けるような言葉で書き始めてもいいね。
・書き方を工夫すると、より伝えたいことがはっきりしてくるね。

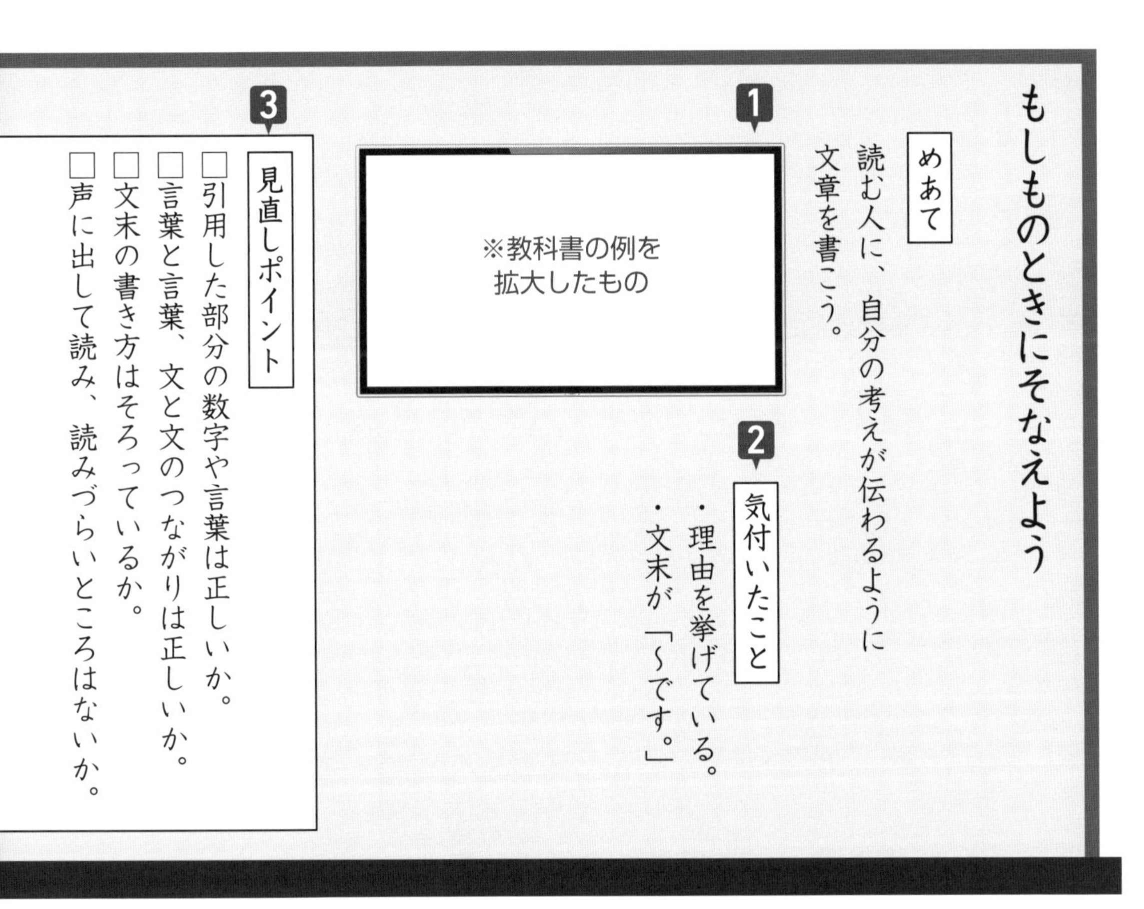

3 読み返し、見直しポイントを基にして確認する〈25分〉

○推敲の観点や交流の観点を掲示しておくとよい。

T ペアで交流して、付け足しましょう。

・理由を表す言葉を入れているね。

・「1つ目の例は」「2つ目の例は」というように順序を表す言葉を入れると分かりやすいね。

○記述が始まったら、自分のペースで活動ができるようにする。また、構成メモに戻って考え直したり、取材メモに戻って足りない情報を付け足したりするように助言する。

・引用した部分の数字や言葉が正しいかどうか、確認しておこう。

・言葉と言葉、文と文のつながりは正しいかな。

4 友達と読み合い、もう一度見直す〈20分〉

○調べたときと同じグループになり、書いたものを読み合う。また、感想だけでなく、アドバイスも伝える。

T グループで読み合い、感想を伝えましょう。

・Bさんは本から引用していることを書いていて、早めの避難が大切だということが分かったよ。

・例が書いてあると、読んでいてとても分かりやすかったです。

○「よかったよカード（付箋紙）」を用意し、感想を書く。

T 調べたグループの友達へ「よかったよカード」に感想を書いて渡しましょう。

本時案

もしものときにそなえよう

本時の目標

・言葉がもつよさに気付くとともに、幅広く読書をし、国語を大切にして、思いや考えを伝え合おうとする。

本時の主な評価

❸積極的に、自分の考えとそれを支える理由や事例を明確にし、学習の見通しをもって、調べて考えたことを文章に書こうとしている。【態度】

資料等の準備

・電子黒板
・ワークシート 10-01、10-02
※体育館や多目的室等の広い部屋で行う。

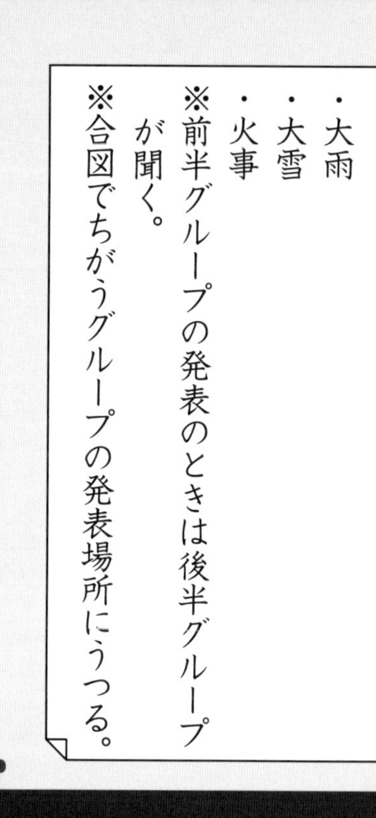

授業の流れ ▷▷▷

1 発表会の始めの会 〈5分〉

○司会を決めておき、地域の方の前で、発表会の内容や方法を説明する。子供が司会で進める。
・これから「『マイ防災ブック』発表会」を始めます。
・地震や災害はいつ起こるか分かりません。どのように災害に備えたらいいのか、調べて、自分の考えを書きました。
・大きなテーマごとにグループになっています。合図があったら違うグループへ行きましょう。
・発表会が終わったら、ぜひ、感想を教えてください。

2 前半グループの発表 〈35分〉 後半グループの発表 〈35分〉

○教室内に発表する場所を用意しておく。
・地震で避難するときは、持っていくとよいものがいろいろあるんだね。
・調べた本の名前や資料名もきちんと書いているね。
・理由を挙げて説明しているんだね。
○15分たったら合図をして交代する。
・大雪の備えも必要だね。
・火事は身近に起こりそうなことだね。電気のコンセントも気を付けないと。

ICT 端末の活用ポイント

子供たちには各自、プレゼンテーションソフトを用いて発表させる。

もしものときにそなえよう

1 「クラスの防災ブック」発表会

感想ポイント
・「なるほど。」となっとくしたこと。
・「分かりやすいな。」と思った書き方。
・気になること・くわしく知りたいこと。
・相手の考えをりかいするのに役立った点。
・工夫していると思った書き方。

2 【発表会のやりかた】

3 前半グループ（会場1組）
・台風
・つなみ
・じしん

後半グループ（会場2組）

発表時間は前半35分、後半35分とする。1グループの発表時間は15分。

3 終わりの会をする 〈15分〉

・私たちの発表はどうでしたか。
・いつ災害が起こるか分かりません。これを基に災害に備えて準備をしておきましょう。
○子供たち・参加者に感想を書いてもらう。
・災害の種類によって詳しく調べてあって勉強になりました。
・4年生なりの防災に対する考えがよく伝わった。

ICT端末の活用ポイント

保護者や地域の方だけでなく、会場をWEB動画でつなぐことで、他校の子供と発表の交流をするということもできる。

よりよい授業へのステップアップ

言語活動への工夫

本単元では、「保護者や地域の方に伝える」という発表会を行った。

発表する相手は学校の実態に応じて考えるとよい。例えば、隣の学級同士だと、お互い学習した後に交代で発表会を行うことができる。また、下学年に発表すると、相手をより意識して文章を工夫できる。

その他に、動画に映して、テレビ放映で全校児童や他校の子供たちに伝えるということもできる。さらに、学習発表会などで大勢の観客の前で発表するという活動も工夫できる。

資料

1 ワークシート（表）（第5～10時） 10-01

「マイ防災ブック」防災隊員　　　　　　　　　より

テーマ

【防災隊員からのほうこくはこれ!!】

①

②

2 ワークシート（裏）（第５～10時） 10-02

③

【防災隊員から、読者のみなさんへのメッセージ】

季節の言葉4

冬の楽しみ　（2時間扱い）

単元の目標

知識及び技能	・冬の行事に関するかるたを作ることを通して、様子や行動を表す語句について理解を深めることができる。((1)オ)
思考力、判断力、表現力等	・相手や目的を意識して、経験したことや想像したことなどから書くことを選び、集めた材料を比較したり分類したりして、伝えたいことを明確にすることができる。(Bア)
学びに向かう力、人間性等	・冬の行事について書くことを選び、その様子などを表す語句を使いながら冬の行事の楽しさを伝えるかるたを作ろうとする。

評価規準

知識・技能	❶様子や行動を表す語句の量を増し、文章の中で使い、語彙を豊かにしている。(〔知識及び技能〕(1)オ)
思考・判断・表現	❷「書くこと」において、相手や目的を意識して、経験したことや想像したことなどから書くことを選び、集めた材料を比較したり分類したりして、伝えたいことを明確にしている。(〔思考力、判断力、表現力等〕Bア)
主体的に学習に取り組む態度	❸積極的に冬の行事やその様子などを表す語句の量を増し、学習の見通しをもって、冬の行事の楽しさを知らせるかるたを作ろうとしている。

単元の流れ

時	主な学習活動	評価
1	【学習の見通しをもつ】 冬の行事の楽しさを知らせるかるたを作ることを伝え、学習の見通しをもつ。 冬の行事やそれらから連想することを学級全体で共有し、イメージを膨らませる。 教科書の挿絵や写真を見たり、短歌や俳句を音読したりして、冬の自然の様子や行事を表す言葉をさらに集める。 経験したことや想像したことなどから、かるたに書くことを選ぶ。	❸
2	地域の冬の行事の楽しさを知らせるかるたを作る。 【学習を振り返る】 作ったかるたで遊び、札の表現で工夫しているところなどの感想を伝え合う。	❶❷

授業づくりのポイント

〈単元で育てたい資質・能力〉

本単元のねらいは、様子や行動を表す語句について、理解を深めることである。自分たちの住む地域の冬の行事の楽しさを知らせるかるたを作ることを通して、冬の行事に興味をもち、相手や目的を意識して、経験したことや想像したことなどから書くことを選ばせたい。そのために、子供たちの経験や想像したことを聞き合う場を設けることや、書くために集めた材料を比較したり分類したりして、伝えたいことを明確にすることができるような活動としたい。

〈教材・題材の特徴〉

「正月あそび」の１つであるかるたを作り、それで遊ぶことを通して、楽しみながら冬の行事に親しむことができるようにしたい。冬の行事についてイメージされるものを、まずは自由に子供たちの言葉で共有していく。その中には、「クリスマス」「もちつき」「初詣」など、様々なものが挙がるだろう。特に年末年始の過ごし方は、地域によって、また、家族によっても様々である。お互いの過ごし方やイメージするものを聞き合いながら、その違いのおもしろさにも気付かせたい。必要に応じて教師の経験や、これまで見聞きしたことを伝え、子供たちが地域によって様々な文化の違いがあることを知ることで、さらに調べたりインタビューをしたりするきっかけとなる題材である。

〈言語活動の工夫〉

「冬の行事の楽しさを知らせるかるた」を作る活動を通して、冬の行事に親しむだけでなく、読み札の表現の工夫や、それに合った取り札の作り方についても学習する。特に読み札は、実際に声に出してみて、リズムがよいか、耳で聞いて伝わるか、取り上げたい行事の特徴を端的に捉えた表現になっているかなど、言葉を選びながらじっくり考える時間を設ける。子供たち同士で見合い、一緒に考えたりアドバイスをしたりすることで、単元の終わりにかるた遊びをする際には、全員が安心して楽しめるようにしたい。

[具体例]
○おぞうにの味付けやもちの形、具材について、家の人に聞いたり調べてきたりし、伝え合う場を設ける。
○大みそかやお正月の過ごし方を聞き合う場を設ける（学級の実態に応じて行い、話したくない場合は話さなくてよいよう配慮する）。
○冬を感じたものや写真を自由に持参させ、子供が持ってきたものからも冬を感じられるようにする。

〈ICT の効果的な活用〉

調査：インターネットを活用し、冬に関連する行事や、地域によっての違い、その理由や願いなどについて調べ、写真や動画などとともにその様子を知り、興味を深める。特徴的なものを教師が事前にいくつか調べ、自由に見られるようにしておくこともできる。

共有：学習支援ソフトを活用し、冬に関わるものの写真や、参考になった資料をお互いが見合えるようにする。

記録：読み札と取り札を隣に並べて写真に撮ってデータで保管したり、コピーを渡してノートに貼ったりすることで、いつでも見返せるようにし、その後の学習に生かす。

本時案

冬の楽しみ

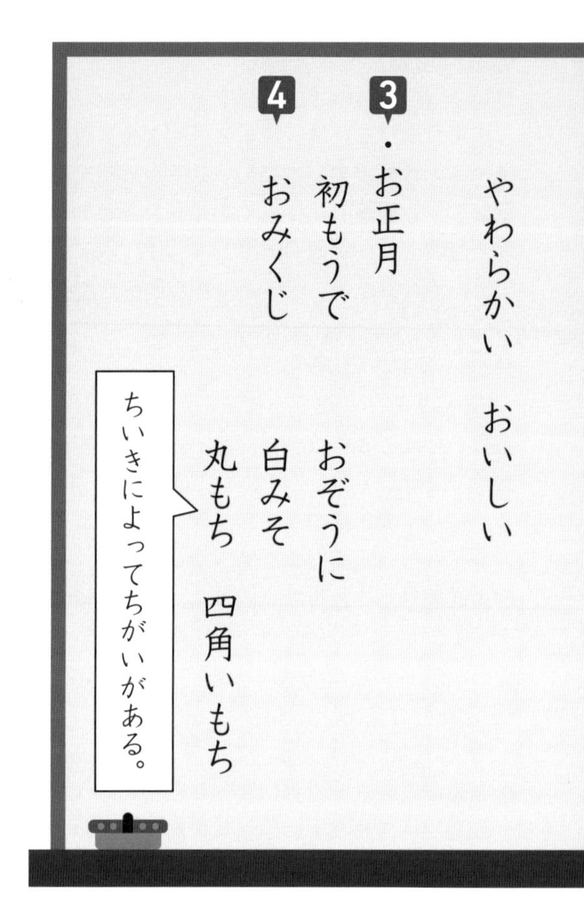

本時の目標

・冬の行事について書くことを選び、その様子などを表す語句の理解を深め、冬の行事の楽しさを伝えるかるたを作ろうとする。

本時の主な評価

❸積極的に冬の行事やその様子などを表す語句の量を増し、学習の見通しをもって、冬の行事の楽しさを知らせるかるたを作ろうとしている。【態度】

資料等の準備

・必要に応じて、冬を感じたもの（霜柱やおせち料理など）の写真を事前に提示し、子供たちも自由に持ち寄ることができると活動が広がる。
・ワークシート  11-01

授業の流れ ▷▷▷

1 学習の見通しをもつ 〈5分〉

T　皆さんは、冬の行事と言えばどんなことを思い浮かべますか。
・クリスマス
・おもちつき
・初詣
T　たくさんありますね。今回は、お正月の遊びの1つであるかるたを作り、冬の行事の楽しさを知らせましょう。
・お正月に親戚とかるたで遊んだよ。
・どんなことを書こうかな。
・冬の行事はたくさんあるから選べない。

2 冬の行事やその行事からイメージしたことを共有する 〈15分〉

T　それぞれの冬の行事からは、どんなことがイメージできますか？
・サンタさんからプレゼントがもらえてうれしい。
・おもちつきでは、できたてのおもちを食べたことがあるよ。おいしかった。
・初詣でおみくじを引いたよ。
・お雑煮を食べた。おばあちゃんの家のお雑煮は、白みそだった。

ICT端末の活用ポイント

冬休み前などに、事前に冬に関する写真を1人1枚以上撮ってくることを伝え、一覧できるようにすることで、よりイメージしやすくなる。

冬の楽しみ

1
・クリスマス
・おもちつき
・初もうで

霜柱の写真

おせち料理の写真

冬を感じたものの写真を提示する。

2
冬の行事の楽しさを知らせる
かるたを作ろう

・クリスマス
サンタさん
プレゼント
うれしい

・おもちつき
できたてのおもち

3 冬の行事について、より深めていく〈20分〉

T　地域によって、違うものもあるのですね。教科書には、どのような冬の行事に関することが載っているでしょう。
・地域ならではのお祭りもあるんだね。
・おせちには意味が込められているんだね。もっと調べてみたい。
T　本やインターネットを使って、気になることを調べてみましょう。初めて知ったことなどはワークシートにメモを取りましょう。

ICT端末の活用ポイント

地域による文化の違いやおせち料理に込められた意味に関心をもったら、検索機能を活用することでより理解を深めることができる。

4 かるたに書くことを選ぶ 〈5分〉

T　次回は、実際にかるたを作っていきます。どんなことを書きたいですか。
・参加したおもちつきのことにしようかな。
・おせち料理に込められている意味について、書きたい。
・霜柱を踏んだときの感じが好きだから、そのことを書いてみよう。

ICT端末の活用ポイント

調べ足りない場合は、休み時間や家庭学習で取り組めるようにし、お家の人にも聞いてみることでよりイメージを広げられるようにする。

本時案

冬の楽しみ

本時の目標

・冬の行事について、かるたを作るという目的を意識して、経験したことや想像したことなどから書くことを選び、集めた材料を比較したり分類したりして伝えたいことを明確にすることができる。

本時の主な評価

❷相手や目的を意識して、経験したことや想像したことなどから書くことを選び、集めた材料を比較したり分類したりして、伝えたいことを明確にしている。【思・判・表】

資料等の準備

・ワークシート 11-01
・かるたの用紙（読み札と絵札は共通） 11-02

学習支援ソフトの内容を映す

・子供たちが作った読み札と絵札の写真

お
もちつき
できたてふわふわ
おいしいな

授業の流れ ▷▷▷

1 学習の見通しをもち、工夫することを確かめる 〈5分〉

T　今日は、「冬の行事の楽しさを知らせるかるた」を作ります。
・楽しみ。
・完成したらみんなでかるた大会をしたい。
・おもちつきのことを書こうかな。
T　かるたには、読み札と絵札があります。読み札を作るときは、どんなことを工夫したいですか。
・実際に読んだときにリズムがいいと読みやすくなる。
・俳句みたいに五七五にする。
・長すぎないように、短くまとめて書く。
・何の行事を選んだのかが分かるようにしたい。

2 冬の行事の楽しさが伝わるようなかるたを作る 〈20分〉

T　では、さっそく作ってみましょう。班の友達と見合い、アドバイスをし合いながら進めていいですよ。
・「おもちつき つきたてふわふわ おいしいな」はどうかな。
・五七五のリズムがいいね。
・「昆布巻き食べて 喜び増える」
・意味を調べたんだね。
・スキーに行った絵を描いたよ。

ICT 端末の活用ポイント

学習支援ソフトや検索機能を活用し、これまで調べた冬に関する写真や資料を参照したり、調べたりできるようにする。

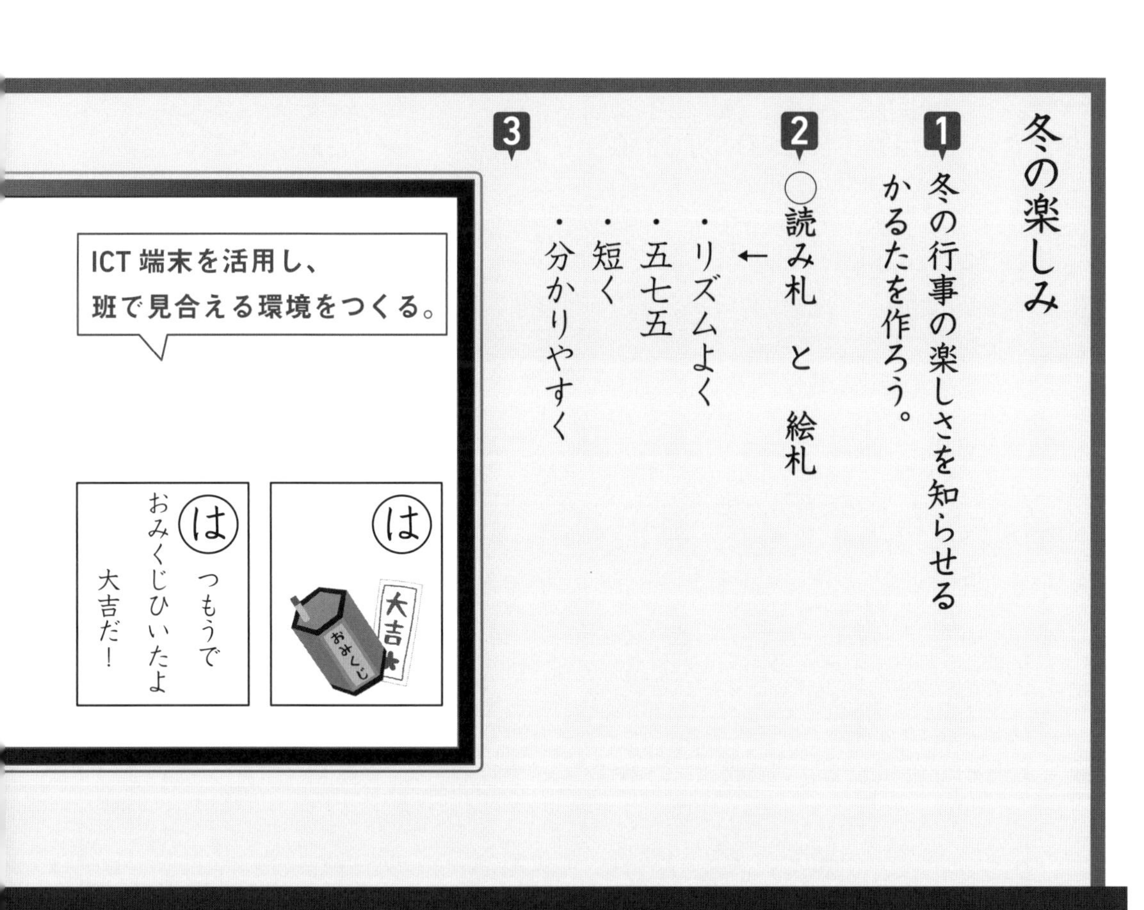

3 作ったかるたで遊んでみる 〈20分〉

T　これまでに完成したかるたを使って、班で遊んでみましょう。新しく札を作りたくなったら、もっと作ってもいいですよ。
・次は読む役をやってみたい。
・もっと枚数を増やしたら楽しそう。
・お手つきのルールはどうする？
・もう一回やってから、かるたを作ろう。

ICT端末の活用ポイント

完成した読み札と取り札を隣に並べて写真に撮ってデータで保管することで、いつでも見返せるようにし、その後の学習に生かす。

よりよい授業へのステップアップ

制作途中でも、かるたで遊ぶ時間を設け、リズムを楽しむ

読み札づくりでは、言葉を選びながらじっくり考える時間を設けたい。そのためには、班で見合える環境を作り、一緒に考えたりアドバイスをしたりすることで、かるた遊びをする際には、全員が安心して楽しめるようにしたい。また、制作途中でも、かるたで遊んでみる時間を設け、「さらにかるたを増やしたい」「読んでみたらリズムがよくないから言葉を変えたい」という思いを子供たちから引き出すことを大切にする。

1 ワークシート（第１・２時） 11-01

冬の楽しみ

年　　番　名前（　　　　　　　　　　　）

○冬の行事

○調べたこと　分かったこと

2 かるたの用紙（第2時） 11-02

冬の楽しみ

詩の楽しみ方を見つけよう

自分だけの詩集を作ろう　（4時間扱い）

単元の目標

知識及び技能	・幅広く読書に親しみ、読書が、必要な知識や情報を得ることに役立つことに気付くことができる。((3)オ)
思考力、判断力、表現力等	・相手や目的を意識して、経験したことや想像したことなどから書くことを選び、集めた材料を比較したり分類したりして、伝えたいことを明確にすることができる。(B ア) ・文章を読んで感じたことや考えたことを共有し、一人一人の感じ方などに違いがあることに気付くことができる。(C カ)
学びに向かう力、人間性等	・言葉がもつよさに気付くとともに、幅広く読書をし、国語を大切にして、思いや考えを伝え合おうとする。

評価規準

知識・技能	❶幅広く読書に親しみ、読書が、必要な知識や情報を得ることに役立つことに気付いている。(〔知識及び技能〕(3)オ)
思考・判断・表現	❷「書くこと」において、相手や目的を意識して、経験したことや想像したことなどから書くことを選び、集めた材料を比較したり分類したりして、伝えたいことを明確にしている。(〔思考力、判断力、表現力等〕B ア) ❸「読むこと」において、文章を読んで感じたことや考えたことを共有し、一人一人の感じ方などに違いがあることに気付いている。(〔思考力、判断力、表現力等〕C カ)
主体的に学習に取り組む態度	❹学習の見通しをもって、自分だけの詩集を作り、進んで読み合って感じたことや考えたことを伝え合おうとしている。

単元の流れ

次	時	主な学習活動	評価
一	1	学習の見通しをもつ 3編の詩からそれぞれの「月」の様子を思い浮かべて感じたことを伝え合い、自分だけの詩集を作ることへの意欲をもつ。	❶
二	2 3	テーマを決めて、共通点を意識しながら詩を集める。 テーマが明確になるように、載せる順番を考えて詩を選び、詩を選んだ理由を書いて本にする。	❹ ❷
三	4	作った詩集を友達と読み合い、テーマが伝わるかどうかや、一人一人の感じ方の違いについて交流する。 学習を振り返る	❸

授業づくりのポイント

〈単元で育てたい資質・能力〉

本単元は、「書くこと」と「読むこと」の複合単元である。本単元のねらいは、「書くこと」の面では、集めた材料を比較したり分類したりして詩を選び、伝えたいことを明確にすることである。伝えたいこととは、詩のテーマや、詩を選んだ理由である。「取り上げている事柄に共通点がある詩」「繰り返しや例えの表現がおもしろい詩」「同じ詩人の詩」など、テーマを決めて詩を集める。

「読むこと」の面では、詩を読んで感じたことや考えたことには、一人一人違いがあることに気付くことである。詩集を読み合い、テーマとの結び付きを考えたり、互いの感じ方を伝え合ったりする。

〈教材・題材の特徴と環境づくり〉

いずれも月を扱った詩であるが、詩の言葉から思い浮かぶ月の様子は様々である。月の様子がよく表れている言葉「雲のうんだ」「もう半分をさがしてる」などに立ち止まるようにする。そうすると、自ら他の詩を読むときにも、表現のよさを意識することができるだろう。

教材では、テーマの例として「取り上げている事がらに共通点がある詩」「同じ詩人の詩」「書き方が楽しい詩」の3つを挙げている。他の例として、「あ」をテーマに詩を選ぶとすれば、石津ちひろの『あした』と、坂村真民の『あ』を選ぶこともできる。テーマの捉え方を広げておくと、詩を選ぶことにつまずきにくいと考える。また、子供が詩を選びやすくするためには、教科書以外の題材を充実させることも重要になる。学校図書館で、まど・みちおや工藤直子などの詩集を借りるとよい。

紙の詩集は冊数に限りがあるため、地域の図書館から取り寄せたり、子供が自宅から持ち寄ったりすると、より学習が充実する。学校で電子書籍サービスに加入していれば、積極的に活用したい。必要に応じて、教師からおすすめしたい詩があれば、コピーして配布するなどして紹介してもよい。テーマとなる「共通点」を意識しながら、たくさんの詩を読むことができる環境を整えたい。

〈言語活動の工夫〉

先にテーマを決め、それに沿った詩を集めるとしても、詩集などを読む中で見つかった詩から共通点を見いだし、テーマとしてもよいだろう。詩集は、学級の実態に応じて、手書きにするか、文書作成ソフトで入力するかを判断したい。できれば、子供が選択するとよい。手書きであれば、表紙や割り付け、選んだ詩の配置を工夫しやすい。文書作成ソフトで入力すれば、容易に推敲ができる。表紙絵は描いたら撮影して文書に挿入可能である。また、詩集を読み合う際は、テーマを伏せ、読み手の友達がテーマを考えることで、より主体的な活動を促すことができるだろう。

〈ICT の効果的な活用〉

調査：電子書籍を扱う「Yomokka!」（ポプラ社）などで詩集を読むことができる。中学年向けの詩集もある。同時に全員が自分の ICT 端末で読むことができるため、積極的に活用したい。

記録：文書作成ソフトで、共同編集の可能な座席表型ファイルを用意しておく。それぞれが選んだ詩の作品名を子供自身で入力すると、教師は誰が何の詩を選んでいるかがリアルタイムで分かる。なかなか詩を選び出せない子供への支援が効果的に行えるだろう。必要に応じてテーマも入力すれば、テーマ設定でつまずく子供への例示にもなる。

共有：「詩集」であるため、表紙や目次を付けて本にするが、手書きで作成した子供のものはスキャンして PDF 化しておく。文書作成ソフトで作成した子供のものも同様に PDF 化する。学級のオンラインストレージに保存しておくと、各自の ICT 端末から読むことができる。学級の実態に応じて、紙の詩集、電子版の詩集、その両方というように工夫するとよい。

本時案

自分だけの詩集を作ろう

本時の目標

・幅広く読書に親しみ、読書が必要な知識や情報を得ることに役立つことに気付くことができる。

本時の主な評価

❶幅広く読書に親しみ、読書が必要な知識や情報を得ることに役立つことに気付いている。【知・技】

資料等の準備

・詩集
・p.92と p.93の詩の拡大（モニターに映してもよい）

「上弦の月も下弦の月も一つだよ」と言いたくなる。

3
・同じテーマでも、月の様子は詩ごとにちがっていた。
・テーマを決めて詩を集めたい。
・たくさん詩を読んで、共通点をさがしてみたい。

授業の流れ ▷▷▷

1 同じテーマを基に集めるという詩の楽しみ方を知る 〈15分〉

T　今回は、３つの詩を紹介します。共通するテーマがあるので、それを考えてみてください。
・『まんげつ』も『月』も『上弦の月』も、全て月の様子を描いています。
T　そうです。それぞれの詩には、月の様子がどのように描かれているのか、読んでみましょう。自分と友達との感じ方に違いがあるかもしれません。
・考えたことを友達と比べてみたいです。

2 ３編の詩から、月の様子について感じたことを話し合う 〈25分〉

T　３つの詩を読んで、月の様子について感じたことを友達と比べてみましょう。
・『まんげつ』の詩の、「セメントこうば」の煙突から「のん　のん　のん　のん」と煙が出る様子が、月をさえぎっていそうです。
・私は、セメント工場のすぐ近くから月を見上げているように感じられました。
・「月」と言えばきれいなものだと思っていたけれど、「たまご」と食べ物に表現していることに驚きました。
・「たまご」というより「しっぽ」みたい。

ICT 端末の活用ポイント

『上弦の月』は理科でも学習するが、「セメント工場」のように子供にはイメージをもちにくい言葉もある。必要に応じて検索するとよい。

自分だけの詩集を作ろう

1 月がテーマの三つの詩

三つの詩を読み、月の様子について感じたことを話し合おう。

2 （教科書92ページの『まんげつ』の詩）

けむりが出る　月をさえぎる。
セメントこうばのすぐ近くから、
月を見上げている。

（教科書93ページの『月』の詩）

「うんだ　たまご」→しっぽ　みたい

（教科書93ページの『上弦（じょうげん）の月』の詩）

「さがしてる」→上弦の月
下弦（かげん）の月　半分ずつと考えている。

3 テーマを決めて自分だけの詩集を作る学習の見通しをもつ 〈5分〉

T　3つとも月が描かれていましたが、それぞれの月の様子は違っていましたね。
・私は『上弦の月』の「もう半分をさがしてる」を読んで、上弦の月と下弦の月で半分ずつに考えているのがおもしろく感じました。
・私は、「さがしている」というより、「元々下弦の月もあなたと一緒だよ」と、月に言いたくなりました。
T　今回は、月をテーマに３つの詩を読みました。同じテーマでいろいろな詩を読んだり、感想を交流したりすると、楽しい学習になりそうですね。
・私も、テーマを決めて詩集を作ってみたいです。
・１月だから、冬の詩を集めてみたいです。

よりよい授業へのステップアップ

詩に親しむ環境を作る

紙の詩集は単元前に教師が用意しておいてもよいが、単元までに詩集を読んでいる子供がいれば、その子供から詩を読むことをすすめさせたい。

また、子供と学校図書館に借りに行き、子供自ら詩集を探すようにすると、より主体的な学習になるだろう。低学年の頃に詩集を読んだ経験も思い起こさせたい。そして、電子書籍を学校で活用することができれば、それらも有効に活用したい。「Yomokka!」（ポプラ社）では、谷川俊太郎などの詩集を読むことができる。

本時案

自分だけの詩集を作ろう

本時の目標

・言葉がもつよさに気付くとともに、幅広く読書をし、国語を大切にして、思いや考えを伝え合おうとする。

本時の主な評価

❹学習の見通しをもって、自分だけの詩集を作り、進んで読み合って感じたことや考えたことを伝え合おうとしている。【態度】

資料等の準備

・詩集（工藤直子、谷川俊太郎、まど・みちおなど）
・ICT 端末
・詩ごとに書き出すカード

工藤直子さんの詩
『ちびへび』『のろすけ』『ライオン』『あいたくて』
『すいせんのラッパ』が好き

音の表現がおもしろい詩
谷川俊太郎さん 『こわれたすいどう』
岸田衿子さん 『いろんなおとのあめ』

モニター等に、文書作成ソフトで、共同編集の可能な座席表型のファイルを映す。子供が選んだ詩やテーマを入力していく。

授業の流れ ▷▷▷

1 言葉の使い方や書かれ方に目を向け、「月」の様子を振り返る〈5分〉

T　前回読んだ3つの「月」をテーマにした詩には、どのような違いがありましたか。
・『まんげつ』は、満月が遠くに見えるから、写真に撮ったら「ぼくのかたにのっかりそう」なのだなと思いました。
・私は、セメント工場の煙突の近くで、月を見上げている様子が思い浮かびました。
・『月』では、「たまご」と例える表現をしていて驚きました。
・『上弦の月』は、月を人に例えて、「もう半分をさがしてる」と表現したのがおもしろかったです。
T　月がどのように書かれているか、それぞれの詩から考えることができましたね。

2 テーマを決め、共通点を意識しながら詩を集める〈30分〉

・学校図書館で詩集を借りてきます。
・家や近くの図書館から持ってきました。
・A さんが図書の時間に読んでいた詩集を、私も読んでみます。
T　テーマを決めてから詩を集めても、たくさん詩を読んでから共通点を見つけてテーマにしてもいいですよ。
・季節ごとの詩を読んでみます。
T　同じ人の詩や、書き方が楽しい詩というように、広いテーマにしてもいいですよ。
・谷川俊太郎さんの詩集が気になります。

ICT 端末の活用ポイント

電子書籍サービスで詩を読むと、複数の子供が同時に自分の端末から読むことができる。同じ詩に対する感じ方の違いを考えやすくなる。

自分だけの詩集を作ろう

1

『まんげつ』　写真をとったら、月がかたに
　乗って見えそう。
　えんとつの近くで月を見上げている。

『月』　「うんだ　たまご」という例えがおもしろい。
　「しっぽ」でもいいかも。

『上弦（じょうげん）の月』　「もう半分をさがしてる」→人に例えた。

2

テーマを決め、詩を集めよう。

・学校図書館から。
・家から。ちいきの図書館から。
・友達が読んでいた詩集から。
・電子書せきの詩集から。

テーマを決める
⇔
共通点を考えて詩を集める

・同じ人の詩。
・書き方が楽しい詩。

3

「冬」の詩
金子みすゞさん　『夢売り』
神沢利子（かんざわとしこ）さん　『てぶくろ』

3 集めた詩と、その詩を集めた理由を書き出す　〈10分〉

T　テーマとなる「共通点」を意識しながら、たくさんの詩を読めましたね。今の時点でのテーマや、詩集に入れたい詩の題名を入力しましょう。

・「冬」をテーマに 2 つ詩を集めました。他にも冬の詩を探したり、順番をもう少し考えたりしたいです。
・工藤直子さんの詩集を読みました。特に、『すいせんのラッパ』が好きです。
・音の表現がおもしろい詩を集めてみました。もっとおもしろい音の表現を探したいです。

ICT 端末の活用ポイント

文書作成ソフトで、共同編集の可能な座席表型ファイルに、この段階でのテーマや選んだ詩を入力しておくと、詩を集める友達の参考になる。

ICT 等活用アイデア

文書作成ソフトで、リアルタイムに選んだ詩やテーマを知る

文書作成ソフトで、共同編集の可能な座席表型ファイルを用意しておく。それぞれが選んだ詩の作品名を子供自身で入力すると、教師は誰が何の詩を選んでいるのかがリアルタイムで分かる。なかなか詩を選び出せない子供への支援が効果的に行えるだろう。

また、子供は友達が入力した詩の作品名を見て共通点に気付いたり、新たな詩に興味をもって読んだりすることも考えられる。テーマも入力すれば、テーマ設定でつまずく子供への例示にもなる。

本時案

自分だけの詩集を作ろう

3/4

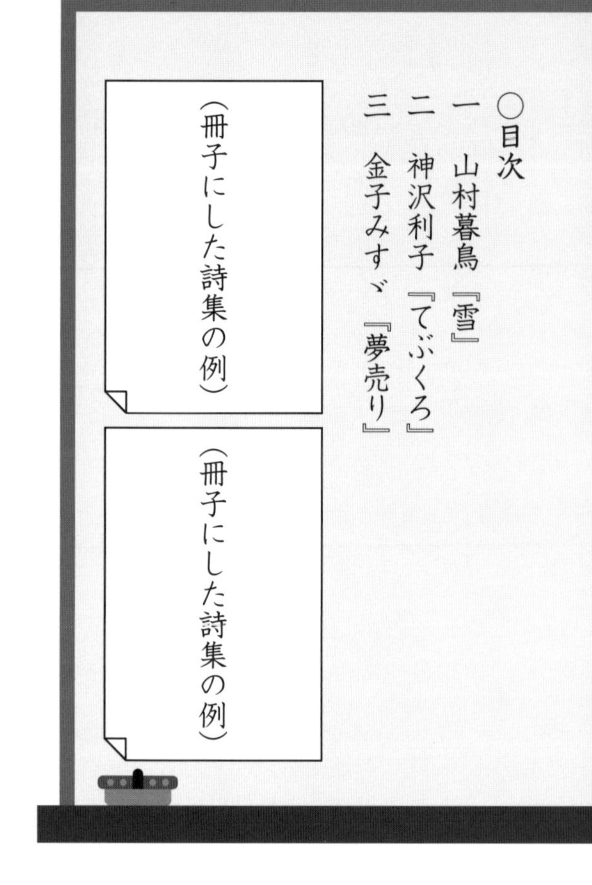

本時の目標

・相手や目的を意識して、経験したことや想像したことなどから書くことを選び、集めた材料を比較したり分類したりして、伝えたいことを明確にすることができる。

本時の主な評価

❷「書くこと」において、相手や目的を意識して、経験したことや想像したことなどから書くことを選び、集めた材料を比較したり分類したりして、伝えたいことを明確にしている。【思・判・表】

資料等の準備

・詩集（工藤直子、谷川俊太郎、まど・みちおなど）
・詩ごとに書き出したカード
・冊子にした詩集の例

授業の流れ ▷▷▷

1 テーマが明確になるように、載せる順番を考えて詩を選ぶ〈20分〉

T　前回までに自分の詩集のテーマを決め、詩を集めてきました。今日は、その中から自分だけの詩集に入れる詩と、その順番を考えます。
・冬をテーマに、たくさん詩を集めました。
T　自分の詩集のテーマが明確になるように、集めた中からどれを載せるか考えましょう。
・金子みすゞさんの『夢売り』と、神沢利子さんの『てぶくろ』は入れたいです。冬というテーマがはっきりしそうです。
・谷川俊太郎さんの『こわれたすいどう』と、岸田衿子さんの『いろんなおとのあめ』は、特に音の表現が面白かったです。

2 詩を選んだ理由を最後のページに書く〈10分〉

T　自分だけの詩集に入れる詩と、その順番が決まってきましたね。決まった人から、その詩を選んだ理由を、詩集の最後のページに書きましょう。
・『夢売り』と『てぶくろ』、山村暮鳥さんの『雪』は、どれも冬の詩だけれど、読むと心があたたまるから選びました。テーマは「寒くても、心はぽかぽかあたたまる冬の詩」です。
・『こわれたすいどう』『いろんなおとのあめ』は、音の表現がおもしろくて選びました。テーマは、「すてきな音の表現」です。
T　テーマと選んだ詩のつながりがはっきりしましたね。

自分だけの詩集を作ろう

詩を選び、詩集を作ろう。

1

（詩を書き出したカードの例）

（詩を書き出したカードの例）

○テーマ・順番

冬

①山村暮鳥（やまむらぼちょう）『雪』
②神沢利子（かんざわとしこ）『てぶくろ』
③金子みすゞ『夢売り』

2

○選んだ理由

・冬の詩
・読むと心があたたかくなる。

3

○表紙

「寒くても、心はぽかぽかあたたまる冬の詩」

3 表紙や目次を付けて、本にする〈15分〉

T　選んだ詩と、選んだ理由を書いた人から、表紙と目次を付けて、自分だけの詩集を完成させましょう。

・表紙にはテーマに関する絵を描きたいです。
・友達に、テーマを当ててもらいたいです。
・友達の詩集を読んで、テーマを考えたいです。

T　テーマを伏せて友達に詩を読んでもらい、テーマを考えてもらってもよいですね。

・自分と違うテーマを考えるかもしれません。

ICT 端末の活用ポイント

手書きの詩集はスキャンし PDF 化、文書作成ソフトで作成した詩集も PDF で保存する。オンラインストレージに保存し、次時に読み合う。

ICT 等活用アイデア

手書きと入力の両方に応える、オンラインストレージの活用

子供によって、選んだ詩や理由を「手書きしたい」「入力したい」と考えるだろう。手書きをした子供の詩集はスキャンして PDF に、文書作成ソフトで作成した子供の詩集は ICT 端末で PDF にして保存する。学級のオンラインストレージ内に保存しておくことで、手書きか入力かによらず、全員の詩集を全員の ICT 端末から同時に読むことができる。スキャンが負担であれば、子供自身に詩集の写真を撮らせる。オンラインストレージ内に子供名のフォルダを作り、そこに画像で保存する。

本時案

自分だけの詩集を作ろう

本時の目標

・文章を読んで感じたことや考えたことを共有し、一人一人の感じ方などに違いがあることに気付くことができる。

本時の主な評価

❸「読むこと」において、文章を読んで感じたことや考えたことを共有し、一人一人の感じ方などに違いがあることに気付いている。【思・判・表】

資料等の準備

・作成した詩集（紙媒体で製作した子供のもの）
・オンラインストレージ内に保存した詩集データ

ふり返り
・冬だけでなく、読んだときの気持ちもテーマに入れることができた。
・中山さんの詩は水がテーマだと思ったけれど、おもしろい音の表げんがテーマでおどろいた。
音の表げんがおもしろかった。

モニター等に、学級のオンラインストレージから詩集を開いたり、コメントを送ったりする様子を映す。

授業の流れ ▷▷▷

1 ICT 端末での詩集の読み方を確かめる 〈10分〉

T　いよいよ詩集ができました。
・読み合うのが楽しみです。
T　紙で作った人の詩集は、もちろん紙で読んでも構いません。クラスのフォルダに、みんなの詩集を入れてもらいましたね。それを読んで、テーマが伝わるかや、感じ方の違いについて伝え合いましょう。
・手書きした人の詩集も、入力して作った人の詩集も全て読めます。
・コメントを送り合いたいです。

ICT 端末の活用ポイント

どのフォルダから、どのように読むのかを確かめる。いつでもどこでも誰の詩集でも読むことのできる ICT 端末活用のよさにふれたい。

2 作った詩集を友達と読み合う 〈25分〉

T　実際にコメントを送り合ってみましょう。
・私は A さんの詩集を読んで、「冬」がテーマだと思いました。
・そうです。でも実は、「冬だけれど心があたたかくなる」という詩を集めました。
・そうだったのですね。確かに、特に『夢売り』は読むとあたたかい気持ちになります。
T　冬というところは共通しているけれど、最初の 2 人の感じ方には、少し違いがありましたね。

ICT 端末の活用ポイント

ICT 端末を使ったコメントの仕方を確かめておく。その際、指導事項である「一人一人の感じ方の違い」に迫れるようにする。

自分だけの詩集を作ろう

1
手書き
入力
クラスのフォルダにほぞん

作った詩集を読み合い、感じたことを伝え合おう。

2
Aさん
①山村暮鳥（やまむらぼちょう）『雪』
②神沢利子（かんざわとしこ）『てぶくろ』
③金子みすゞ『夢売り』

テーマ：冬
→寒くても、心はぽかぽかあたたまる
冬の詩

Bさん
①谷川俊太郎（たにかわしゅんたろう）『こわれたすいどう』
②岸田衿子（きしだえりこ）『いろんなおとのあめ』
③山田今次（やまだいまじ）『あめ』

3
テーマ：水
→音の表げんがおもしろい詩

3 単元の学習を振り返る 〈10分〉

T　テーマを明確にして、自分だけの詩集を作ることができましたか。
・冬だけでなく、読んだときの気持ちもテーマに入れることができました。
T　友達との感じ方の違いに気付くことができましたか。
・私はBさんの詩を読んで、「水」がテーマだと思ったけれど、「おもしろい音の表現」がテーマで驚きました。確かに、読み返してみると音の表現がおもしろかったです。
T　詩集は、タブレットで、いつでもどこでも誰の詩集でも読むことができますね。
・朝読書の時間にも読みたいです。
・この時間に読み切れなかった友達の詩集も読んで、コメントを送ってみます。

ICT等活用アイデア

電子書籍化し、いつでもどこでも誰の詩集でも読み合う

前時までに作った詩集は、手書きのものは教師がスキャンしたり子供がカメラで撮影したりしてデータ化する。文書作成ソフトで作成した詩集は、PDF化しておく。オンラインストレージ内に保存しておくことで、1人の詩集を複数人のICT端末から同時にアクセスできる。テーマが伝わるかどうかや感じ方の違いについては、付箋紙に書いて渡し合ってもよいし、コメントを送り合ってもよいだろう。ICT端末があれば、読書の時間にも自席から気軽に読むことができる。

書くときに使おう

言葉から連想を広げて （2時間扱い）

単元の目標

知識及び技能	・必要な語句などの書き留め方を理解し使うことができる。((2)イ)
思考力、判断力、表現力等	・自分の考えとそれを支える理由や事例との関係を明確にして、書き表し方を工夫することができる。(B ウ)
学びに向かう力、人間性等	・言葉がもつよさに気付くとともに、幅広く読書をし、国語を大切にして、思いや考えを伝え合おうとする。

評価規準

知識・技能	❶必要な語句などの書き留め方を理解し使っている。(〔知識及び技能〕(2)イ)
思考・判断・表現	❷「書くこと」において、自分の考えとそれを支える理由や事例との関係を明確にして、書き表し方を工夫している。(〔思考力、判断力、表現力等〕B ウ)
主体的に学習に取り組む態度	❸進んで連想を広げて、書き表し方を工夫し、学習の見通しをもって、ひと言で詩を書こうとしている。

単元の流れ

時	主な学習活動	評価
1	学習の見通しをもつ 『ニンジン』の詩を読み、連想を広げてひと言で詩を書くことに興味をもつ。 p.95上段の、「にんじん」を中心にしたマップを例にさらに連想し、思い付いた言葉を書き出す。 文房具や食べ物など、身の回りの物から1つを選び、連想したことを書き出す。	❶
2	書き出した言葉を組み合わせたり、順序を変えたりして、どのように表現するのかを考えてひと言で詩を書く。 互いに詩を読み合う。相手がなぜその言葉で表現したのか、連想の道筋を考え、伝え合う。 学習を振り返る	❷ ❸

授業づくりのポイント

〈単元で育てたい資質・能力〉

本単元のねらいは、書き表し方を工夫する力を高めることである。そのために、身の回りの物から連想した言葉の順序や組み合わせを考えて詩を書いたり、相手の連想の道筋を考えたりする。教材の例から考えたり、動作化や ICT 端末を活用したりして連想を広げていく。そして、言葉と言葉を組み合わせたり、順序を入れ替えたりすることで表現を磨いていく。

〈教材・題材の特徴〉

本教材では、まず、まど・みちおの詩『ニンジン』を扱い、人参からお風呂上がりまでどのような連想をしたのかに興味をもたせる構成になっている。子供は、「赤っぽくて、風呂上がりの顔や体に似ている」「土から出てきたから、土をお風呂に例えている」など、まど・みちおの連想の道筋を予想するだろう。導入で予想をすることで、連想を広げることを全員に経験させておくことができる。教科書 p.95では、「にんじん」を基に４つの道筋で連想を広げている。教材中のイメージマップに示された４つの道筋から、さらにその先の道を考えたり、５つ目、６つ目の道筋をつくったりすることができる。

「たいせつ」に示された観点は、丁寧に押さえたい。①「見たままの様子や聞こえる音など、思いついた言葉をたくさん書き出す」は、連想の仕方である。結び付けるための言葉を生み出す土台になる思考・活動の仕方である。②「言葉と言葉を組み合わせたり、言葉の順序を変えたりして、表現を整える」は、書き表し方の工夫であり、特に指導事項との結び付きが強いため、留意したい。

〈言語活動の工夫〉

言葉を体で表現してみると、より連想しやすくなるだろう。例えば、教科書に例示されている「にんじん」を体で表し、友達と比べる。収穫される際の人参を表す子供の様子からは、「大きくて真っすぐ伸びている」と考えられるだろう。友達と集まって人参を表す子供の様子からは、「スーパーマーケットで袋詰めにされて売られている」と考える子もいるだろう。このようにして、体を使いながら人参の様子を可視化し、子供たちの連想を引き出して広げていく。同様に、子供がそれぞれ選んだ題材についても、体で表現してみるとよい。友達に表現してもらい、その題材を選んだ子供が言語化することや、その逆も可能である。その際、教材のイメージマップに示された「ぼくをもっと食べてほしい」のように、題材になりきってせりふを考えることも有効だろう。

〈ICT の効果的な活用〉

検索：ブラウザ上の画像検索機能で、子供が自分の題材を画像検索する。本教材で例示されている人参も、画像検索すると、人型のような人参、花の形に切られた人参、黄色や黒の人参など様々な画像を見ることができる。連想を広げる一助となるだろう。

調査：対話型生成 AI に「にんじんから連想することを教えてください」と入力すると、入力日時点では「健康と栄養」「オレンジ色」「料理」「農業」「うさぎ」と５項目の回答があった。ただし、例えば ChatGPT は13歳未満の利用が禁止されているため、教師がやりとりしている様子をモニターに映して示すにとどめる必要がある。また、文部科学省の「初等中等教育段階における生成 AI の利用に関する暫定的なガイドライン」（令和５年７月）では、活用が考えられる例として、「グループの考えをまとめたり、アイデアを出す活動の途中段階で、生徒同士で一定の議論やまとめをした上で、足りない視点を見つけ議論を深める目的で活用させること」としている。子供がある程度連想を広げたのちに、「AI にも聞いてみよう」と対話型生成 AI を位置付け、子供たちが連想したものと比べて活用することができる。

本時案

言葉から連想を広げて

本時の目標

・必要な語句などの書き留め方を理解し使うことができる。

本時の主な評価

❶必要な語句などの書き留め方を理解し使っている。【知・技】

資料等の準備

・模造紙

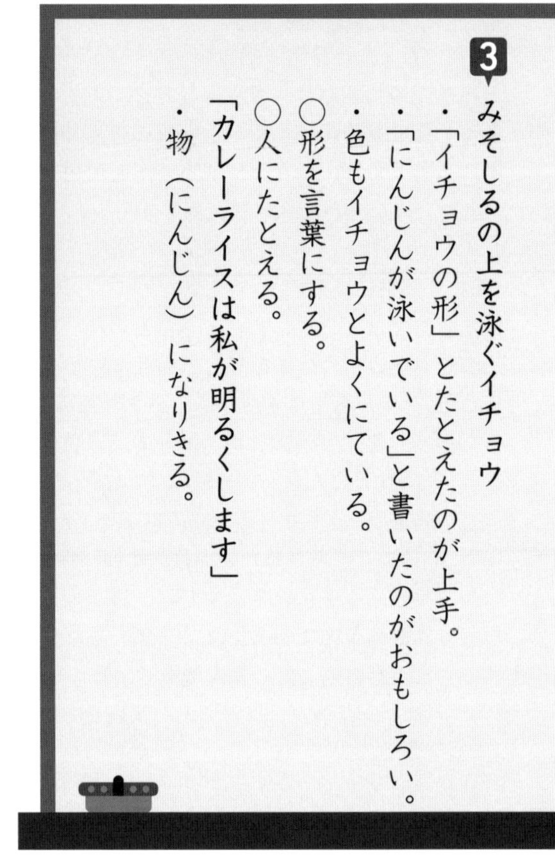

授業の流れ ▷▷▷

1 『ニンジン』の詩を読み、連想を広げて詩を書く見通しをもつ〈10分〉

T　まど・みちおさんは『ニンジン』という題名で、「おふろあがり」というひと言を書きました。どうしてでしょう。

・にんじんは赤いからです。

・お風呂上りの人が火照っているみたいに見えたのだと思います。

・にんじんを「おふろあがり」だなんて、おもしろい例えですね。

T　みんなが知っている物でも、その人ならではの言葉で表現すると、読んだ人は心を動かされますね。

・私も書いてみたいです。

T　では、ひと言で詩を書いてみましょう。

2 教科書 p.95の『にんじん』を例に、さらに連想した言葉を書き出す〈20分〉

T　皆さんだったら、にんじんから何を連想しますか。

・花の形に切って、料理で使います。

・この前、おもしろい形のにんじんがニュースで映っていました。

・画像検索してみると、実はいろいろな色があると分かりました。

・『おべんとうばこのうた』にもあります。

T　AI からは、「健康と栄養」「オレンジ色」「料理」「農業」「うさぎ」と出ます。

ICT 端末の活用ポイント

自分の題材でも画像検索をする場合、にんじんを例に検索してみるとよい。子供によって、形や色、大きさなど多様な視点をもつだろう。

言葉から連想を広げて

1

『ニンジン』 まど・みちお

おふろあがり
・赤いから。
・おふろあがりでほてっている。
・おもしろいたとえ。書いてみたい。

連想したことを書き出し、ひと言で詩をつくろう。

2

花の形に切って料理で使う

ニュースで見たおもしろい形

にんじん

黄色

赤色

イチョウ

明るい

「にんじん」を中心に、子供と作成したマップを模造紙にまとめる（教室に掲示しておくと、次回、自分の題材で詩を作るときに役立つ）。

3 書き出した言葉から、ひと言で詩をつくる 〈15分〉

T　にんじんから連想したことを基に、ひと言で詩を作ってみましょう。
・「イチョウの形でみそ汁の上を泳いでいる」。
・「イチョウの形」と例えたのも、「にんじんが泳いでいる」と書いたのもおもしろいです。
・色も、人参とイチョウはよく似ています。
T　切ったときの形を連想したり、にんじんを人に例えたりしていますね。
・「カレーライスは私が明るくします」。
・物になりきって書きました。
T　にんじんになりきって考えているのですね。このように言葉を組み合わせると、読んだ人も楽しめます。

ICT 等活用アイデア

ウェブブラウザで画像検索する

「言葉から」連想を広げることが第一である。ただ、画像検索も子供から言葉を引き出す一助となるだろう。

ブラウザ上の画像検索機能で、子供が自分の題材を画像検索する。本教材で例示されている人参も、画像検索すると、人型のような人参、花の形に切られた人参、黄色や黒の人参など、様々な画像を見ることができる。「どのような」人参であるかは、画像を基に子供の言葉で表現させたい。

本時案

言葉から連想を広げて 2/2

本時の目標

・自分の考えとそれを支える理由や事例との関係を明確にして、書き表し方を工夫することができる。

本時の主な評価

❷「書くこと」において、自分の考えとそれを支える理由や事例との関係を明確にして、書き表し方を工夫している。【思・判・表】
❸進んで連想を広げて、書き表し方を工夫し、学習の見通しをもって、ひと言で詩を書こうとしている。【態度】

資料等の準備

・模造紙にまとめた、前時のイメージマップ（教室に掲示しておく）

大根
「おでんのだしにそまるカメレオン」
・音やにおい、味、さわった感じを表す。
・べつの何かにたとえる。

題名を伏せ、子供からクイズにして出題してもよい。

授業の流れ ▷▷▷

1 前時の学習を振り返り、本時の見通しをもつ 〈5分〉

T　前回はにんじんから連想し、色や形、大きさなどの見たままを言葉にして、ひと言で詩を作りました。
・私は物になりきって考えました。
・私は、にんじんを人に例えました。
・自分でも題材を決めて考えてみたいです。
T　野菜や文房具など、身の回りの物の中から１つ選んで、ひと言で詩を書いてみましょう。
・何を題材にしようかな。
・大根でも連想できそうです。
・教室で毎日見ている時計になりきって考えてみたいです。

2 身の回りの物を題材に、ひと言で詩を書く 〈25分〉

T　掲示してある前回の『にんじん』のマップを例に、自分でも連想して、ひと言で詩をつくってみましょう。
・教室の時計→丸い→ピザと同じ形
・教室の時計→いつもみんなを見ている
・教室の時計→親子で追いかけっこ
T　イメージマップや参考にした画像は、友達と見せ合ってもいいですね。
・前回と同じ野菜で、大根から考えました。
・画像を見ると、白くて太いと思いました。

ICT端末の活用ポイント

言葉から想像を広げることが大切だが、実物が手軽に手に入らない題材を設定する場合がある。その際は、画像検索が有効になるだろう。

言葉から連想を広げて

1 色や形、大きさ…見たままを言葉にする。
・人にたとえる。
・物になりきる。

身の回りの物から連想し、ひと言で詩をつくろう。

2 教室の時計
↓丸い↓ピザと同じ形。
↓いつもみんなを見ている。
↓長いはりと短いはり。
↓親子で追いかけっこ。

連想に悩む子供がいれば、黒板前に集めて一緒にイメージマップをつくってもよい。

3 教室のかけ時計　板書太郎
「かべからみんなを見つめるお皿」

3 互いに詩を読み合い、単元の学習を振り返る　〈15分〉

T　お互いに詩を読み合って、言葉からどのように連想したのかを考えてみましょう。
・おでんのだしに染まるカメレオン。
・大根ですね。
・壁からみんなを見つめるお皿。
・教室の時計ですか。
・よく分かりましたね。
・なるほど。私も時計で考えてみましたが、物になりきると「みんなを見つめる」と表現できるのですね。
・「教室の時計→壁に掛かっている→みんなを見ているみたい」と考えたのですか。
T　大根は、だしの色で考えたのですね。どのようにして、言葉から連想を広げたのか、振り返って書きましょう。

よりよい授業へのステップアップ

連想の仕方と書き表し方の工夫

「たいせつ」に示された観点「見たままの様子や聞こえる音など、思いついた言葉をたくさん書き出す」のは、連想の仕方である。結び付けるための言葉を生み出す土台になる思考・活動の仕方である。「言葉と言葉を組み合わせたり、言葉の順序を変えたりして、表現を整える」のは、書き表し方の工夫である。これらを単元の学習を振り返る際に押さえたい。連想の仕方と書き表し方の工夫を獲得させることで、その後の学習にも生かすことができるだろう。

言葉

熟語の意味　（2時間扱い）

単元の目標

知識及び技能	・第4学年までに配当されている漢字を読むことができる。((1)エ)
学びに向かう力、人間性等	・言葉がもつよさに気付くとともに、幅広く読書をし、国語を大切にして、思いや考えを伝え合おうとする。

評価規準

知識・技能	❶第4学年までに配当されている漢字を読んでいる。(〔知識及び技能〕(1)エ)
主体的に学習に取り組む態度	❷進んで、第4学年までに配当されている漢字を読み、これまでの学習を生かして、漢字や熟語を正しく読んだり書いたりしようとしている。

単元の流れ

時	主な学習活動	評価
1	学習の見通しをもつ 教科書の挿絵から「トウブン」の意味を考え、学習の見通しをもつ。 教科書（p.96下段）を読み、熟語について知る。 訓読みを手がかりにその意味を考え、友達と説明し合う。 教科書 p.97の①〜④を読み、熟語には様々な漢字の組み合わせ方があることを知る。 漢字の組み合わせを手がかりに熟語の意味を考え、友達と説明し合う。	❶
2	3人グループを作り、国語辞典や漢字辞典を引いて、熟語の意味と自分たちの説明が一致するか確かめる「熟語の意味クイズ大会」をする。 学習を振り返る	❷

授業づくりのポイント

〈単元で育てたい資質・能力〉

本単元のねらいは、第４学年までに配当されている漢字の訓読みを手がかりにして、熟語の意味を考えることができるようにすることである。

教科書の挿絵の「トウブン」のように、音読みだけだと一見意味が分からない熟語や同じ読み方をする熟語は、意外と生活の中にもあふれている。そこで、初めて見た熟語でも訓読みをしてみたり、漢字の組み合わせ方を参考に読んでみたりすることで、熟語のおおよその意味を理解できる感覚を身に付けさせたい。

〈言語活動の工夫〉

単元の最後に教科書で学んだことを活用して、「熟語の意味クイズ大会」を行う。３人グループを作り、今まで習った漢字を使った熟語を探す。熟語を他の友達に提示し、熟語にどのような意味があるのかを説明してもらう。おおよその意味が合っていたら正解となる。

この活動を繰り返し行うことで、熟語を訓読みに言い換えて、大体の意味を理解できることを実感できることを期待したい。

[具体例]
「熟語の意味クイズ大会」
C１：「時差」には、どんな意味があるでしょうか。
C２：時の差。
C１：時刻の差なので、正解です。

C２：「新芽」には、どんな意味があるでしょうか。
C３：新しい芽。
C２：新しく出てきた芽のことなので、正解です。

C３：「説教」には、どんな意味があるでしょうか。
C１：説く、教える。
C３：教え導くために言い聞かせることとあるので、だいたい合っています。

〈ICT の効果的な活用〉

調査：ICT 端末の検索機能で、４年生までに習う漢字を使っている熟語について調べる。

記録：ICT 端末のプレゼンテーションソフトを活用し、「熟語の意味クイズ」を作る。クイズを作る際は、熟語の組み合わせ①～④（教科書 p.97）に従って、様々なクイズづくりに挑戦するように促す。

共有：グループ交流の際に作った「熟語の意味クイズ」を学級全体でも共有し、熟語の意味についての理解を深める。

本時案

熟語の意味

本時の目標

・第4学年までに配当されている漢字を読むことができる。
・言葉がもつよさに気付くとともに、幅広く読書をし、国語を大切にして、思いや考えを伝え合おうとする。

本時の主な評価

❶第4学年までに配当されている漢字を読んでいる。【知・技】
❷進んで第4学年までに配当されている漢字を読み、これまでの学習を生かして、漢字や熟語を正しく読んだり書いたりしようとしている。【態度】

資料等の準備

・ICT 端末

4
【ふり返り】
・意味が分かりづらい熟語は、訓読みを手がかりにすると大体の意味が分かると思いました。
・これからも活用したいです。

明るいことと暗いこと
火を消す
右に曲がる

授業の流れ ▷▷▷

1 学習の見通しをもつ 〈15分〉

○教科書の挿絵から「トウブン」の意味を考え、学習の見通しをもつ。
T　挿絵にある「トウブン」の意味を考えてみましょう。
・カタカナで書いてあると分かりづらいな。砂糖のトウブンという意味もあるな。
・「等しく分ける」と訓で読むと、意味が分かりやすくなるよ。
・カイリョウも「改めてよくする」と訓で読んでみると意味は分かるね。
T　漢字の組み合わせでできた言葉を熟語と言います。訓読みで考えると意味が伝わりやすくなります。1の問題に取り組みましょう。
○教科書 p.96 1の問題に取り組む。訓を手掛かりに意味を考える。

2 教科書を読み、熟語の組み合わせを知る 〈15分〉

○熟語の組み合わせを知る。
T　熟語には、様々な組み合わせがあります。組み合わせを手掛かりに、意味を考えることもできます。
①似た意味をもつ漢字の組み合わせ
「加入」（加わる・入る）
②反対の意味をもつ漢字の組み合わせ
「高低」（高い・低い）
③上の漢字が、下の漢字を修飾する関係にある組み合わせ
「前進」（前に進む）
④「―を」「―に」に当たる意味の漢字が下に来る組み合わせ
「読書」（書を読む）
・漢字の意味から、熟語の意味を考えられる。

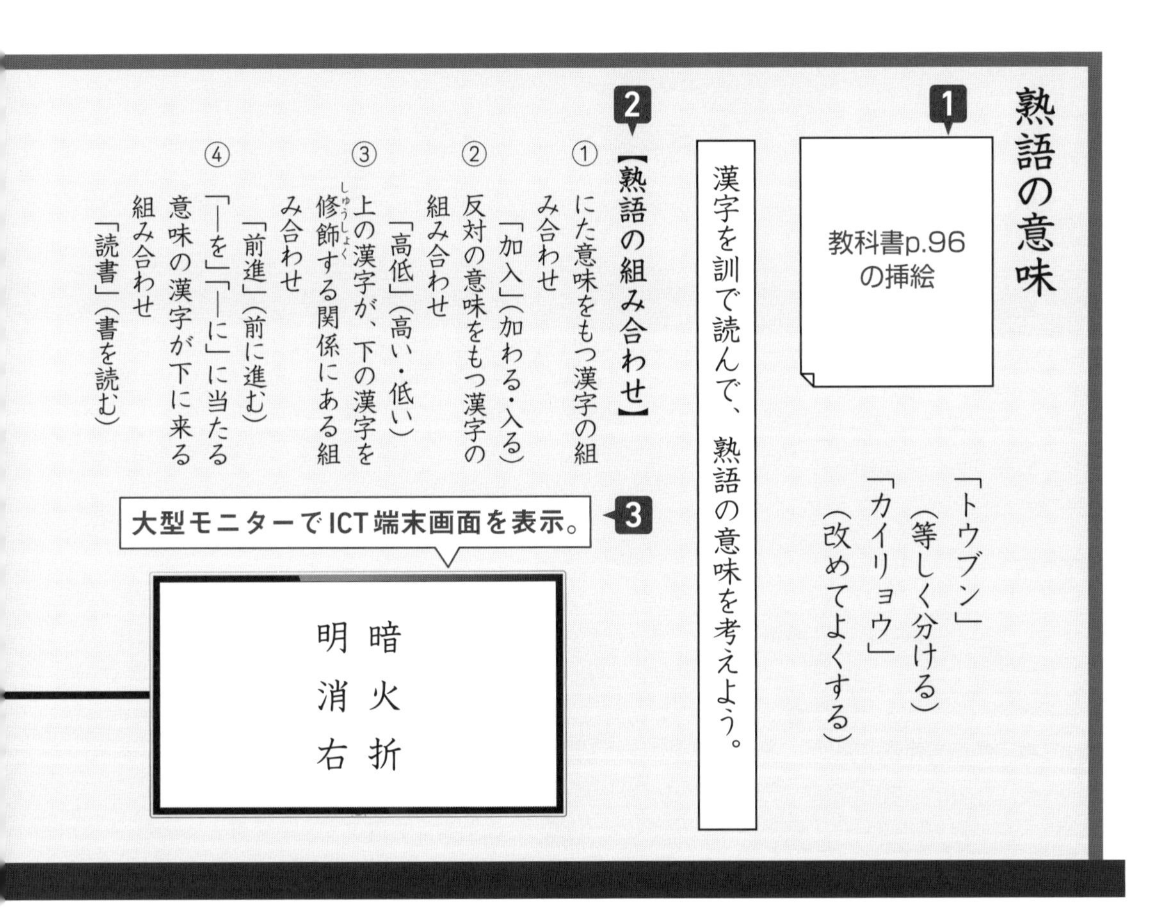

3 熟語の意味を友達と説明し合い、熟語クイズを作る 〈35分〉

○友達と3人組を作り、教科書 p.97 **2**の問題に取り組む。

T　この熟語の意味を考えましょう。

・「明暗」（明るい・暗い）・「血管」（血の管）

・「岩石」（岩と石）・「消火」（火を消す）

・「登山」（山に登る）・「軽重」（軽い・重い）

・「衣服」（衣と服）・「右折」（右に折れる）

○教師の提示を基に、3人組で「熟語の意味クイズ」を作成する。

ICT端末の活用ポイント

教師は、子供に「熟語の意味クイズ」と同じ形式のものをICT端末で作成させ、提示する。子供がその後のグループ活動で、どのようなものを作ればよいのかが想像でき、スムーズに活動できる。

4 「熟語の意味クイズ大会」をする 〈25分〉

○「熟語の意味クイズ大会」を行う。

T　作ったクイズを、他のグループに解いてもらいましょう。

・「時差」には、どんな意味があるでしょうか。

・時の差。

・時刻の差なので、正解です。

・「新芽」には、どんな意味があるでしょうか。

・新しい芽。

・新しく出てきた芽のことなので、正解です。

○振り返りを行う。

・意味が分かりづらい熟語は、訓読みを手掛かりにすると大体の意味が分かると思いました。これからも活用したいです。

3年生で習った漢字

漢字の広場⑤　2時間扱い

単元の目標

知識及び技能	・第3学年までに配当されている漢字を書き、文や文章の中で使うことができる。((1)エ)
思考力、判断力、表現力等	・間違いを正したり、相手や目的を意識した表現になっているかを確かめたりして、文や文章を整えることができる。(Bエ)
学びに向かう力、人間性等	・言葉がもつよさに気付くとともに、幅広く読書をし、国語を大切にして、思いや考えを伝え合おうとする。

評価規準

知識・技能	❶第3学年までに配当されている漢字を書き、文や文章の中で使っている。(〔知識及び技能〕(1)エ)
思考・判断・表現	❷「書くこと」において、間違いを正したり、相手や目的を意識した表現になっているかを確かめたりして、文や文章を整えている。(〔思考力、判断力、表現力等〕Bエ)
主体的に学習に取り組む態度	❸読み手に伝わるように、正確な漢字を用いて文章を書こうとしている。また、漢字を使った言葉の組み合わせを工夫し、見通しをもって文章を書こうとしている。

単元の流れ

時	主な学習活動	評価
1	学習の見通しをもつ 教科書に載っている漢字を使い、休日の様子を紹介するというめあてを確認する。 教科書に示されている漢字の読み方を確認する。 教科書の絵を参考にして、自分が休日にどのように過ごしているかを紹介する文章を書く。	❶❸
2	前時に書いた休日の紹介文を学級内で読み合う。 学習を振り返る 友達の文章を読んだ感想を共有する。	❷

授業づくりのポイント

〈単元で育てたい資質・能力〉

これまでの「漢字の広場」同様、3年生までに習った漢字を文や文章の中で使うことをねらいとしている。4年生で学習した漢字も、進んで使えるようにしたい。また、相手や目的を意識した文章表現ができているかどうか、子供自身が見直せる力も、本単元で身に付けさせたい。文章を書く相手や目的を明確に意識できると、「分かりやすく書こう」という意欲にもつながる。

〈教材・題材の特徴〉

本単元では、「休日の様子」をテーマにして文章を作る。教科書には、挿絵の周りに既習の漢字が書かれており、休日の様子を考えるヒントになっている。公園や近所の様子、家での過ごし方などが描かれている。子供によっては、教科書の絵には該当しない休日の過ごし方をしているかもしれない。その場合は、教科書の挿絵を参考に、自分たちの休日について、既習の漢字を使いながら紹介できるように、教師から声かけをすることも考えられるだろう。

〈言語活動の工夫〉

「漢字の広場④」では、「4年生から見た学校の様子を3年生に紹介する」という言語活動を設定した。本単元では、学級内で休日の様子を書いた文章を読み合う。毎日、同じ学級で過ごしているので、学校内での様子はお互いに知っている。しかし、休みの日にどんなことをしているのか、意外と知らないのではないだろうか。漢字の学習において、お互いの休日の過ごし方を知ることで、友達のことをより理解するきっかけにできる。中には、自分の家庭のことをあまり知られたくない子供もいるだろう。その場合は、教科書の挿絵を見ながら作った文章を紹介してもよいことを、事前に学級全体に伝えておくことが大切である。

[具体例]
・わたしは、土曜日と日曜日には、せんたくの手伝いをしています。家族の**洋服**を**整**理しています。
・ぼくは、日曜日に料理をします。この間は、お**湯**をわかしたり、りんごの**皮**むきをしました。

〈ICT の効果的な活用〉

調査：漢字の読み方・使い方を調べる。
共有：共有アプリを使い、お互いに書いた文章を読み合う。ノートやワークシートに書いた文章を写真に撮って共有できる。あるいは、文書作成ソフトで書いた文章を共有するのもよい。

本時案

漢字の広場⑤

本時の目標

・既習の漢字を使い、文や文章を作ることができる。

本時の主な評価

❶既習の漢字を使い、休日の様子を文や文章で表している。【知・技】
❸読みやすいように、正確な漢字を用いて文章を書こうとしている。【態度】

資料等の準備

・p.98の挿絵のコピー
・漢字の広場⑤ワークシート 16-01

・私の家の一階では、おばあちゃんが洋服を整理しています。二階では、お兄さんが漢字の勉強をしています。
・今年はどのくらい身長がのびたか、柱に印を付けてもらいました。
・女の子が公園にある遊具で遊んでいます。お母さんが写真をとっています。
・ボランティアで美化活動をしています。公園に落ちているゴミを拾います。
・この公園にはねこが住んでいます。二ひきのねこが木に登って遊んでいます。

授業の流れ▷▷▷

1 本時のめあてと学習活動を確認する〈10分〉

T　教科書の p.98には、３年生までに学習した漢字が載っています。これらを使って、休日の様子を表す文章を書きましょう。
・私の家の近所とは少し違うかな。
・「美化」って何だろう。
T　漢字は知っているけれど、初めて聞いた言葉があるかもしれません。分からない言葉は辞書で調べましょう。
○３年生までに学習した漢字の復習に加え、丁寧に文字を書くことも意識できるようにする。

2 漢字の読み方を確認する〈10分〉

T　教科書に載っている漢字の読み方を確認しましょう。
○「漢字の広場④」と同様、教科書では示されていない読み方も押さえておく。

美化（びか）　美（うつく）しい
遊具（ゆうぐ）　遊（あそ）ぶ
写真（しゃしん）　写（うつ）す
寒気（かんき）　寒（さむ）い
待機（たいき）　待（ま）つ
整理（せいり）　整（ととの）える
様子（ようす）　様（さま）
身長（しんちょう）　身（み）
など

漢字の広場⑤

1
休日の様子を表そう。

・教科書98ページにのっている漢字を使って、しょうかい文を書く。
・教科書にのっていない漢字を使ってもよい。

2
漢字の読み方

音読み		訓読み	
美化	びか	美	うつく（しい）
遊具	ゆうぐ	遊	あそ（ぶ）
写真	しゃしん	写す	うつ（す）
寒風	かんぷう	寒い	さむ（い）
待機	たいき	待つ	ま（つ）
整理	せいり	整える	ととの（える）
様子	ようす	様	さま

教科書p.98の挿絵のコピー

3
みんなが考えた休日の様子

早く書き終えた子供から、黒板に考えた文や文章を書いていくようにすると、時間が余ることへの対応になる。

3 休日の様子を表す文や文章を書く〈25分〉

T　では、教科書に載っている漢字を使って、休日の様子を表す文や文章を作りましょう。
・私の家の一階では、おばあちゃんが洋服を整理しています。二階では、お兄さんが漢字の勉強をしています。
・今年はどのくらい身長が伸びたか、柱に印を付けてもらいました。
・女の子が公園にある遊具で遊んでいます。お母さんが写真を撮っています。
・ボランティアで美化活動をしています。公園に落ちているゴミを拾います。

ICT 端末の活用ポイント

手帳・車庫など、子供によっては馴染みのない言葉があるかもしれない。検索機能を使って、画像を閲覧することでイメージをもちやすくできる。

よりよい授業へのステップアップ

漢字の組み合わせによって様々な意味があることを知る

「漢字の広場」は、前の学年で学習した漢字を復習できる学習材である。子供たちにとっては、すでに知っている漢字がほとんどだが、組み合わせによっては初めて知る言葉もあるだろう。例えば「美化」という言葉は馴染みの薄い子供がいるかもしれない。また、スマートフォンが普及している現代では、「手帳」も見かけないという子供がいることも予想される。学級の実態に応じて、ICT 端末で調べたり、教師が説明したりすることが必要である。

本時案

漢字の広場⑤

本時の目標

・書いた文章を読み合い、感想を伝え合うことができる。

本時の主な評価

❷読み手に伝わるように、正確な漢字を用いて文章を書いている。【思・判・表】

資料等の準備

・p.98の挿絵のコピー
・漢字の広場⑤ワークシート 16-01

3 読み合った感想

・〇〇さんとは、休みの日によく遊んでいるけれど、算数が好きなことは初めて知った。
・私も家で料理をしている。とくいな料理は卵焼き。
・近所に住んでいるけど、休日のすごし方はほとんど知らなくて新せんだった。

各グループで1人ずつ黒板に書きたい子供を募り、その子供が書くことも考えられる。

授業の流れ ▷▷▷

1 本時のめあてと学習活動を確認する 〈10分〉

T　前回は、教科書に載っている漢字を使って、休日の様子を表す文や文章を書きました。今日は、自分たちの休日のことをクラスのみんなに紹介する文や文章を書きましょう。
・休みの日も一緒に遊ぶことがあるから、もう知っていることがあるかもしれないな。
・近くに公園があるから、そこで遊んだことを書こうかな。
〇住所などの個人情報は書かないように注意を促す。

2 自分の休日を紹介する文や文章を書く 〈20分〉

T　では、自分の休日のことを紹介する文や文章を書きましょう。
〇休日のことを話したくない子供がいることも想定できる。その場合は、教科書に載っている絵をヒントに文や文章を作ってもよいことを伝える。
・僕は算数が好きなので、休日は算数の勉強をしています。
・私は休みの日に料理をします。コンロを使った後は、忘れずに火を消します。
・５年生になると、家庭科でりんごの皮むきをするそうなので、今から練習しています。

漢字の広場⑤

1

クラスのみんなに、休日のことをしょうかいしよう。

・教科書98ページにのっている漢字を使って、学校のしょうかい文を書く。
・クラスのみんなに向けて。
・自分が休日にしていること、休日のすごし方。

教科書 p.98の挿絵のコピー

2

みんなが考えた休日のしょうかい文

・僕は算数が好きなので、休日は算数の勉強をしています。
・私は休みの日に料理をします。コンロを使った後は、わすれずに火を消します。
・五年生になると、家庭科でりんごの皮むきをするそうなので、今から練習しています。
・洋服の整理が苦手で、おこられています。

3 互いの文章を読み合い、感想を伝える 〈15分〉

T　書いた紹介文を読み合います。よいと思ったこと、漢字が正しく使えているか、読んでいる人に分かりやすいかを見てあげましょう。

○ペア、グループなど、学級の実態に応じて読み合う相手を決める。

・A さんとは、休みの日によく遊んでいるけれど、算数が好きなことは初めて知りました。

・私も家で料理をしています。得意な料理は卵焼きです。

ICT 端末の活用ポイント

文や文章を写真に撮り、共有ソフトを活用すれば、短時間に大勢の紹介文を閲覧することができる。

よりよい授業へのステップアップ

グループでミニストーリーを作る

文や文章を作る学習の発展として、グループでミニストーリーを作ってみるのも楽しい。本時では、休日の紹介となっているが、現実にはないストーリーを考える活動をグループで作ってみる。

順番を決めて、最初の子供が文を考える。次の子供がそれに続く文を考えるといったように、リレー方式でつないでいく。話の筋が通るようにしながら、協力してストーリーを作り上げていくことに、おもしろさを感じる子供もいるだろう。

資料

1 漢字の広場⑤ワークシート（第1・2時） 15-01

漢字の広場⑤

四年（　　）組　氏名（　　　　　　　　）

三年生で学習した漢字を使って、休日のことをしょうかいしよう。

☆教科書にのっているさし絵を見て考えた文章

☆自分の休日をしょうかいする文章

2 漢字の広場⑤ワークシート（記入例） 15-02

漢字の広場⑤

四年（　　）組　氏名（　　　　　　　　）

三年生で学習した漢字を使って、休日のことをしょうかいしよう。

☆教科書にのっているさし絵を見て考えた文章

・土曜日は、美化活動をしています。公園がきれいになると、うれしくなります。この公園には、木に登るのが好きなねこがいます。私は、このねこたちを見るのが好きです。

・柱に、どのくらい身長がのびたか、印をつけています。

・お湯をわかした後は、必ず火を消します。

・手帳を見ながら家を探しているお客様がいらっしゃいます。

☆自分の休日をしょうかいする文章

ぼくは、休日に家族で買い物に出かけます。スーパーに行って食材を買います。ぼくのとくい料理は、肉じゃがです。五年生になると、調理実習があるので、今から楽しみにしています。

それから、水泳も習っています。今、練習しているのは、平泳ぎです。夏になると、みんなで海に行って遠泳をします。顔上げ平泳ぎで一キロメートル泳ぐので、今から体をきたえておこうとがんばっています。

きょうみをもったことを中心に、しょうかいしよう

風船でうちゅうへ　8時間扱い

単元の目標

知識及び技能	・考えとそれを支える理由や事例、全体と中心など情報と情報との関係について理解することができる。((2)ア)
思考力、判断力、表現力等	・文章を読んで理解したことに基づいて、感想や考えをもつことができる。(C オ) ・文章を読んで感じたことや考えたことを共有し、一人一人の感じ方などに違いがあることに気付くことができる。(C カ)
学びに向かう力、人間性等	・言葉がもつよさに気付くとともに、幅広く読書をし、国語を大切にして、思いや考えを伝え合おうとする。

評価規準

知識・技能	❶考えとそれを支える理由や事例、全体と中心など情報と情報との関係について理解している。(〔知識及び技能〕(2)ア)
思考・判断・表現	❷「読むこと」において、文章を読んで理解したことに基づいて、感想や考えをもっている。(〔思考力、判断力、表現力等〕C オ) ❸「読むこと」において、文章を読んで感じたことや考えたことを共有し、一人一人の感じ方などに違いがあることに気付いている。(〔思考力、判断力、表現力等〕C カ)
主体的に学習に取り組む態度	❹文章を読んで理解したことに基づいて感想や考えをもつことに粘り強く取り組み、学習の見通しをもって、興味をもったことを伝え合おうとしている。

単元の流れ

次	時	主な学習活動	評価
一	1	学習の見通しをもつ これまでの説明的文章の学習を振り返り、説明的文章の読み方や楽しみ方を確かめる。	
	2	本文を読み、自分が興味をもったことと、その理由について伝え合う。 本単元の学習のめあてをもち、学習計画を立てる。	
二	3	これまでの学習を生かして全文を読み、構造と内容を捉える。	❶
	4	改めて興味をもったことは何か認識し、興味をもったことを中心に要約するために、中心となる語や文に印を付けたり書き抜いたりする。	
	5	中心となる語や文をつなげたり、短い言葉に直したりして、指定された分量に要約し、友達と読み合う。	
	6	要約文を生かして、自分が興味をもったこととその理由を紹介文に書く。	❷
三	7	紹介文を読み合い、感想を伝え合う。	❸
	8	学習を振り返る 学習を振り返り、新たに身に付けた説明的文章の読み方や楽しみ方を確かめる。	❹

授業づくりのポイント

〈単元で育てたい資質・能力〉

本単元では特に２つの力を育むことをねらいとしている。１つめは、文章を読んで理解したことに基づいて、感想や考えをもつ力である。本教材は「すごい」「驚いた」「さらに疑問をもった」など、様々な感想をもつことが予想される教材である。筆者の伝えたいことを理解することにとどまらず、感想や考えをもつ力を育むのに適していると考える。２つめは、感想や考えたことを共有し、一人一人の感じ方に違いがあることに気付く力である。「すごい」という感想は同じであっても、何に対して「すごい」と思ったのかは子供によって異なることが予想される。感想や考えたことを共有し、それぞれがどの文章を基に、何に対して感想や考えをもっているのかに注目するよう促すことで、一人一人の感じ方が違うことに気付くことができるようにする。共有の際は、自分の感想や考えの根拠となる要約文を提示する。要約をする際は、これまでの説明文を読む学習で培った力を生かしていく。

〈教材・題材の特徴〉

本教材は17段落、見開き４ページにわたって書かれた調査報告文である。１つ前に扱っている説明的文章『未来につなぐ工芸品』と比べると約２倍の分量となっているが、書かれている内容が子供にとって想像しやすいものとなっているため、興味をもって読み進めることができると考える。文章の他に７つの図（写真・イラスト）があり、文だけでは分かりにくい内容を補足している。各図には番号が付けられており、文と図の対応が明確である。読者は様々な感想をもつことが予想される。子供が興味をもつところが様々なところに散りばめられているからこそ、一人一人の感じ方の違いも生まれやすく、かつ違いに気付きやすいと言える。本文に続く「もっと読もう」では、筆者へインタビューした内容が書かれている。本文を読みながら読者が感じるであろう疑問に対する答えが用意されている。子供の必要感に応じて読むよう促していきたい。

〈言語活動の工夫〉

本単元では、「自分の感想や考えの根拠となる要約文を提示し、自分の感想や考えたことを伝え合う」という言語活動を設定した。導入では自分が興味をもったことと、その理由を伝え合う。その後、第二次でこれまでに身に付けてきた力を活用して内容を理解し、改めて興味をもったことは何か考えるよう促す。構造と内容を理解した上で改めて考えると、興味が変容することが予想されるからである。内容を理解した上で特に興味をもったことについて、第三次で友達と伝え合うために、要約文を書く。

[具体例]
伝え合う時間は、「紹介文を読み合って感想を伝え合おう」というめあてだけでなく、「違いに注目して感想を伝え合おう」という視点も提示する。また、互いの紹介文を読んだ感想を話し言葉だけでなく、コメントカードを書いて互いの紹介文に貼って伝える。自分の紹介文が戻ってきたとき、友達のコメントを読むことを通してさらに違いに気付くことができるようにする。

〈ICT の効果的な活用〉

共有：第２時の感想を伝え合う場面では、学習支援ソフトを用いて感想を共有する。観点ごとに短くまとめた感想を共有し、似ているものを分類することを通して、学級全体の感想の傾向を確かめ、学習計画に生かすようにする。

表現：文書作成ソフトを使って要約文を作ることで、手書きよりも修正がしやすくなる。また自席に座ったまま多くの友達の要約文を読み、コメントをすることが可能になる。

本時案

風船でうちゅうへ

本時の目標

・説明文を読むときの観点について考えたり、説明文を読んだ感想をもつことができる。

本時の主な評価

・説明文を読むときの観点について考えたり、説明文を読み感想をもったりしている。

資料等の準備

・特になし

『風船でうちゅうへ』

岩谷（いわや）　圭介（けいすけ）

4 ☆特にきょうみをもったことは何か書く。

書いたことを基に、第2時以降に感想を共有できるようにする。

授業の流れ ▷▷▷

1 説明文を読むときに注目してきたことを確かめる 〈10分〉

○これまでの説明文の学習で学んだことを生かして『風船でうちゅうへ』を読めるように、まずは注目してきた観点を共有する。

T　これまで『思いやりのデザイン』『アップとルーズで伝える』『未来につなぐ工芸品』を読んできました。3年生までの学習のことでもよいです。説明文のどんなところに注目して読んできましたか。

・筆者が伝えたいことです。

・筆者の伝え方で工夫されていると思うところにも注目しました。

・そうそう。例えば「〜してみましょう。」と読み手に問いかけるように書いているところがありました。

・あと、図や写真にも注目しました。

2 説明文を読むときの読み方を確かめる 〈8分〉

T　では、次にどのように読んできたか、どのように学習してきたかを振り返ってみましょう。どのようなことをしてきましたか。

・初め、中、終わりに分けました。

・中の段落は長いので、さらにいくつかに分けました。

T　分けたのは何のためですか？

・どこにどんなことを書いているのか分かりやすくなるし、筆者が伝えたいことも見つけやすくするためかな。

・最後は自分がどう考えるのかまとめました。

T　説明文を読んで、どんな感想をもってきましたか。

・共感した、とか納得したとか…。

・新しい疑問をもったこともあります。

説明文を読もう

1
○どのようなところに注目して読んできたか？
・筆者が伝えたいこと　・事例　・理由
・表現の工夫↓問いかける「〜してみましょう。」
・初め、中、終わり
・図や写真

2
○読み方
・初め、中、終わりに分けた。
・中の段落をいくつかに分けた。
（何のため？）
・全体を分かりやすくするため。
・筆者の構成の工夫をつかむため。
◎筆者が一番伝えたいことを見つける。
◎伝え方の工夫を見つける。
◎自分の考えをもつ。（共感・なっとく・ぎもん）
＋すごい、おどろいた

3
○説明文を読むよさ・楽しみ方
・知しきがふえる、広がる。
・見方が変わる。
・きょうみが広がる。

3 説明文を読むよさ・楽しみ方を確かめる 〈7分〉

T　説明文を読むと、みんなにとってどんなよいことがあるのでしょうか。
・知らなかったことを知れて知識が増えます。
・考えてもみなかったことを知れて、その後の見方が変わりました。例えば『アップとルーズで伝える』を読んでから、詳しく伝えたり大まかに伝えたり、伝え方を工夫しようと思えるようになりました。
・私は『思いやりのデザイン』を読んで、他にも誰かのために工夫して作られているものはあるかなと、興味をもちました。
○子供自身が説明文を読むよさ・楽しみ方をどのように捉えているのか、第1時に確かめておくことで、『風船でうちゅうへ』も主体的に読むことにつながっていく。

4 本文の範読を聞き、自分が興味をもったことを書く 〈20分〉

T　これから『風船でうちゅうへ』という説明文を読みます。この説明文では、どんな知識が増えるでしょうか。見方や考え方が変化することはあるでしょうか。楽しみですね。読み終わった後、特に興味をもったところはどのようなところか書きます。鉛筆で線を引いたり印を付けたりしながら聞くのもよいですね。
○範読後、特に興味をもったことについて簡単に書くよう促す。書いたことを基に、第2時以降に感想を共有できるようにする。
・私は、岩谷さんが失敗しても諦めずに考え続けていることがすごいと思った。最初からうまくいったわけではなくて、何度も失敗してその度にどうしたらよいか考えていて…。

本時案

風船でうちゅうへ

本時の目標

・全文を読み、感想を伝えたり、学習の見通しをもったりすることができる。

本時の主な評価

・感想をもったり、学習の見通しをもとうとしたりしている。

資料等の準備

・前時の板書の写真を拡大したもの（学習計画を立てる際に提示する）
・ワークシート① 17-01
・ワークシート② 17-02
・学習計画の資料 17-03

3
〈学習計画〉
○文章全体のこう成をつかむ。
○きょうみをもったことにそって、大事なところに印をつける。
○きょうみをもったところをまとめる。
↑要約文
○きょうみが同じ人と、要約文を読み合う。
○きょうみをもったことを中心に、しょうかいする。
友達↓家の人

授業の流れ ▷▷▷

1 本時の学習の見通しをもつ 〈10分〉

○本時のめあてだけでなく、興味をもったことをどのような方法で伝え合うのかについてもつかめるようにする。この後の伝え合いの際、友達と興味をもったことや注目している部分が似ているのか違うのかを判断しやすくなるよう、「1．2．3．」と項目ごとに感想を書くようにする。それぞれの項目に何を書けばよいかを板書に示す。

T　前の時間に皆さんが書いた感想を読むと、「すごい」「驚いた」という感想をもっている人が多くいました。でも、「すごい」と思っている部分は、実は人によって違っていました。興味をもったことを伝え合うために、次の項目についてカード（またはノート）に書きましょう。

2 特に興味をもったことについてまとめ、伝え合う 〈20分〉

○項目に沿ってカード（またはノート）を書く。

（カードの例）

1．風船がどんどん進化していくのがすごい。
2．1号機から4号機までの図や説明の部分。1号機はカメラをはっぽうスチロールでおおったそうちに、二十五個の風船を付けたもので…
3．1号機の失敗から2号機が生まれて、2号機の失敗から3号機が生まれて…というように、たくさん改善されていく様子がすごいと感動しました。

○カード（またはノート）を読み合う。カード（またはノート）に書いたことを基に、興味をもったことを伝え合う。

『風船でうちゅうへ』 岩谷（いわや）圭介（けいすけ）

1 きょうみをもったことを伝え合おう。

学習計画を立てよう。

「すごい」「おどろいた」「ぎもんをもった」

↓

どのようなところに？

1．〜がすごい（一言でまとめると）
2．（どの部分に対してか）
3．（その部分から思ったこと、考えたこと）

学習支援ソフトのカードを使って、感想を伝え合う。

2 きょうみをもったことを中心に、しょうかいしよう

3 学習計画を立てる 〈15分〉

○「きょうみをもったことを中心に、家の人に『風船でうちゅうへ』をしょうかいする」という単元のゴールに向かって、必要な学習活動は何かを考えるよう促す。

・今回カードに書いたように、どの部分に対して興味をもったのか、興味をもったところをまとめるとよいと思います。

T 「興味をもったのはこういうところです」とまとめておくということですね。これまでも要約をしてきたけど、今回は興味をもったことに沿って要約するから、人それぞれ違った要約になりそうですね。

・要約したら、友達と確かめ合いたいです。

・まず、初め、中、終わりに分けるのは必要だと思います。

ICT 等活用アイデア

感想を読み、興味をもったことが似ている友達を見つける

学習支援ソフトのカードを使って感想を伝え合うことで、一人一人の感想や注目しているところが視覚的に分かりやすくなり、似ているところにも気付きやすくなる。ICT 端末上のカードの「1．〜がすごい（一言でまとめると）」の感想が似ている友達は誰かを捉え、グループを作る。グループ内でカードの内容を基に興味をもったことを伝え合うようにする。カードに書かれていることをきっかけに質問をしたり似ているところや違うところに注目したりしながら話し合うよう促す。

本時案

風船でうちゅうへ

本時の目標

・考えとそれを支える理由や事例、全体と中心など情報と情報との関係について理解することができる。

本時の主な評価

❶考えとそれを支える理由や事例、全体と中心など情報と情報との関係について理解している。【知・技】

資料等の準備

・全文を拡大印刷したもの

3 岩谷さんは、いくつのこんなんを乗りこえてきたのだろう。
→中の段落（④～⑯）を読む。

←
・一号機の失敗（⑤）
・二号機の失敗（⑥）
・四号機の風船が見つからない（⑨）
・四号機が落ちる（⑩）
・四号機の失敗（⑭）
・十一号機の失敗（⑮）

六回？

授業の流れ ▷▷▷

1 筆者が一番伝えたい考えを捉える 〈13分〉

○全段落に段落番号を振るよう促し、全体で⑰段落あることを確かめる。

○１つ目の問い（1）を板書する。

T　１つ目の問いについて、本文を読んで考えましょう。どの部分を読むと分かりそうですか。

・これまでの説明文は最初や最後に書いてあることが多かったから、そこを読んでみよう。

○１人で読んで考える時間を取った後、学級全体で確かめる。

・最後の段落に書かれていると思います。

・「これからも、いろいろな…」という最後の一文だと思います。

○最後の一文にある「こんなん」の意味を確かめる。

2 筆者の考えの理由を大まかに捉える 〈７分〉

○⑰段落の最後の一文を読み、２つ目の問いを板書する。

T　なぜ、岩谷さんはたくさん失敗しながら乗り越えていこうと思えるのでしょうか。近くの人と話し合ってみましょう。

○席が近くの人と話し合う時間を取り、全員が考えられるようにする。その後、学級全体で考えを共有する。

・これまでもたくさん失敗してきて、それを乗り越えてきたからじゃないかな。

・挑戦がすぐにうまくいったわけではなくて、それでも諦めないでやってきたから自信が付いたんじゃないかな。

○子供の考えをまとめ、板書する。

『風船でうちゅうへ』　岩谷（いわや）圭介（けいすけ）

文章全体の構成をつかむために、三つの問いについて考えよう。

1 岩谷さんが一番伝えたいことはどの段落に書かれているだろう。←

・⑰段落
「これからも、いろいろなこんなんにぶつかるでしょう。でも、わたしは、たくさん失敗しながら乗りこえていきます。」

全文の拡大印刷
※スクリーンに映してもよい

2 なぜ、岩谷さんはこのように考えられるのだろう。←

・これまでたくさんのこんなんにぶつかってきたから。
・失敗しても乗りこえてきたから。

3 筆者はいくつの困難を乗り越えてきたか考える　〈25分〉

T　どの段落から読むと分かりそうですか。
・最初のほうはまだ挑戦が始まってないから…どこだろう。
・③段落の最後に「わたしのちょうせんは始まりました」って書いてあるから、④段落から挑戦のことが書かれてるんじゃないかな。
○子供の実態に応じて、最初の困難である「一号機の失敗」を全体で確かめてから、その後の困難について考えさせるとよい。
・本文の該当箇所にサイドラインを引きながら考える。
・⑥段落の「今度は、別の失敗をしました」も困難かな。
○一人一人が考える時間を取った後、グループや学級全体で共有し、確かめる。

よりよい授業へのステップアップ

「考え」の表現の仕方に注目させる

「最後の段落に書かれているから一番伝えたいことなのだろう」と安易に考えるのではなく、文末表現などに注目しながら考えられるようにしたい。

考えと理由の関係を視覚的に示す

本時の目標は、「考えとそれを支える理由との関係について理解すること」である。⑰段落のように考える理由として、中の段落にこれまでの挑戦の様子が書かれていることをつかめるよう、全文掲示の⑰に「考え」、中全体に「理由」と書き込み、矢印で結び付けて示すとよい。

本時案

風船でうちゅうへ

本時の目標

・文章を読んで理解したことに基づいて感想や考えをもつことに粘り強く取り組み、学習の見通しをもって、興味をもったことを伝え合おうとする。

本時の主な評価

・文章を読んで理解したことに基づいて感想や考えをもつことに粘り強く取り組み、学習の見通しをもって、興味をもったことを伝え合おうとしている。

資料等の準備

・第２時のワークシート①

短い時間で目標を達成した岩谷さん
・いつなのかが書かれているところ ・「○年□月」

4
○友達とたしかめ合おう
サイドラインを引いたところのちがいに注目する。

授業の流れ ▷▷▷

1 改めて自分が特に興味をもったことは何か認識する 〈10分〉

T　２時間目に書いた皆さんの感想を大まかに分類すると、次のようになりました。

○第２時に書いたカードを基に、子供が興味をもったことはどのようなことだったか、板書の表の上の行に書く。

T　前の時間には全体の構成について考えました。最初とは違うところにも興味をもった人はいますか。

・私は前は風船がどんどん進化していくことに興味をもったけれど、それよりもそれを進化させた岩谷さんがすごいと思いました。

T　改めて、自分が特に興味をもったことは何か確かめるために、全文を読み直しましょう。

○「もっと読もう」（岩谷さんのインタビュー）も併せて読むように促す。

2 どのような言葉に注目するとよいか考え、見通しをもつ 〈15分〉

○本時のめあてを確かめた後、板書の表の下の行に、「どんな言葉や文に注目するとよいか」と書き込む。

T　「風船がどんどん進化していくこと」に興味をもった人は、どんな言葉や文に注目して整理するとよいでしょうか。

・風船の図に注目すれば、どのように進化していったか分かりやすいんじゃないかな。

○近くの席の人同士で話し合った後、学級全体で確かめ、子供の発言を価値付けながら表の下の行に板書していく。

・「○号機は…」という書き出しで書かれている文に注目して読んでいくといいと思います。

○全文を拡大したものを黒板に貼り、子供から挙げられた文にサイドラインを引く。

『風船でうちゅうへ』 岩谷（いわや）圭介（けいすけ）

1 きょうみをもったことにそって読み直し、大事な言葉や文に印をつけよう。

2 きょうみをもったこと	**3** どんな言葉や文に注目するとよいか
風船がどんどん進化していくこと	・「○号機は、…」 ・風船の図 ・風船の説明が書かれているところ
失敗から新しいことを考える岩谷さん	・失敗のことが書かれている文（前の時間にサイドラインを引いたところ） ・失敗のあとの文 ・「…と考えました。」 ・「…に気づきました。」
失敗したあと、工夫する岩谷さん	・失敗のあとの文 ・岩谷さんがしたこと ・「…しました。」

3 興味をもったことに沿って読み大事な言葉を見つける 〈13分〉

○興味をもったことに沿って文章を読み直し、板書の表を手掛かりにして大事な言葉や文にサイドラインを引くようにする。本時にサイドラインを引いたところを基に、次時に要約文を書くことも押さえる。

T では、特に興味をもったことに沿って、大事な言葉や文にサイドラインを引きましょう。次の時間は要約文を書くのでしたね。今日、サイドラインを引いたところをつないで、要約文を書きます。

・いつなのかが書かれているところは、④段落にあるな。「二か月後の十月」って書かれてて、何年かは分からないけどいいかな。ひとまずサイドラインを引いておこう。

4 興味をもったことが似ている友達と確かめ合う 〈7分〉

○興味をもったことが似ている人同士でグループになり、どの部分にサイドラインを引いたか確かめ合うようにする（例：失敗した後、工夫する岩谷さんに興味をもったグループ）。

・私は⑫段落は最後の文にしかサイドラインを引いてないんだけど、どうして○○さんは「そこで、気象庁に…」という文もサイドラインを引いたの？

・「気象庁に相談に行った」っていうことも岩谷さんがしたことだし、普通の人はそこまでしないと思ったから工夫だと思ったんだ。

○サイドラインを引いた場所が異なるところに注目し、質問したり話し合ったりするよう促す。

本時案

風船でうちゅうへ

本時の目標

・興味をもった内容の中心となる語や文を選び、要約することができる。

本時の主な評価

・自分が興味をもったことに沿って中心となる語や文を選び、要約文を書いている。

資料等の準備

・④〜⑥段落の文章を拡大したもの
・マジックペン

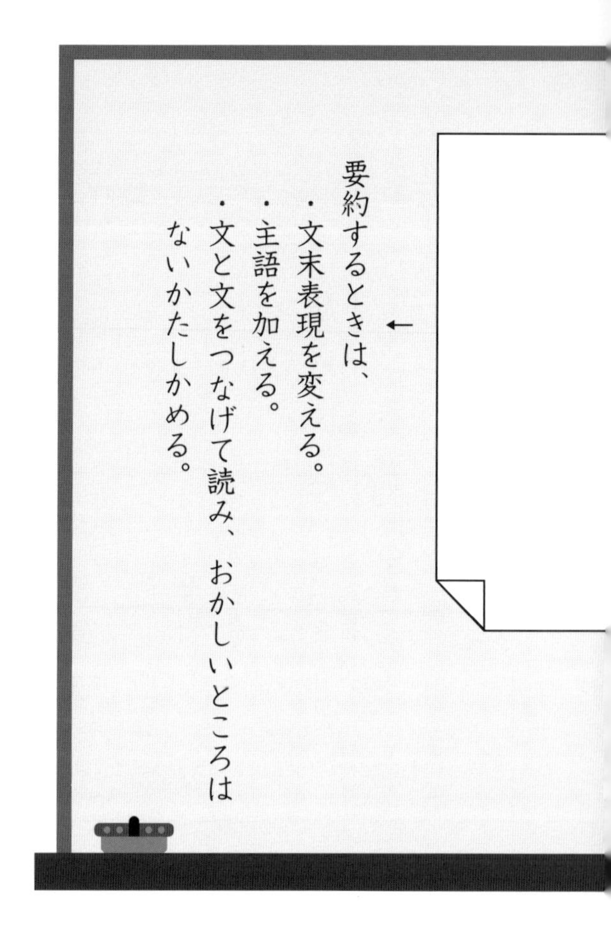

要約するときは、
・文末表現を変える。
・主語を加える。
・文と文をつなげて読み、おかしいところはないかたしかめる。

授業の流れ ▷▷▷

1 要約の仕方をつかむ 〈10分〉

○④〜⑥段落を拡大したものに、教師がサイドラインを引いたものを提示する。興味をもったことが「風船がどんどん進化していくこと」で、風船の様子を中心に要約したい場合、どのように文章を要約するとよいか全員で考えてみることで、要約の仕方を具体的に捉えられるようにする。

T 風船の様子を中心に要約したいので、この部分にサイドラインを引いています。どのように文章にしたらよいでしょうか。

・④段落の「カメラを…」から文が始まったらおかしいから、「一号機は、」と最初に書いたほうがいいんじゃないかな。

○子供の発言を価値付けながら、拡大した本文に書き込んでいく。

2 前時に選んだ語や文を基に、要約する 〈25分〉

○興味をもったこと、中心に要約したいことを再確認してから要約文を作るように促す。

T 隣の席の人と、自分が興味をもったことと、何を中心に要約したいのか伝え合いましょう。

・私は失敗した後に工夫する岩谷さんに特に興味をもったから、岩谷さんが失敗したところと、そこから工夫したところをつなげて要約したい。

T 黒板に書いてあるポイントを確かめながら要約しましょう。

・④段落の「しかし、」から始まるのはおかしいから、カットしたほうがよさそうだな。

・「わたしは」は「岩谷さんは」に直そう。文と文の間に「だから」を入れたほうがいいかな。

『風船でうちゅうへ』 岩谷（いわや）圭介（けいすけ）

きょうみをもったことにそって、文章を要約しよう。

←いらない言葉は入れずに、できるだけ短くまとめる。

例 興味をもったこと…風船がどんどん進化していくこと。
↓風船の様子を中心に要約したい。

1

④〜⑥段落の文章を拡大したもの

本文にマジックペンでサイドラインを引いたり、文末表現を別の表現に書き換えたりして、要約文を作っていく。

3 興味をもったことが似ている友達と要約文を読み合う〈10分〉

○友達と要約文を読み合い、削れるところや修正したほうがよいところに気付くことができるようにする。ただし、読み合う活動はあくまで本時の目標を達成するための手段であるため、子供が要約するために時間を使いたい場合は、無理に読み合わなくてもよい。

T　要約文を読み合って、よく分からないところを質問したり、いいなと思うところを真似したりしましょう。

・二号機のところに「120cm」って書いてあるけど、文には書かれてないよ。
・⑥段落にある図に書いてあるよ。図からも風船の様子は読み取れるから、要約文に付け足したんだ。
・なるほど。僕も付け足そう。

ICT 等活用アイデア

文書作成ソフトを使うことで修正、読み合いがしやすくなる

子供たちがタイピングに慣れている場合は、文書作成ソフトを使って要約文を作らせるとよい。要約したものを読み直して修正したいところが見つかった場合、手書きよりも修正がしやすい。

さらに、友達と要約文を読み合う際も、席に座ったまま読み合ったり、コメント機能を活用して感想を伝え合ったりすることがしやすい。

本時案

風船でうちゅうへ

本時の目標

・文章を読んで理解したことに基づいて、感想や考えをもつことができる。

本時の主な評価

❷文章を読んで理解したことに基づいて、特に興味をもったことや感想を紹介文に書いている。【思・判・表】

資料等の準備

・教科書の手引き（p.111）に示されている「しょうかいする文章の例」を拡大印刷したもの（または教師が作成したモデル文を拡大印刷したもの）

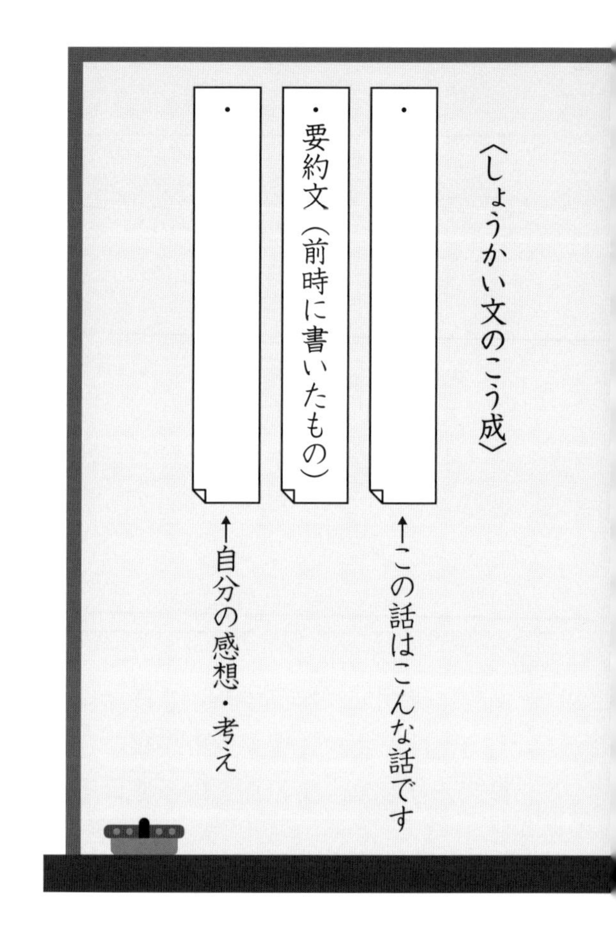

授業の流れ ▷▷▷

1 紹介文の構成や内容を捉え、学習の見通しをもつ 〈7分〉

○紹介文のモデル文を提示し、内容や表現の仕方を具体的に捉えられるようにする。

T　前の時間に書いた要約文を生かして、紹介文を書きます。どのような構成になっていますか。

・最初に「こんな話です」ということが分かるように説明しています。

・最後に感想を書いています。

・要約の仕方が似ていた友達とは、最初の段落も同じような内容になりそう。

T　そうですね。要約文の前の段落で「こんな話です」と伝え、最後の段落で自分の感想や考えを伝えます。

○子供の発言を価値付けながら、それぞれの段落にどのようなことを書くか板書して示す。

2 自分が伝えたいことを改めて確かめる 〈5分〉

○紹介文を書く前に、改めて自分が伝えたいことや考えたことはどのようなことか、明確にさせることで、見通しをもって紹介文を書けるようにする。

T　『風船でうちゅうへ』で興味をもったことや感想を家の人に伝えるのでしたね。どのようなことを伝えたいのか、友達と確かめ合いましょう。

○前時に要約文を読み合った友達と簡単に伝え合う時間を設定する。

・私は岩谷さんが風船をどんどん進化させていったことがすごい、っていうことを伝えたいんだ。普通だったら「もうだめだ」と諦めてしまいそうなのに、岩谷さんは「どうしたらできるか」と前向きに考えていて…。

『風船でうちゅうへ』

岩谷(いわや)　圭介(けいすけ)

3 自分がきょうみをもったことを伝えるために、しょうかい文を書こう。

1 しょうかい文のこう成をたしかめよう

2 「しょうかいする文章の例」や教師の紹介文

教科書の手引きに示されている「しょうかいする文章の例」や、教師が書いた紹介文をモデル文として貼る。

3 興味をもったことと感想を紹介文に書く 〈33分〉

T　要約文の前後の段落を書きましょう。

○子供の実態に応じて ICT 端末等を活用して書かせるとよい。

・『風船でうちゅうへ』は、筆者の岩谷さんがカメラを付けた風船をどんどん進化させて、ついに宇宙の写真を撮りに行ける風船を作ったという話です。

○書き終えたら最初から最後まで読み直し、家の人に興味をもったことや感想が伝わるか、確かめるよう促す。それでも時間がある場合は、前時に要約文を読み合った友達同士で紹介文を読み合うよう促す。

T　次時は、まずクラスみんなで紹介文を読み合います。興味をもったことが違う友達がどのように紹介しているか楽しみですね。

よりよい授業へのステップアップ

教師が書いた紹介文をモデル文として提示する

教師自身が子供と同じように書いてみることで、子供のつまずきを予想したり参考例を広く示したりすることができる。

実態に応じたワークシートを用意する

本時は自分の感想や考えをもち、紹介文に書くことに時間を多く使いたい。そのため『風船でうちゅうへ』が何の話であるか伝える最初の段落については、子供に一から考えさせるのではなく、あらかじめ書かれたワークシートを与えるとよい。

本時案

風船で うちゅうへ

本時の目標

・文章を読んで感じたことや考えたことを共有し、一人一人の感じ方などに違いがあることに気付くことができる。

本時の主な評価

❸文章を読んで感じたことや考えたことを共有し、一人一人の感じ方などに違いがあることに気付いている。【思・判・表】

資料等の準備

・コメントカードの例文を書いた紙
・コメントを書く付箋紙（１人につき複数枚配布しておく）

（コメントカードの例文②）
　○○さんは、自分と比べて岩谷さんのすごいところに気付けたんですね。
　図から分かることも要約文に書いていて、分かりやすかったです。

3
↓友達の考えや、書き方のよさを具体的に。

授業の流れ ▷▷▷

1 本時の学習の見通しをもつ 〈５分〉

○興味をもったことが似ている友達→違う友達の順で紹介文を読み合うことや、読んだ後にコメントを付箋紙に書き、その友達の紹介文に貼ることを確かめる。
○感想の伝え合い方は子供に考えさせ、子供の意見を取り入れながら決めてもよい。
T　どのような流れで読み合うとよいかな？
・まず興味をもったことが似ている友達と読み合うといいんじゃないかな。
○本時の学習の流れを板書する。

2 感想の伝え方を捉える 〈10分〉

○コメントカードの例文を示し、観点をもって友達の紹介文を読んだり感想を書いたりすることができるようにする。
T　友達の紹介文を読むとき、どのようなことに注目して読むとよいでしょうか。例文を読んで考えてみましょう。
・①のコメントは、「私も」って、自分と似ていたことに気付いているね。
・①も②もどんなところがいいと思ったか書いているよ。
・どんなところがいいと思ったのか具体的に書いていて、もらったらうれしいコメントだね。
○子供の発言を価値付けながら、コメントカードを書くときの観点を板書する。

『風船でうちゅうへ』　岩谷（いわや）圭介（けいすけ）

1 しょうかい文を読み合い、感想を伝え合おう。

・きょうみをもったことがにている友達と読み合い、感想を伝え合う。〈コメントカード〉

↓

・きょうみをもったことがちがう友達と読み合い、感想を伝え合う。〈コメントカード〉

↓

2 ・友達からの〈コメントカード〉を読む。

（コメントカードの例文①）
私もあきらめない岩谷さんに注目したけれど、○○さんは岩谷さんのしせいを自分に生かそうとしているところがいいと思いました。

3 ↓自分とにているところやちがうところ、いいなと思うところ。

3 紹介文を読み合い、感想を伝え合う 〈30分〉

○まずは興味をもったことが似ている友達同士で読み合う。読み合いをしやすくするため、席を移動しグループ毎に座らせるとよい。１つの紹介文を読み、コメントを書くのに○分、と時間を設定し、時間になったら次の人にまわすなどして、多くの紹介文を読むことができるようにしたい。

T　自分と似ているところや違うところはありましたか。何をコメントするか迷ったら黒板に書かれていることを参考にしましょう。

○時間の許す限り紹介文を読み合う時間とするが、最後の５分程度は友達からもらったコメントカードを読む時間を確保する。友達からのコメントを読むことを通して、さらに自分との違いに気付くことができるようにする。

ICT 等活用アイデア

コメントカードを ICT 端末上で送り合う

学習支援ソフトのカードを使って感想を伝え合うようにすることで、多くの友達に対して感想を伝えることができる。コメントカードを送り合うだけでなく紹介文も ICT 端末上で読み合える場合は、誰の紹介文を読むかは子供の判断に委ねられる。そのため、読んでもらったりコメントをもらったりする数に差が出ないようにしたい。コメントを担当する相手を決めるなどの配慮をしたい。

本時案

風船でうちゅうへ

本時の目標

・学習を振り返り、新たに身に付けた説明的文章の読み方や楽しみ方について考えようとする。

本時の主な評価

❹学習を振り返り、新たに身に付けた説明的文章の読み方や楽しみ方について考えようとしている。【態度】

資料等の準備

・第1時の板書の写真
（※黒板横の掲示板などに貼る）

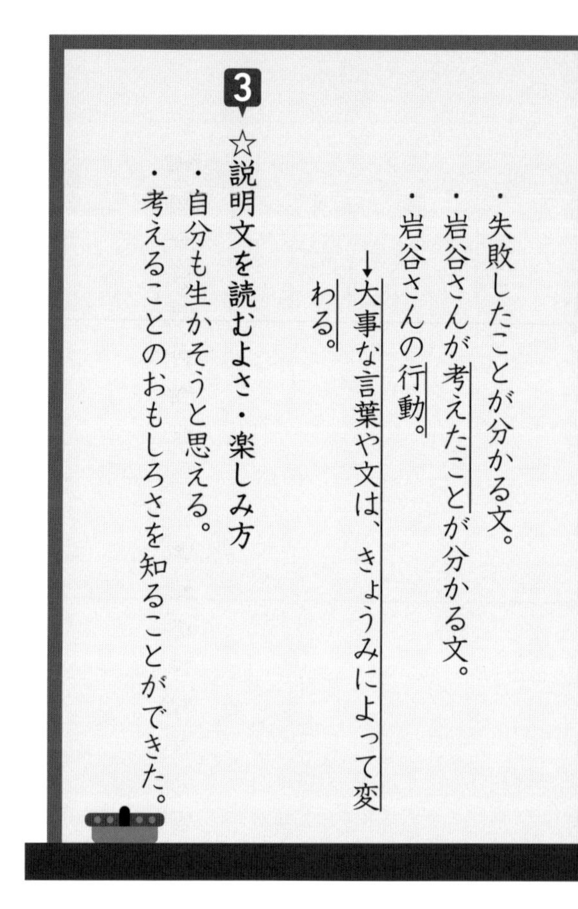

授業の流れ ▷▷▷

1 家の人からもらった感想を共有する 〈10分〉

T 家の人に紹介文を読んでもらって、どんな感想をもらいましたか。近くの人と話し合いましょう。

○近くの席の友達やグループで話し合った後、全体で共有する。一部の子供の発言だけで進めず、全員が振り返る時間を確保したい。

・お母さんに「読んでみたい」と言われたから教科書を渡したよ。お母さんは私と「すごい」と思ったところが違っていた。

・「要約文が分かりやすいね」と言われて、苦労して書いたのでうれしかった。

○家の人の感想や反応について振り返ることで、説明文を読んだ感想を伝えたり、要約文を通して内容を伝えたりすることへの達成感を感じられるようにしたい。

2 友達の紹介文やコメントを読んだ感想を共有する 〈10分〉

T 友達の紹介文や、もらったコメントを読んでどんなことを思いましたか。また、気付いたことはありましたか。

・感想が似ている人が多かった。特に、岩谷さんのことを、みんな「すごい」と思っていました。

・同じことに興味をもっていたと思っていたのに、感想が違っていて意外でおもしろかったです。

・私は「すごい」と表現していたけど、「感動した」とか「私だったら…」と自分と比べて表現している人もいました。感想の表現の仕方がいろいろあるんだな、と思いました。

『風船でうちゅうへ』 岩谷（いわや）圭介（けいすけ）

学習したことをふり返り、これからの学習や読書に生かせることをたしかめよう。4

1
☆家の人にしょうかい文を読んでもらったとき
・「読んでみたい」→読んでもらった。
・「すごい」と思ったところが自分とちがった。
・要約文が分かりやすいと言われた。
・自分と同じ感想をもっていた。
→「岩谷さん、すごい。」

2
☆友達のしょうかい文を読んだとき
・感想がにている友達がいた。「すごい」「自分も…」
・同じことにきょうみをもっていた友達と、感想がちがっていておもしろかった。
・にているけれど、表現の仕方がちがっていた。
「感動した」「すごい」「見習いたい」
「私だったら…」

3
☆どのようなところに注目して読んできたか？
●大事な言葉や文
・時を表す言葉。

3 説明文の読み方や楽しみ方を確かめる 〈10分〉

T 『風船でうちゅうへ』では、どのようなところに注目して読んできましたか。
・大事な言葉や文を探しました。
・私は時を表す言葉にまず注目しました。
・僕は岩谷さんが失敗したことが分かる文や、考えたことが分かる文に注目しました。
・人によって、大事な言葉や文は違ったよね。
○第1時の板書の写真を提示し、比べて考えることで、本単元の学習を通してどのような読み方や楽しみ方が加わったのか実感できるようにする。
T （第1時の板書の写真を見せ） 1時間目には、こんな読み方や楽しみ方が挙げられていました。新しいよさや楽しみ方は見つかりましたか。

4 本文や他の説明的文章を読んだり話し合ったりする 〈15分〉

○本時の振り返りを通して、同じ文章を読んでいても感想が違うことや、新たな楽しみ方を実感することができるだろう。本時の最後に、改めて『風船でうちゅうへ』を読んだり他の説明的文章を読んだりし、考えたことを話し合うことを通して、同じ文章を読んでいても感想が違うことや、新たな楽しみ方をさらに実感することができるようにしたい。
○他の説明的文章として、「この本読もう」で紹介されている本や、図書室にある説明的文章の中から提示するとよい。
○1人で読んだり、同じ文章を読んだ友達と話し合ったりするなど、一人一人が学習活動を選択できるようにする。

資　料

1 ワークシート①（第２・４時）16-01

『風船でうちゅうへ』

名前（　　　　　　　　）

とくにきょうみをもったことについて まとめよう。

1	～がすごい。（一言でまとめると） 例、風船がどんどん進化していくのがすごい。	
2	本文のどの部分か 例、１号機から４号機までの図や説明の部分 例、○ページの□行め～△行	
3	その部分から思ったことや考えたこと	

2 ワークシート②（第2時） 16-02

『風船でうちゅうへ』　　名前（　　　　　　）

〈学習計画〉を立てよう。

日付	回	学習活動	ふり返り
	一	○	
	二	○	
	三	○	
	四	○	
	五	○	

3 学習計画の資料（第2時） 16-03

『風船でうちゅうへ』　　名前（　　　　　　）

〈学習計画〉を立てよう。

○文章全体のこう成をつかむ。

○きょうみをもったことにそって、大事なところに印をつける。

○きょうみをもったところをまとめる。←要約文

○きょうみが同じ人と、要約文を読み合う。

○きょうみをもったことを中心に、しょうかいする。

友達→家の人

言葉について考えよう

つながりに気をつけよう　（4時間扱い）

単元の目標

知識及び技能	・主語と述語との関係、修飾と被修飾との関係、指示する語句と接続する語句の役割について理解し、文章を書き直すことができる。((1)カ)
思考力、判断力、表現力等	・間違いを正したり、相手や目的を意識した表現になっているかを確かめたりして、文や文章を整えることができる。(B エ)
学びに向かう力、人間性等	・言葉がもつよさに気付くとともに、幅広く読書をし、国語を大切にして、思いや考えを伝え合おうとする。

評価規準

知識・技能	❶主語と述語との関係、修飾と被修飾との関係、指示する語句と接続する語句の役割について理解し、文章を書き直している。(〔知識及び技能〕(1)カ)
思考・判断・表現	❷「書くこと」において、相手や目的を意識して、言葉と言葉や、文と文とのつながりを整えている。(〔思考力、判断力、表現力等〕B エ)
主体的に学習に取り組む態度	❸言葉と言葉や、文と文とのつながりについて積極的に考え、相手に分かりやすく、正しく伝えられるように文章を整えようとしている。

単元の流れ

次	時	主な学習活動	評価
一	1	p.113の漫画を読んで、ロボロボとふみやくんの待ち合わせがうまくいかなかったのは、手紙の書き方に問題があることを確かめる。 **学習の見通しをもつ** 学習のおおよその見通しをもち、学習課題を設定する。 **いろいろなつながりに気をつけて、読み手に分かりやすい文章を書こう。**	
二	2	「ロボロボの手紙」(p.113) を読みながら、言葉と言葉のつながりについて考え、ふみやくんに正しく伝わるように書き直す。	❶
	3	①と②の文章 (p.114–115) を読み比べて、文と文のつながりについて考え、一文の長さを読み手に分かりやすくなるように整える。	❶
	4	p.116の文章を読み、言葉や文のつながりについて考えながら、読み手に分かりやすくなるように文章を整える。 **学習を振り返る** 友達同士で書き直した文章を読み合い、教科書の p.114–115の下段に示されている視点（主語と述語の関係、修飾と被修飾の関係、読点の使用、言葉の順序、一文の長さ、接続する語句や指示する語句の使用など）を基に、感想を伝え合う。	❷

授業づくりのポイント

〈単元で育てたい資質・能力〉

本単元のねらいは、読み手に分かりやすい文章を書くために必要な「つながり」を理解し、文章を整える力を育むことである。「つながり」には、「①言葉と言葉のつながり」「②文と文のつながり」の2種類がある。「①言葉と言葉のつながり」をはっきりさせるためには、主語と述語を対応させたり、修飾語と被修飾語の順序を入れ替えたりする力が必要である。「②文と文のつながり」をはっきりさせるためには、指示語や接続語を効果的に用いながら、一文の長さを調節する力を育む必要がある。

〈教材・題材の特徴〉

本教材は、文章を一から書くのではなく、すでに書かれた文章の内容について検討したり、2つの文章を比較したりすることで、読み手に分かりやすく書き直す展開となっている。自分以外の誰かによって書かれた文章について推敲する活動は、「つながり」を見つけやすく、本単元でねらいとしている資質・能力の育成に適している。その際、p.114–115の下段に「つながり」をはっきりさせるための視点がチェックリスト形式で並んでいるので、積極的に活用したい。

また、単元の導入として用意されている漫画（p.113）は、子供たちにとって身近に起こり得る状況であり、学習課題の設定につなげやすい。例えば、「ロボロボの手紙みたいに、みんなも書いた文章が相手にうまく伝わらなかったことがあるかな？」と問いかけ、各々が経験談を楽しみながら共有すれば、自然な流れで「読み手に分かりやすい文章を書けるようになること」が単元の目標となる。

〈言語活動の工夫〉

より発展的な授業づくりを行う場合は、「つながり」に気を付けながら、実際に子供たち自身が短い文章を書く活動や、お互いに読み合ってみる活動を単元のゴールとするのも効果的である。その場合は、何のために（目的）、誰に向けて（読み手）文章を書くのかを明確にして取り組むことで、注目すべき「つながり」が意識しやすくなる。

> [具体例]
>
> 本単元では、段落の役割について理解することを単元の目標としていないため、複数の段落に分ける必要があるような長い文章を書く活動は想定しない。また、文字数は多すぎないほうが、「つながり」に気を付けて書いたり読んだりしやすい場合もある。あえて150文字以内（原稿用紙半分）などの字数制限を設け、子供たちが事前にもっている情報だけで文章を書けるような活動を設定することで、1時間の授業でも十分に実施可能である。

〈ICT の効果的な活用〉

調査：文章の推敲時に適切な指示語や接続語が思いつかない場合は、過去に学習した国語の教科書などを活用できるとよいが、子供たちの手元にない場合は、ICT 端末による検索を用いることも選択肢に入れたい。

共有：子供たち同士でお互いの文章を読み合う際、書いた文章をカメラ機能で撮影しデータを交換すれば、相手の文章に書き込みを入れてしまうことを気にせずに、自身の感想を記入できる。

記録：p.116の文章を書き直す際には、文書作成ソフトを使用するのもよい。文書作成ソフトは、手書きよりも訂正が容易であり、積極的に子供たちが書き直す活動に取り組むだろう。ただし、手書きには手書きのよさがあるため、学校や教室の実態に即した選択が必要である。

本時案

つながりに気をつけよう

本時の目標

・教科書冒頭の漫画を読んで、手紙の書き方の問題について話したり、本単元の学習全体の見通しをもったりすることができる。

本時の主な評価

・ロボロボの文章を読み、ふみや君に正しく伝えられなかった理由を考えている。

資料等の準備

・教科書 p.113の漫画の拡大コピー

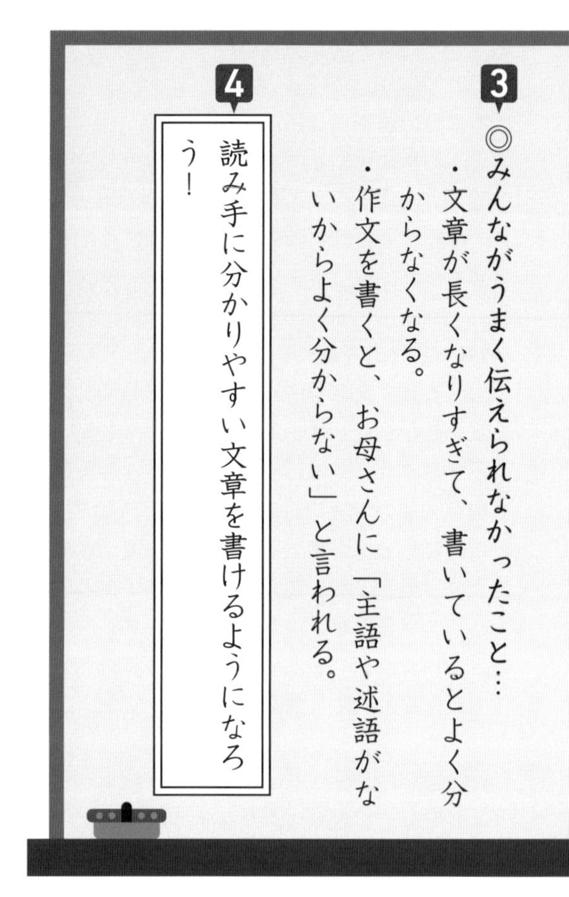

授業の流れ ▷▷▷

1 教科書の漫画を読み、内容を確かめる 〈10分〉

○漫画を読む際は、音読などで「ロボロボの手紙」を一度丁寧に確認しておきたい。

T 漫画では、何か困ったことが起きていましたね。どのような出来事でしたか。

・ふみや君とロボロボの待ち合わせがうまくいきませんでした。

・ロボロボの手紙が読みにくかったので、別々の場所に行ってしまいました。

T ふみや君とロボロボは、それぞれどこで待っていましたか。

・ふみや君は白い時計の前にいて、ロボロボは黒い時計の前にいます。

・ふみや君は青いベンチの前にいて、ロボロボは白いベンチの前にいます。

2 2人が別々の場所で待っていた理由を考え発表する 〈20分〉

○本時のめあてを板書する。

T どうして2人は別々の場所に行ってしまったのかな？ 近くの友達と話し合ってみましょう。

○話合いがうまく進まない場合には、一コマ目のロボロボの手紙に注目することを伝える。

T 友達と話し合ったことを発表しましょう。

・ロボロボは待ち合わせ場所を、時計の前の「白いベンチ」だと伝えたかったのに、うまく手紙に書けなかったのだと思います。

・私がふみや君だったとしても、手紙に「白い時計」と書いてあるから、待ち合わせ場所を間違えてしまいそうです。

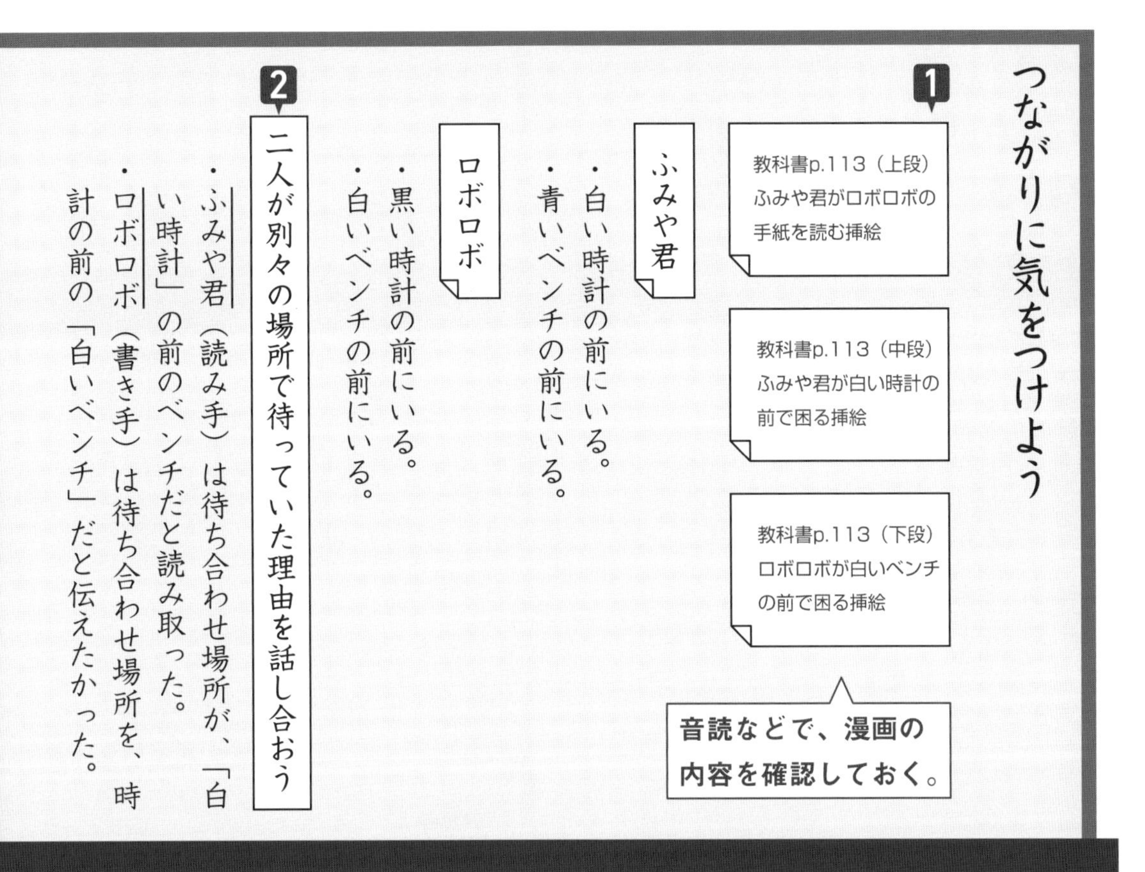

3 書いた文章が相手にうまく伝わらなかった経験を話す 〈10分〉

T　ロボロボの手紙のように、みんなも書いた文章やメールなど、相手にうまく伝わらなかったことはあるかな？

・私はいつも文が長くなりすぎて、書いていると自分でも伝えたいことがよく分からなくなります。

・お母さんから、「主語や述語がないから、伝えたいことがよく分からない」と言われることがあります。

○なるべくいろいろなエピソードを取り上げ、主体的に学習に取り組む姿勢につなげたい。

○「書きたいことが思いつかない」「書きたいことを言葉にできない」などの意見も拾いつつ、書いた文章が伝わらないというテーマとは違うことを共有する。

4 単元の学習全体の見通しをもつ 〈5分〉

○ロボロボ（書き手）の伝えたかったことが、ふみや君（読み手）に正しく伝わらなかったことを再度確認し、単元の問いを示す。

T　せっかく文章を書いても、読み手に間違って伝わってしまったら困りますね。読み手に分かりやすい文章を書くためにはどうすればいいか、次回からみんなで考えてみましょう。

本時案

つながりに気をつけよう

本時の目標

・「ロボロボの手紙」(p.113)を、言葉と言葉のつながりについて考えながら、読み手に正しく伝わるように書き直すことができる。

本時の主な評価

❶「ロボロボの手紙」における主語と述語との関係、修飾と被修飾との関係について確認し、文章を書き直している。【知・技】

資料等の準備

・教科書 p.113「ロボロボの手紙」の文章の拡大コピー

【書き直すときのポイント】

①文章を場所と時こくの内容で、二文に分ける。

②「白い」が「ベンチ」に係るように、言葉を入れかえる。

ふみや君へ

明日の待ち合わせの①場所は、公園の中の②時計の前の、白いベンチです。九時に待っています。

ロボロボ

授業の流れ ▷▷▷

1 前時を振り返り、2人が待っていた場所を確認する 〈5分〉

T　前回は、教科書の漫画を読んで話し合いましたね。ふみや君とロボロボは、それぞれどこで待っていましたか?

・ふみや君は、白い時計の前で待っていました。

・ロボロボは、白いベンチの前で待っていました。

○待ち合わせ場所を間違えた原因は、白い「時計」なのか、白い「ベンチ」なのかが明確ではなかったためである。この2つを強調しておくと、次の展開につながりやすい。

2 待ち合わせ場所が分かりにくい理由を考え、話し合う 〈15分〉

T　2人はどうして待ち合わせ場所を間違えたのでしょうか。もう一度、ロボロボの手紙を読んで考えてみましょう。

T　自分の考えがまとまったら、近くの友達と話し合ってみましょう。

○「『場所は』という主語に対応する述語がない」という意見が出ない可能性もある。教科書 p.114の挿絵(吹き出し)を取り上げるなど、子供からの発言にこだわらずに対応したい。

T　友達と話し合ったことを発表しましょう。

・1つの文が長くて読みにくいので、私もよく分からなくなります。

・「白い」のは、時計なのかベンチなのかが、はっきりしないことが原因だと思います。

つながりに気をつけよう

1 【前回のふり返り】

◎二人は、どこで待っていたかな？

ふみや君　・白い時計の前

ロボロボ　・白いベンチの前

2 ◎二人はどうして待ち合わせ場所をまちがえたの？

・一つの文が長くて、言葉と言葉のつながりが分かりにくかったから。

→「場所は」という主語に対おうする述語がない。

・「白い」という修飾語が、どの言葉をくわしくしているかが分からないから。

「述語がない」という意見が出ない場合は、教科書 p.114 を取り上げて対応する。

ふみや君へ
明日の待ち合わせの①場所は公園の中の②白い時計前のベンチで九時に待っています。
ロボロボ

3 ◎手紙を読み手に分かりやすく書き直そう！

3 読み手に分かりやすくなるように、手紙を書き直す　〈25分〉

T　ロボロボの文章を、読み手に分かりやすく書き直してみましょう。

○本時のめあてを板書する。

T　教科書 p.114に、「言葉と言葉のつながりをはっきりさせるときは」というチェックリストがあります。音読してみましょう。

○書き直すときのポイントを確認する。

T　ロボロボの手紙を書き直すためには、どうすればいいでしょうか。

・文章には場所と時刻の内容があるので、2文に分けたらいいと思います。

・ロボロボは、白いベンチを待ち合わせ場所にしたかったはずなので、「白い」のが「ベンチ」だと分かるようにしたいです。

○書き直した文章を、それぞれ提出する。

ICT 等活用アイデア

ICT 端末上で文章を作る

本単元の第2～4時では、文章を書き直す活動が設定されている。その際、文書作成ソフトを使用する大きな利点として、手書きと比べて文章の訂正が容易なことが挙げられる。実際に言葉を入れ替えたり、一文の長さを変えたりする作業を、何度も試しながら考えることができるため、単元の目標を達成する手段として効果的な活用が見込まれる。

手書きで行うか、ICT 端末を使用するかは、それぞれの利点と単元の目標を照らし合わせることが重要である。

本時案

つながりに気をつけよう

本時の目標

・教科書の①と②の文章（p.114–115）を読み比べて、文と文のつながりについて考えながら、一文の長さを読み手に分かりやすくなるように整えることができる。

本時の主な評価

❶修飾と被修飾との関係、指示する語句と接続する語句の役割について理解し、文章を書き直している。【知・技】

資料等の準備

・教科書 p.114の文章①と教科書 p.115の文章②の拡大コピー
・教科書 p.115の10–11行目の拡大コピー
・4の活動で使用する、教師オリジナルの文章

…「野鳥の様子」→「その様子」
…「庭の木に作った巣」→「巣」

3
教科書 p.115の10〜11行目の文

・一文が短すぎて読みにくい。
・読みやすい長さを考えることが大切。

4
◎文の長さに気をつけて、他の文章も直してみよう！

授業の流れ ▷▷▷

1 ①と②の文章を読み、文章の内容を確認する 〈5分〉

○教科書 p.114①の文章と、p.115②の文章を、それぞれ音読する。
T　①と②の文章は、何のことについて書かれた文章ですか？
・庭の木にある野鳥の巣を観察したことについて書いてあります。
・野鳥の巣が、風雨で壊れないか心配しながら見守っていたようですが、ひなが無事に巣立っていったことが分かりました。
T　①と②の文章は、どちらのほうが読みやすい文章だと思いますか？　読みやすいと思ったほうに手を挙げてください。
○②のほうが読みやすい文章であることを、学級全体で確認する。

2 2つの文章を読み比べ、②が読みやすい理由を考える 〈15分〉

T　①の文章と比べて、②のほうが読みやすい理由を考えてみましょう。
○一人一人が考える時間を取ってもよい。
・②の文章は、3つの文に分かれているので、一文が短くて内容が分かりやすいです。
・「そこで」や「しかし」というつなぎ言葉を使うと、文章の意味が分かりやすいです。
・「天候が悪い日もあり、風雨の強い日もあり」よりも、「天候が悪い日や、風雨の強い日もあり」のほうが、読みやすいです。
・②の文章では、「野鳥の様子」が「その様子」に省略されていて読みやすいです。
・①の文章は「庭の木に作った巣」を繰り返していますが、②では「巣」に省略されていて読みやすいです。

つながりに気をつけよう

1

①野鳥が、庭の木に来て、巣を作り、たまごを産んだので、家の中から野鳥の様子を見守ったところ、天候が悪い日もあり、風雨の強い日もあり、庭の木に作った巣がこわれないか心配だったが、ひなは無事に巣立っていった。

②野鳥が、庭の木に来て、巣を作り、たまごを産んだ。そこで、家の中からその様子を見守った。天候が悪い日や、風雨の強い日もあり、巣がこわれないか心配だった。しかし、ひなは無事に巣立っていった。

2

◎どうして②の文は読みやすいのかな？

・文章が三つに分かれているので、一文が短くて内容が分かりやすい。

・つなぎ言葉を使っているので、文と文のつながりが分かりやすい。

…「そこで」「しかし」

・同じような内容を省いたり、こそあど言葉で置きかえたりしているので、読みやすい。

…「悪い日もあり」→「悪い日や」

3 一文が短すぎても読みにくい場合があることを知る〈5分〉

T　教科書 p.115の10～11行目に書いてある文章を読みましょう。

○教科書 p.115の10～11行目の文章を音読する。

T　②の文章の1行目と比べて、読みやすさはどうですか。

・一文が短すぎて、読みにくいと思います。

・これまでは一文が長すぎて読みにくかったのですが、短すぎても読みにくいことが分かりました。

4 教師作成のオリジナル文章を文の長さに気を付けて書き直す〈20分〉

○本時のめあてを板書する。

T　文の長さや文と文のつながりに気をつけて、書き直してみましょう。

○①の文章を参考に、一文が長すぎる文章を教師が作成し、読みやすく書き直す活動を行う。

○右側はオリジナルの文章、左側は空欄となるようなワークシートを用意できるとよい。

○書き直した文章を、それぞれ提出する。

ICT 端末の活用ポイント

ICT 端末で課題を共有できる場合は、オリジナルの文章を打ち出し子供たちに配布するだけでよいため、より効率的に授業の準備や課題の提出を行うことができる。

本時案

つながりに気をつけよう

本時の目標

・言葉や文のつながりについて考えながら、読み手に分かりやすくなるように文章を整えることができる。

本時の主な評価

❷ p.116の文章を読み、読み手を意識しながら、言葉と言葉や、文と文とのつながりを整えている。【思・判・表】

資料等の準備

・教科書 p.116の文章の拡大コピー

・言葉と言葉の関係を分かりやすくする。

☆文と文のつながりをはっきりさせるために

・長い文は、内容の切れ目で分ける。

・文と文の間に、つなぎ言葉を入れる。

・こそあど言葉（これ・それ・あれ・どれ）を使う。

短冊等であらかじめ用意しておいて、貼るだけでもよい。

授業の流れ ▷▷▷

p.116の文章を読み、内容を確認する 〈5分〉

○教科書 p.116の文章を音読する。

T　この文章は、何のことについて書かれた文章ですか？

・「ぼく」が、冬の夜空を観察したことについて書いてあります。

・シリウスの特徴について、見て感じたことや、調べて分かったことについてまとめられています。

・天体望遠鏡を買ってもらいたいということも書いてありました。

2 言葉や文のつながりを考え、文章をよりよく書き直す 〈25分〉

○本時のめあてを板書する。

T　これまで学習したことに注目しながら、読み手に分かりやすい文章に書き直してみましょう。

○これまで学習した「言葉と言葉のつながり」と、「文と文のつながり」に関するポイントを板書する。短冊などであらかじめ用意しておいて、貼るだけでもよい。

T　教科書 p.114と p.115の下のほうにあるチェックリストも参考にして、1つずつ確認してみましょう。

ICT 端末の活用ポイント

これまで書き直してきた文章と比べて字数が多いため、文書作成ソフトを活用して、書くことが苦手な子供も取り組めるようにしたい。

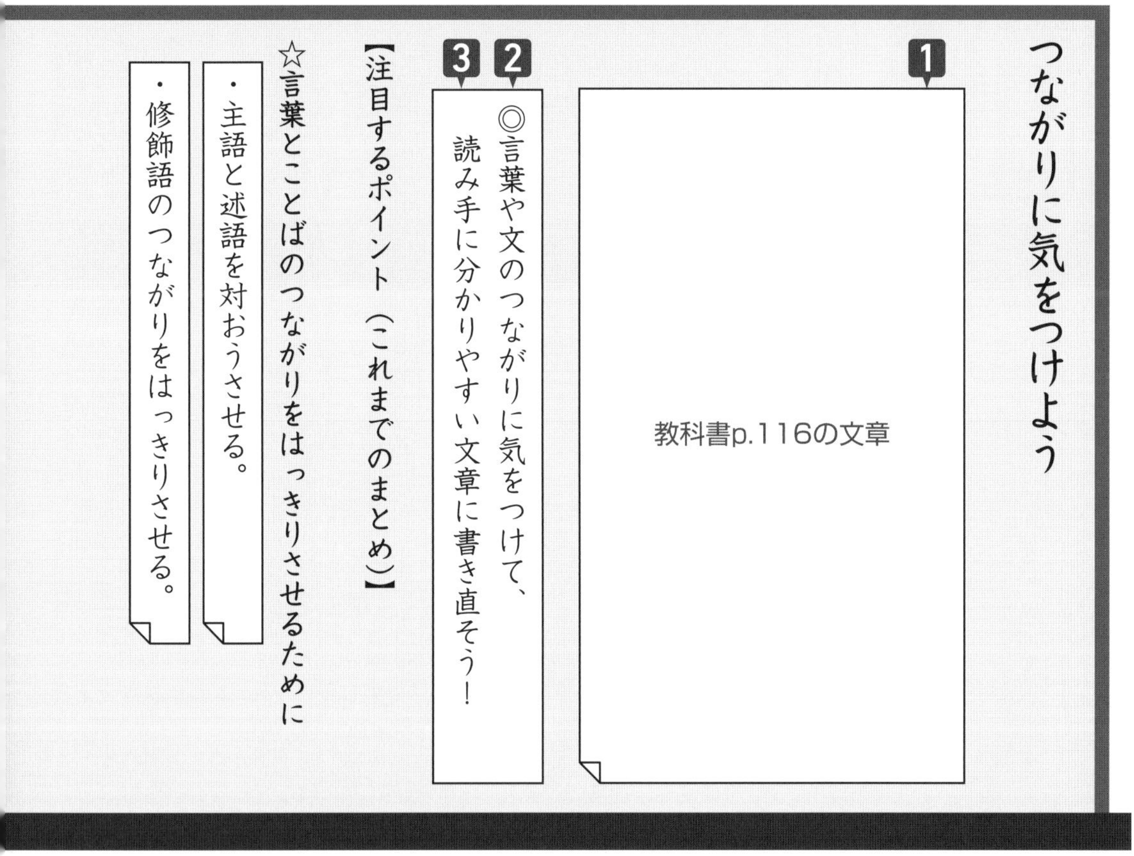

つながりに気をつけよう

1

教科書p.116の文章

2 3

◎言葉や文のつながりに気をつけて、読み手に分かりやすい文章に書き直そう！

【注目するポイント（これまでのまとめ）】

☆言葉とことばのつながりをはっきりさせるために

・主語と述語を対おうさせる。

・修飾語のつながりをはっきりさせる。

3 書き直した文章を友達と読み合い、感想を伝え合う〈15分〉

T　書き直した文章を、友達同士で読み合ってみましょう。また、読んだ感想をお互いに伝え合いましょう。

○感想の交流が難しい場合は、お互いに書き直した箇所と書き直した理由を相手に伝え、話し合うきっかけを作る。

T　書き直した文章と、書き直した理由を発表してください。

・「『特に〜知った。』の一文が、長くて読みにくいので、３つの文に分けました。また、文と文の間につなぎ言葉を入れて、流れを分かりやすくしました。」

・「最後の文は、誰にお願いをしたのかが分かりにくいので、『ぼくは姉と、父にお願いして』と読点を打ちました。」

よりよい授業へのステップアップ

読み手を意識した文を書く

本単元は、一から文章を書く活動は設定されていない。発展的な授業を行う場合は、学習した「言葉や文のつながり」を考えながら、短い文章を一から書くことも効果的である。また、子供たちが文章を書いた場合は、積極的に読み合い、感想などを交流したい。文章の「読みやすさ」や「分かりやすさ」は、読む人の立場などによっても変わってくるものである。交流によってそのようなことに気付くことができれば、より実社会に即した「言葉のつながり」を知ることができる。

言葉を選んで詩を書き、友達と読み合おう

心が動いたことを言葉に　7時間扱い

単元の目標

知識及び技能	・様子や行動、気持ちや性格を表す語句の量を増し、話や文章の中で使い、語彙を豊かにすることができる。((1)オ) ・主語と述語との関係、修飾と被修飾との関係、指示する語句と接続する語句の役割、段落の役割について理解することができる。((1)カ)
思考力、判断力、表現力等	・書こうとしたことが明確になっているかなど、文章に対する感想や意見を伝え合い、自分の文章のよいところを見つけることができる。(Bオ)
学びに向かう力、人間性等	・言葉がもつよさに気付くとともに、幅広く読書をし、国語を大切にして、思いや考えを伝え合おうとする。

評価規準

知識・技能	❶様子や行動、気持ちや性格を表す語句の量を増し、話や文章の中で使い、語彙を豊かにしている。(〔知識及び技能〕(1)オ) ❷主語と述語との関係、修飾と被修飾との関係、指示する語句と接続する語句の役割、段落の役割について理解している。(〔知識及び技能〕(1)カ)
思考・判断・表現	❸「書くこと」において、書こうとしたことが明確になっているかなど、文章に対する感想や意見を伝え合い、自分の文章のよいところを見つけている。(〔思考力、判断力、表現力等〕Bオ)
主体的に学習に取り組む態度	❹学習の見通しをもって、積極的に言葉や表現の工夫を取り入れながら、心が動いたことについての詩を書こうとしている。

単元の流れ

次	時	主な学習活動	評価
一	1	学習の見通しをもつ 心を動かされたことを振り返り、伝え合う。 詩の定義「感じたことや想像したことなどを、言葉や文を短く連ねて表現するもの」を確認し、日々の中で心を動かされたことを詩にするための学習計画を立てる。	❹
二	2	教科書 p.118–119の作品例を基に、題材設定と取材の方法を確認する。 詩に書きたいことを決め（題材設定)、そのことについて詳しく書き出す（取材)。	❷
	3	自分が表現したいことに合わせて、詩の組み立てを考える（構成)。	
	4	言葉を選んで、詩を書く（記述)。	❶
	5	詩を読み返し、よりよい表現の仕方や工夫について考え、練り上げる（推敲)。	
	6	詩を清書する。	
三	7	友達と詩を読み合い、互いの詩のよさを見つけ合う。 学習を振り返る	❸

授業づくりのポイント

〈単元で育てたい資質・能力〉

本単元のねらいは、心を動かされたことを詩に書く活動を通して、言葉や表現を吟味する力を養うこと、友達と詩を読み合う活動を通して自分の作品のよさを知ることである。そのためのポイントは、〈言語活動の工夫〉で示す3点である。

〈教材・題材の特徴〉

本単元では、心を動かされたこと（自分の体験や気持ち）を表現する方法の1つとして、「詩」という形態を用いる。必ずしも「詩＝心を動かされたこと」ではないことを押さえ、言葉や表現を吟味する力を身に付けるために「詩」の学習をするということを確認しておきたい。

〈言語活動の工夫〉

○伝えたいこと（心を動かされたこと）について、相手意識・目的意識を明確にする

学習計画を立てる際、誰に伝えたいか、何のために書くのかについて話し合う。相手意識としては、学級や学年の友達、家族などが考えられる。目的意識としては、今の自分の思いを残しておきたい、友達の思いを知りたいというようなことが挙がるよう、日々の学級経営、国語科の学習を中心に種を撒いておきたい。相手意識・目的意識が明確になることで、自分の詩をよりよくしようとする（言葉や表現を吟味する）意欲につながる。また、「『4年○組詩集』を作る」というゴールを設定することで、より一層、学習意欲を高めることもできる。

○巻末の「言葉のたから箱」や類語辞典を活用して、多様な表現を知った上で「言葉を選ぶ」ことをする

例えば、「『感動した』という言葉を使わないで『感動した』という思いを表現してみる」というような活動を取り入れ、「言葉のたから箱」や類語辞典の活用を促す。自分が表現したいことにぴったり合う「言葉を探し、選ぶ」という意識を高めたい。

○詩を読み合って、互いの詩のよさを伝え合うときの視点を明確にする

友達の詩に込められた思いを受け取っての「感想」、工夫された言葉や表現を見つけての「称賛」の2つの視点からよさを伝え合うようにする。友達の作品のよさを見つけるという活動を通して、自分の作品のよさに気付き、学習の充実を実感させたい。

〈他教材との関連〉

教科書 p.92–93「自分だけの詩集を作ろう」において、「心を動かされたことを表現した詩」も紹介しておきたい（教師の創作でも可）。また、p.94–95「言葉から連想を広げて」において、「ウェビングマップ」を丁寧に指導しておくことで、本単元の学習内容がより充実する。

〈ICT の効果的な活用〉

表現：詩を清書する際、字の大きさや配列など、レイアウト（見せ方）にも工夫を凝らしたい。清書用紙に対してどのように書くか、文書作成ソフトを活用してレイアウトを考えてもよい。

共有：作品を印刷して紙媒体の詩集にするという方法もあるが、ICT 端末にて撮影したり画像として読み込んだりして、プレゼンテーションソフトや学習支援ソフトなどを活用してデータ上の詩集としてもよい。

本時案

心が動いたことを言葉に 1/7

本時の目標

・心を動かされたことについての振り返りや共有から、詩に書き表すことに関心をもち、単元の学習の見通しをもとうとする。

本時の主な評価

・心が動かされたことを振り返り、共有することで、詩に表すイメージをもっている。
❹学習の見通しをもって、積極的に言葉や表現の工夫を取り入れながら、心が動いたことについての詩を書こうとしている。【態度】

資料等の準備

・ICT 端末を用いた「心が動かされたこと」に関するアンケート

・詩の内容（心を動かされたこと）について
⑦学級詩集を作る。
・紙の詩集
・データの詩集

子供の発言を生かして、指導事項と合わせながら、計画を立てる。

授業の流れ ▷▷▷

1 これまでに心を動かされたことを振り返り、伝え合う 〈20分〉

○事前に、子供が心を動かされたことを回答するアンケートを作成しておく。
T これまでに心を動かされたことについて振り返り、アンケートに回答してください。
○その場で集計結果を示し、一人一人の「心を動かされたこと」を把握させる。
T アンケート結果を参考にして、心を動かされたこととその理由を伝え合いましょう。
・私が心を動かされたのは、運動会のダンスを大成功させたときです。一生懸命頑張ったので、感動しました。

ICT 端末の活用ポイント

ICT 端末を使用してアンケートを配信し、その場で回答、送信させる。集計する手間がなく、結果をすぐに提示することができる。

2 心を動かされたことの表現方法としての「詩」を知る 〈15分〉

T これまで、自分の体験や気持ちを作文に書いたことがありますね。今回は、思い出深い出来事や印象深い出来事の中でも特に心を動かされたことについて、短い言葉で詩に書くことに挑戦してみましょう。
○子供がこれまでに読んだことのある詩は、作者の体験や気持ちを表現した作品ばかりではないだろう。本単元では、心を動かされたこと（自分の体験や気持ち）を表現する方法として「詩」という形態を使うという点について押さえておく。
・どんなことを詩にしようかな。

心が動いたことを言葉に

1 「心を動かされたこと」をふり返ろう。

2 詩とは
　感じたことやそうぞうしたことなどを、
言葉や文を短く連ねて表現するもの。

3 心を動かされたことを詩に書こう

学習計画

①心を動かされたことについて、（理由だけでなく）
　さらにくわしく書き出す。
②詩の組み立てを考える。
・行の数
・連の数
③自分の気持ちを表すぴったりな言葉を選び、
　詩を書く。
④詩を読んで、言葉や表現をぎんみ・しゅうせいする。
⑤詩を清書して、作品を完成させる。
⑥友達と読み合い、感想を伝え合う。
・詩の書き方の工夫について

3 心を動かされたことを詩に書く学習計画を立てる　〈10分〉

T　心を動かされたことを詩に書いて、誰に読んでもらいたいですか。また、どのような目的があると素敵でしょうか。
・友達や家族に読んでもらいたいです。
・今の自分の思いを残しておきたいです。
・学級の詩集を作りたいです。
T　では、心を動かされたことを詩に書いて友達と読み合うために、どのように学習を進めていくとよいでしょうか。
・心を動かされたことについて、理由だけでなく、さらに詳しく書き出したいです。
・行数や連の数を考えたいです。
・言葉を選んだり、表現技法を取り入れたりして、工夫して書きたいです。
○子供の発言を基に、学習計画を立てる。

よりよい授業へのステップアップ

アンケート結果を参考に共有する

　ICT 端末を用いたアンケートを実施することで、一人一人の「心を動かされた体験」を即時に把握できる。自分と似た体験だけでなく、全く違う体験を選んだ友達もいるだろう。伝え合いの形態として、学級全体での発表もよいが、アンケート結果を参考に、相手を変えてできるだけ多くの友達とペアトークをするという方法もある。質問したり答えたり、互いに感想を伝え合ったりすることで、次時以降の「心を動かされたことについてさらに詳しく書き出す」という活動にもつながっていく。

本時案

心が動いたことを言葉に 2/7

本時の目標

・「マラソン大会」の詩とその題材設定・取材シートを分析し、自分の詩の題材設定・取材シートを書くことができる。

本時の主な評価

・自分の詩の題材設定・取材シートを書いている。
❷主語と述語との関係、修飾と被修飾との関係、指示する語句と接続する語句の役割、段落の役割について理解している。【知・技】

資料等の準備

・「マラソン大会」の詩の本文を拡大したもの
・「マラソン大会」の詩の題材設定・取材シート 19-01とそれを拡大したもの
・題材設定・取材シート 19-02

・メモは、言葉だったり、文だったりしています。
・メモの中には、詩には出てこない言葉や文もあります。

3 自分の詩の題材設定・取材シートを書く
→書き終わった人からペアトーク（書き足し・印など）

4 「言葉を探し、選ぶ」ために
・「言葉のたから箱」（教科書173ページ）
・類語辞典

【練習】先生におすすめされた本を読んで、感動しました。
・心を打たれました。
・むねにひびきました。

授業の流れ ▷▷▷

1 「マラソン大会」の詩を読み、よさを話し合う 〈5分〉

T　学習計画①の「心を動かされたことについて、さらにくわしく書き出す」を進めていきましょう。
○本時のめあてを板書し、「マラソン大会」の詩を拡大したものを黒板に貼る。
T　先生が「マラソン大会」の詩を読みます。何に心を動かされたのか、どのような言葉や表現の工夫があるかを考えましょう。
・マラソンで苦しいときに、みんなの応援と笑顔があって、心を動かされたと思います。
・第1連と第2連の「風」と「みんな」の様子が対比になっていると思います。
・体言止めと比喩、会話文が使われています。
・各連の2行目は2文字下がったところから書かれています。

2 詩「マラソン大会」の題材設定・取材シートを分析する 〈5分〉

○「マラソン大会」の詩の題材設定・取材シートを配り、拡大したものを黒板に貼る。
T　このプリントは、今読んだ「マラソン大会」の詩ができ上がる前の段階に当たる、題材設定・取材シートです。でき上がった作品と比べて、気付いたことはありますか。
・マラソン大会の出来事や様子、そのときの気持ちについて、メモが書かれています。
・メモは、言葉だったり、文だったりしています。
・メモの中には、詩には出てこない言葉や文もあります。

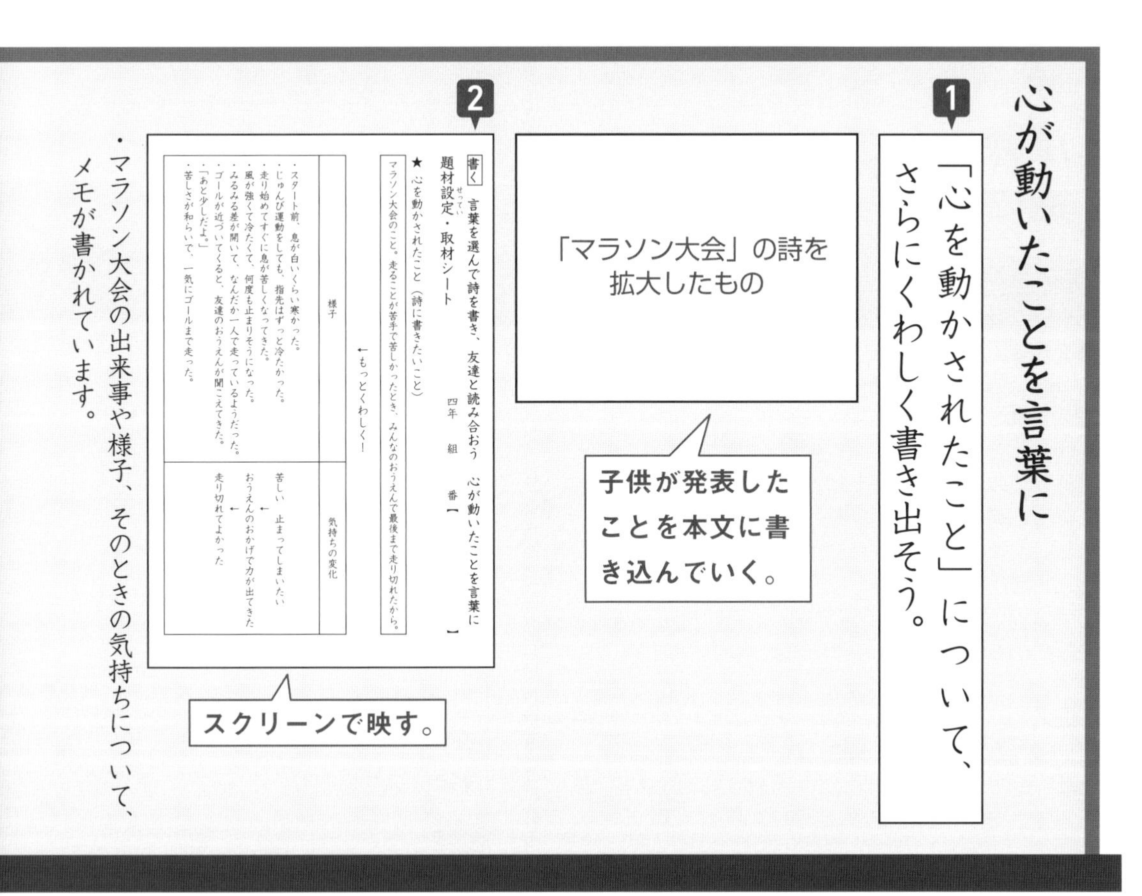

3 自分の詩の題材設定・取材シートを書き、共有する 〈20分〉

○題材設定・取材シートを配る。

T 「マラソン大会」の題材設定・取材シートを参考に、自分の詩の題材設定・取材シートを書きましょう。

○題材設定・取材シートを書き終えた子供から、その内容について友達とペアで話し合う。第１時と似た活動になるが、題材設定・取材シートを基に、より具体的な話をすることができる。友達に話して伝えること、質問したり答えたり、互いに感想を伝え合ったりすることを通して、新たな言葉を書き足したり、この言葉は絶対に使おうというものに印を付けたりしておく。

4 「言葉を探し、選ぶ」方法を知り、練習する 〈15分〉

T 自分の気持ちを表すぴったりな言葉を使うために、「言葉を探し、選ぶ」方法を知り、練習しておきましょう。

○「言葉のたから箱」や類語辞典を紹介する。

○文末が「感動しました」となる短文を提示し、「感動」という言葉を使わずに表現するという課題を出す。

・心を打たれました。　・胸に響きました。

T 次回は、詩の組み立てを考えます。自分の題材設定・取材シートを見直して、よりよい言葉を見つけたら書き加えておきましょう。

ICT 端末の活用ポイント

「感動する」「楽しい」「うれしい」などのよく使う言葉の言い換え表現を見つけたら共有するという活動を取り入れることで、語彙を増やす。

本時案

心が動いたことを言葉に 3/7

本時の目標

・連や行の数を検討し、詩の構成表を書くことができる。

本時の主な評価

・自分が心を動かされたことを分かりやすく表現するために、詩の組み立てを検討し、よりよい詩を書こうとしている。

資料等の準備

・「マラソン大会」の詩の構成表 19-03
・「マラソン大会」の詩の構成表を拡大したもの
・構成表 19-04
・「チェンジハート」カード（ハートの形をした紙）

これまでに読んできた詩

可能であれば、これまでに読んできた詩を掲示することで、参考にさせたい。

授業の流れ ▷▷▷

1 詩「マラソン大会」の構成表を分析する 〈10分〉

T　学習計画②の「詩の組み立てを考える」を進めていきましょう。
○本時のめあてを板書する。
○「マラソン大会」の詩の構成表を配る。
T　このプリントは、「マラソン大会」の詩ができ上がる前の段階に当たる、構成表です。でき上がった作品と比べて、気付いたことはありますか。
・マラソン大会の出来事について、場面分けされています。
・構成表には、走り始める前と走り終わった後のことも書かれていました。
・気持ちが大きく変わった瞬間が「チェンジハート」で表されています。

2 自分の詩の構成表を書く〈15分〉

○構成表と「チェンジハート」のカードを配る。
T　「マラソン大会」の構成表を参考に、自分の詩の構成表を書きましょう。
○題材設定・取材シートに書いた内容を基に、心を動かされた出来事について場面分けをさせる。場面が連になることを意識するように伝える。
○気持ちが大きく変わった前後の場面を取り入れて詩を書くことで、「マラソン大会」のように対比的に表現することができることを伝え、「チェンジハート」のカードをどこに貼るかを考えさせる。

心が動いたことを言葉に

1

「心を動かされたこと」が伝わるような詩の組み立てを考えよう。

書く　言葉を選んで詩を書き、友達と読み合おう　心が動いたことを言葉に

こう成表　四年　組　番【　　　】

①詩に書きたいこと（心が動かされたこと）を場面（連）に分ける。
②気持ちが大きく変わったところ（場面と場面の間）にチェンジハートカードを貼る。
③詩に書くはんい（場面・連）を決めて、詩に書きたい言葉を書き出す。

	(1)	(2)	(3)	(4)
場面（連）	走り始める前	スタート後 苦しくなってきて 差が開いてきた	チェンジハート 友達のおうえんが聞こえた ゴールが見えてきた	ゴールまで走り切った
詩に書きたい言葉		足が止まりそうに 風が冷たい 風がじゃまをしてくる みんなのせなかが遠くなった	「あと少しだよ。」 追い風にせなかをおしてくれた ゴール地点で待っていてくれるみんなのえがお	

・マラソン大会の出来事について、場面分けされている。
・構成表には、走り始める前と走り終わった後のことも書かれていた。
・気持ちが大きく変わった瞬間が「チェンジハート」で表されている。

2

自分の詩の構成表を書く

題材設定・取材シートをもとに
チェンジハートをどこにはるか

←

3

書き終わった人からペアトーク
（書き足し・印など）

3　友達と構成表を共有し、よりよい組み立てを考える　〈20分〉

T　構成表を書き終わった人から、友達とペアトークをして、自分の伝えたいことにぴったりの組み立てを考えましょう。

○構成表を書き終えた子供から、その内容について友達とペアで話し合う。心が動かされた出来事の中でも、特に心が動かされた「瞬間」（気持ちが大きく変わったとき）がどこなのかについて伝え合う。自分の気持ちが大きく変化した瞬間とその前後のつながりについて認識を深め、より適切な組み立てを考えられるようにする。

T　次回は、題材設定・取材シート、構成表を基に、詩を書きます。

よりよい授業へのステップアップ

知っている詩を参考にさせる

可能であれば、日常的な取組として、詩に多くふれさせておきたい。その中で、作者の気持ちの変化を表した詩も取り上げておくことができると、本単元の学習にスムーズに入ることができるようになる。

詩人の作品のみならず、教師が自作した詩を朝の会や帰りの会で紹介したり、ICT 端末を活用して配信したりすることも効果的である。その際、詩の構成についても簡単にふれておくことで、連や行の効果を考えさせるきっかけとしたい。

本時案

心が動いたことを言葉に 4/7

本時の目標

・自分の気持ちを表すぴったりな言葉を選んで詩を書き、レイアウトの工夫を考えることができる。

本時の主な評価

❶様子や行動、気持ちや性格を表す語句の量を増し、話や文章の中で使い、語彙を豊かにしている。【知・技】

資料等の準備

・子供の実態や思いに合わせた各種用紙

これまでに読んできた詩

可能であれば、これまでに読んできた詩を（レイアウトの工夫された作品が望ましい）掲示することで、参考にさせたい。

授業の流れ ▷▷▷

1 詩を書く際の留意点を知る 〈10分〉

T 「マラソン大会」の詩は、各連の２行目の書き出しの位置をずらしていましたね。他にも、字の大きさや色を変えるなどして、詩の見せ方、レイアウトを工夫することもできます。本文を書き終わったら、ぜひ、レイアウトも考えてみましょう。

○ ICT 端末の文書作成ソフトやプレゼンテーションソフトを活用したり、新しい紙にレイアウトを考えたりさせる。

・だんだん緊張が高まっていく感じを出すために、だんだん字を大きくしていこう。

・題名と一番大事な言葉を大きく書こう。

2 自分に合った用紙や方法を選んで詩を書く 〈25分〉

T 学習計画③の「自分の気持ちを表すぴったりな言葉を選び、詩を書く」を進めていきましょう。

○本時のめあてを板書する。

T いよいよ詩を書きます。題材設定・取材シート、構成表を基に、自分の気持ちを表すぴったりな言葉を選びながら書きましょう。原稿用紙、罫線だけの用紙、何も書いていない紙、タブレットの文書作成ソフトの中から、自分に合った用紙・方法を選んで書きましょう。

心が動いたことを言葉に

自分の気持ちを表すぴったりな言葉を選び、詩を書こう。

1 レイアウトの工夫とは
①字の大きさを変える。
・伝えたいことを大きくする。
・だんだん大きくする。
・だんだん小さくする。
②行の書き出しの位置や連の位置をずらす。　など
③字の色を変える。

2 ☆一番大事なのは、本文の内容！　こう果を考えたレイアウトを！

3 さし絵もかいてみましょう

3 自分の詩に合った挿絵を描く〈10分〉

T　詩の本文とレイアウトが終わった人は、挿絵を描いてみましょう。

○挿絵については、絶対に必要というわけではないが、レイアウトの工夫の１つとして取り入れてもよいことを伝える。もし適切な写真があって用意できるようであれば、作品に取り入れてもよいことを伝える。

T　次回は、書いた詩を自分で読み直したり、友達と読み合ったりして、本文やレイアウトをよりよくしていきます。

よりよい授業へのステップアップ

用紙や形式を選択させる

子供たち全員に同じ用紙を配るのではなく、自分に合った、自分の詩に合った用紙や形式を選択させることにより、レイアウトする力を高めたり、創作意欲を引き出したりすることにつなげていく。

ICT 端末の文書作成ソフトやプレゼンテーションソフトを使って下書きをすること、またはそのまま清書として扱うことも、自分に合っているか、自分の詩に合っているかという観点から検討させた上で、子供の思いや実態に合わせて幅広く認めることが肝要である。

本時案

心が動いたことを言葉に 5/7

本時の目標

・自分で読み返したり、友達と読み合ったりして、言葉や表現を吟味する、必要に応じて修正することができる。

本時の主な評価

・自分で読むこと（黙読・音読）、友達と読み合うこと（感想や質問も）を通して、よりよい言葉や表現がないか検討・確認したり、修正したりしている。

資料等の準備

・特になし

③感想やアドバイスを聞く。しつもんに答える。
④必要におうじて、言葉や表現をしゅうせいする。

3 美術館（じゅつ）形式で友達の詩を読んでぎんみ

【友達の詩のよさを自分に詩にいかそう】
・「うれしい」気持ちを「心がおどる」と書いていた。
↓類語、言いかえによる言葉の工夫
・「まるで～のように」を使っていた。
↓比喩（ひゆ）（表現技法）。他にも体言止めやくり返しなど

授業の流れ ▷▷▷

1 自分の詩を読んで、言葉や表現を吟味・修正する 〈15分〉

T　学習計画④の「詩を読んで、言葉や表現を吟味・修正する」を進めていきましょう。
○本時のめあてを板書する。
T　前の時間に書いた詩を読み返し、言葉や表現を吟味・修正しましょう。吟味とは、他によりよいものはないかを検討し、確かめることです。検討した結果、今のままが一番よいと自分で納得することができれば、無理に修正する必要はありません。他によりよい言葉や表現が見つかった場合は、修正するようにしましょう。
→黙読して言葉や表現と向き合う子供。
→音読して響きやリズムを整える子供。
○自分から音読する子供が出てこない場合は、音読をしてもよいことを伝える。

2 友達と詩を読み合い、言葉や表現を吟味・修正する 〈15分〉

T　次は、自分での吟味・修正が終わった詩を友達と読み合い、よりよい言葉や表現がないか、アドバイスをし合いましょう。
○友達との吟味・修正の流れをペアで確認する。
→自分の詩を発表する（作品を見せながら音読する）。
→詩で伝えたいこと（心を動かされたこと）について説明する。
→感想やアドバイスを聞く、質問に答えるなどのペアトークをして、必要に応じて言葉や表現を修正する。

心が動いたことを言葉に

1 詩を読んで、言葉や表現をぎんみ・しゅうせいしよう。

ぎんみ…他によりよいものはないかを検討し、たしかめること。

←このままが一番！
しゅうせいしない

←よりよい言葉・表現が見つかった！
しゅうせいする

黙読(もく)でぎんみ…言葉や表現と向き合う。
音読でぎんみ…ひびきやリズムをととのえる。

☆推敲(すいこう)では、しゅうせいすることだけでなく、けんとう・かくにんすることが大切！

2 友達と詩を読み合ってぎんみ（ペアで）
①自分の詩を発表する（作品を見せながら音読する）。
②詩で伝えたいこと（心を動かされたこと）について説明する。

3 美術館形式で友達の詩を読み、自分の詩に生かす 〈15分〉

T　最後に、美術館形式でたくさんの友達の詩を読み、見つけたよさを自分の詩に生かして、吟味・修正しましょう。

○美術館形式とは、机の上に自分の詩だけを置いて、順路を決めて友達の詩を読みながら進んでいく鑑賞の形式。必要に応じて、国語ノートに友達の詩のよさをメモしてもよいことを伝える。一周したら自分の席に戻り、吟味・修正に入る。

・言葉の選び方が素敵だな。
・比喩や体言止め、繰り返しが効果的だな。
・レイアウトが工夫されていて、見た目でも味わえるな。

T　次回は、詩を清書して、作品として完成させます。

よりよい授業へのステップアップ

友達の詩のよさを発表する

友達と詩を読み合う中で、「素敵だな」「自分の詩にも取り入れてみたいな」という言葉や表現、レイアウトを見つけることができる子供もいるだろう。しかし、友達の詩をそのまま真似するような感覚になってしまい、自分の詩に上手に取り入れることができないことも考えられる。

そこで、友達の詩から見つけたよさを、学級全体に向けて発表させる。教師がそのよさを一般化することで、他の子供が気兼ねなく自分の詩に取り入れることができるようにしたい。

本時案

心が動いたことを言葉に 6/7

本時の目標

・自分の詩に合った用紙や形式を選び、吟味・修正した内容を基に詩を清書し、作品を完成させることができる。

本時の主な評価

・前時の吟味・修正を生かして詩を清書し、レイアウトにもこだわって作品を完成させている。

資料等の準備

・子供の実態や思いに合わせた各種用紙

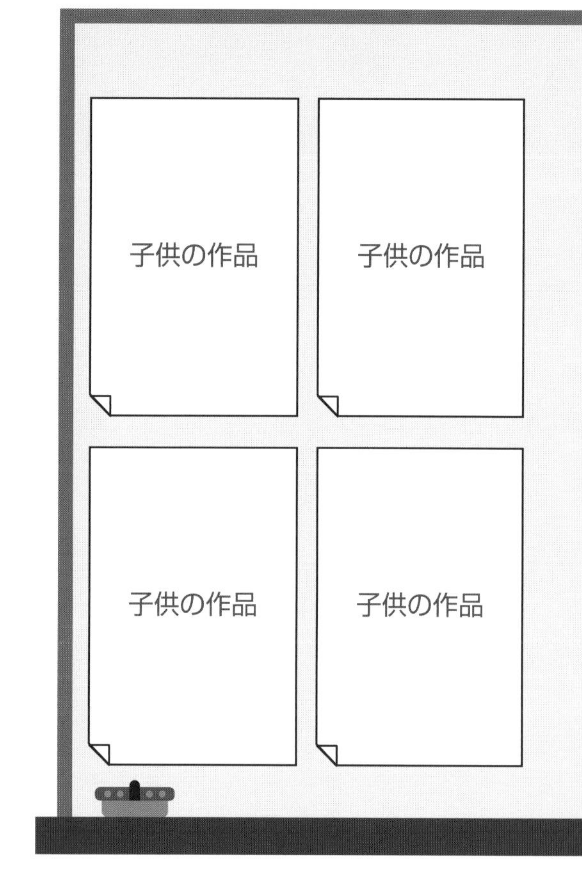

授業の流れ ▷▷▷

1 自分の詩に合った用紙や方法を選んで清書する 〈20分〉

T 学習計画⑤の「詩を清書して、作品を完成させる」を進めていきましょう。

○本時のめあてを板書する。

T 前の時間に吟味・修正したものを基にして詩を清書し、作品を完成させましょう。

○下書きのときに選んだ用紙・方法をそのまま使う子供が大多数だと思われるが、吟味・修正を経て、用紙・方法を変えたいという子供も出てくる可能性がある。必要に応じて、子供が選んでよいこととする。

・原稿用紙を使っていたけれど、何も書いていない紙に連の配置を工夫して書こうかな。

・罫線の用紙を使っていたけれど、やっぱり原稿用紙でマスをずらしながら書こうかな。

2 文字を清書したら、間違いがないか確認を受ける 〈10分〉

T 文字の部分を書き終わったら、字に間違いがないか、先生の確認を受けましょう。

○文字の部分を書き終わった子供から順次見せに来るようにして、文字の確認が終わった子供から、なぞったり色をつけたりするように伝える。

○下書き、推敲、清書という段階を経ることで、内容（言葉や表現）も見た目（表記や丁寧さ）も洗練されてきていることを確認し、励ましたり褒めたりする。

心が動いたことを言葉に

1 詩を清書して、作品を完成させよう。

2 文字の部分を書き終わったら
先生にかくにんを受ける（字のまちがいチェック）
☆先生に見せる前に、自分で読み返す。
・黙（もく）読で読み返す。
・音読で読み返す。

3 文字をなぞったり、さし絵や色を加えたりして、
作品を完成させよう

でき上がった作品から黒板に貼っていく。

3 挿絵や色などを加えて、作品を完成させる 〈15分〉

T　詩そのものを書き終えたら、挿絵や色を加えて作品を完成させましょう。

○色鉛筆や色ペンなど、必要に応じて筆記具も工夫してよいことを伝える。

T　一人一人の「心を動かされたこと」を表した詩が完成しましたね。次回は、でき上がった作品を友達と読み合って、感想を伝え合いましょう。

よりよい授業へのステップアップ

見せ方（見た目）にもこだわる

清書における挿絵や彩色などの工夫は、詩を書く学習活動とは少し異なるものではあるが、広い意味でのレイアウト、書く力の一部分として捉えたい。用紙や形式などを選んだ上で、見せ方（見た目）という側面からも、読み手を引き付ける魅力ある作品を目指すようにしたい。

「読みやすさ」という観点からは、書写の硬筆の学習と関連した指導も効果的である。

本時案

心が動いたことを言葉に 7/7

本時の目標

・でき上がった作品を基に、心を動かされたことについての詩を共有することを通して、友達の詩のよさを見つけるとともに、自分の詩のよさを見つけることができる。

本時の主な評価

❸書こうとしたことが明確になっているかなど、文章に対する感想や意見を伝え合い、自分の文章のよいところを見つけている。【思・判・表】

資料等の準備

・特になし

3「心が動いたことを言葉に」の学習をふり返る
し点①：心を動かされたことについての詩を作っての気付き。
し点②：友達と詩を読み合い、感想を伝え合っての気付き。

授業の流れ ▷▷▷

1 でき上がった作品を読み合い、詩を共有する 〈20分〉

T 学習計画⑥の「友達と読み合い、感想を伝え合う」を進めていきましょう。

○本時のめあてと共有の流れを板書する。

T 共有では、詩を読み合うだけでなく、詩の書き方の工夫や内容（心を動かされたこと）について感想を伝え合い、お互いの詩についての会話をしましょう。

○相手を変えて３～４人で共有する。

・第１連と第２連が対比になっていて、気持ちが大きく変わったことが伝わってきたよ。

・繰り返しのところとそうでないところがあって、だんだん変わっていく様子が伝わってきたよ。

・運動会のダンスで大成功したときの、最高にうれしい気持ちが伝わってきたよ。

2 美術館形式で鑑賞する 〈15分〉

T 次は、美術館形式で鑑賞し合いましょう。

○第５時の吟味・修正のときに行った美術館形式の場の設定について確認し、必要に応じて、感想を伝えたい相手をノートにメモしておくことを伝える。

T 美術館形式での鑑賞が終わったら、直接感想を伝えたい相手とペアトークをしましょう。

○ここでの共有は、あまり形式にとらわれず、友達の詩を読んで感じたことについて自由に話をする時間としてもよい。

心が動いたことを言葉に

1 でき上がった作品を友達と読み合い、感想を伝え合おう。

■共有の流れ
①席を立って声をかけ合い、二人組でとなりどうしにすわる。
②作った作品（詩）を交かんして、読み合う。
③おたがいに、感想を伝え合う。→①にもどる。

■感想のし点
・詩の書き方の工夫について。
・詩の内容（心を動かされたこと）について。

2「心を動かされたことの詩」美術館
①机の上に作品（詩）を置く。
②美術館のように順路を決めて、かんしょうする。
※話して感想を伝えたいと思う詩を見つける。

3 単元の学習を振り返る 〈10分〉

T　2つの視点から、これまでの学習の振り返りを書きましょう。
○振り返りの視点を板書する。
・友達と伝え合ったり、アドバイスし合ったりしたことで、自分の詩がよりよく仕上がりました。
・よりよい表現を探したことで、知っている言葉が増えました。
・友達の詩を読んで、その子のことを前より深く知ることができました。
○最後に、学級詩集を作ることを伝える。

ICT 等活用アイデア

デジタル美術館の常時開館

作品を印刷して紙媒体の詩集にするという方法もあるが、ICT 端末にて撮影したり画像として読み込んだりして、プレゼンテーションソフトや学習支援ソフトなどを活用してデータ上の詩集とする方法もある。

可能であれば、他学級の子供たちとも作品を共有することで、学年の友達一人一人の「心を動かされたこと」を知り、よりよい人間関係を築いていくことにもつなげていきたい。

資料

1 「マラソン大会」の詩の題材設定・取材シート（第2時）18-01

書く　言葉を選んで詩を書き、友達と読み合おう　心が動いたことを言葉に

題材設定（せってい）・取材シート　　四年　組　番【　　　】

★心を動かされたこと（詩に書きたいこと）

マラソン大会のこと。走ることが苦手で苦しかったとき、みんなのおうえんで最後まで走り切れたから。

↓もっとくわしく！

様子	気持ちの変化
・スタート前、息が白いくらい寒かった。 ・じゅんび運動をしても、指先はずっと冷たかった。 ・走り始めてすぐに息が苦しくなってきた。 ・風が強くて冷たくて、何度も止まりそうになった。 ・みるみる差が開いて、なんだか一人で走っているようだった。 ・ゴールが近づいてくると、友達のおうえんが聞こえてきた。 ・「あと少しだよ。」 ・苦しさがやわらいで、一気にゴールまで走った。	苦しい　止まってしまいたい ↓ おうえんのおかげで力が出てきた ↓ 走り切れてよかった

2 題材設定・取材シート（第2時）18-02

書く　言葉を選んで詩を書き、友達と読み合おう　心が動いたことを言葉に

題材設定（せってい）・取材シート　　四年　組　番【　　　】

★心を動かされたこと（詩に書きたいこと）

↓もっとくわしく！

様子	気持ちの変化

3 「マラソン大会」の詩の構成表（第３時） 18-03

書く　言葉を選んで詩を書き、友達と読み合おう　心が動いたことを言葉に

こう成表　四年　組　番【　　】

① 詩に書きたいこと（心が動かされたこと）を場面（連）に分ける。
② 気持ちが大きく変わったところ（場面と場面の間）にチェンジハートカードを貼る。
③ 詩に書くはんい（場面・連）を決めて、詩に書きたい言葉を書き出す。

	(1)	(2)	(3)	(4)
場面（連）	走り始める前	スタート後 苦しくなってきて 差が開いてきた	（チェンジハート） 友達のおうえんが聞こえた ゴールが見えてきた	ゴールまで走り切った
詩に書きたい言葉		足が止まりそうに 風が冷たい 風がじゃまをしてくる みんなのせなかが遠くなった	「あと少しだよ。」 追い風にせなかをおしてくれた ゴール地点で待っていてくれるみんなのえがお	

4 構成表（第３時） 18-04

書く　言葉を選んで詩を書き、友達と読み合おう　心が動いたことを言葉に

こう成表　四年　組　番【　　】

① 詩に書きたいこと（心が動かされたこと）を場面（連）に分ける。
② 気持ちが大きく変わったところ（場面と場面の間）にチェンジハートカードを貼る。
③ 詩に書くはんい（場面・連）を決めて、詩に書きたい言葉を書き出す。

場面（連）	
詩に書きたい言葉	

調べて分かったことを話そう

調べて話そう、生活調査隊　8時間扱い

単元の目標

知識及び技能	・相手を見て話したり聞いたりするとともに、言葉の抑揚や強弱、間の取り方などに注意して話すことができる。((1)イ) ・考えとそれを支える理由や事例、全体と中心など情報と情報との関係について理解することができる。((2)ア)
思考力、判断力、表現力等	・目的を意識して、日常生活の中から話題を決め、集めた材料を比較したり分類したりして、伝え合うために必要な事柄を選ぶことができる。(A ア) ・相手に伝わるように、理由や事例などを挙げながら、話の中心が明確になるよう話の構成を考えることができる。(A イ) ・話の中心や話す場面を意識して、言葉の抑揚や強弱、間の取り方などを工夫することができる。(A ウ)
学びに向かう力、人間性等	・言葉がもつよさに気付くとともに、幅広く読書をし、国語を大切にして、思いや考えを伝え合おうとする。

評価規準

知識・技能	❶相手を見て話したり聞いたりするとともに、言葉の抑揚や強弱、間の取り方などに注意して話している。(〔知識及び技能〕(1)イ) ❷考えとそれを支える理由や事例、全体と中心など情報と情報との関係について理解している。(〔知識及び技能〕(2)ア)
思考・判断・表現	❸「話すこと・聞くこと」において、目的を意識して、日常生活の中から話題を決め、集めた材料を比較したり分類したりして、伝え合うために必要な事柄を選んでいる。(〔思考力、判断力、表現力等〕A ア) ❹「話すこと・聞くこと」において、相手に伝わるように、理由や事例などを挙げながら、話の中心が明確になるよう話の構成を考えている。(〔思考力、判断力、表現力等〕A イ) ❺「話すこと・聞くこと」において、話の中心や話す場面を意識して、言葉の抑揚や強弱、間の取り方などを工夫している。(〔思考力、判断力、表現力等〕A ウ)
主体的に学習に取り組む態度	❻積極的に、話の中心や話す場面を意識して、言葉の抑揚や強弱、間の取り方などを工夫し、学習課題に沿って、調べて分かったことを発表しようとしている。

単元の流れ

次	時	主な学習活動	評価
一	1	学習の見通しをもつ ・普段の生活の中で「みんなはどうしているのかな」と思うことを話し合う。	

		・「生活に関する疑問をグループで調査してお家の人に動画で発表する」という学習課題を設定し、学習の見通しをもつ。	
二	2	・グループで調べたいことを決める。	❸
	3	・調べたいことについてアンケートを作る。	❸
	4	・アンケート結果を整理し、資料を作る。	❸
	5	・発表メモを作る。	❷❹
	6	・発表で気を付けることを確認し、練習する。	❶❺
三	7	・調べて分かったことを発表する様子を動画で撮影する。	❶❺
	8	・発表動画を見合い、よいところを伝え合う。 ※作成した動画は、保護者会等でお家の方に見せる。 学習を振り返る	❻

授業づくりのポイント

〈単元で育てたい資質・能力〉

本単元のねらいは、目的を意識して、日常生活の中から話題を決め、集めた材料を比較したり分類したりして、伝え合うために必要な事柄を選ぶとともに、話の中心や話す場面を意識して、言葉の抑揚や強弱、間の取り方などを工夫できるようにすることである。

〈教材・題材の特徴〉

自分たちの生活に関する疑問について調べるため、日常生活の中から話題を決め、集めた材料を比較したり分類したりして、伝え合うために必要な事柄を選ぶことができる。また、自分たちで調べて分かったことを発表するため、話の中心や話す場面を意識して、言葉の抑揚や強弱、間の取り方などを工夫することができる。

〈言語活動の工夫〉

生活に関する疑問をグループで調査して、お家の人に動画で発表する言語活動が設定されている。動画で発表するため、動画を作る際に自分たちで何度も見直しながら、話の中心や話す場面を意識して、言葉の抑揚や強弱、間の取り方などを工夫することができる。また、動画で発表の様子が残るため、評価の材料として活用できる。さらに、昔の発表の様子と比較したり、よい発表の仕方のお手本として紹介したりする等の活用も考えられる。学習指導要領においても、内容の取扱いの配慮事項として「第 2 の内容の指導に当たっては、子供がコンピュータや情報通信ネットワークを積極的に活用する機会を設けるなどして、指導の効果を高めるよう工夫すること」が示されている。積極的に活用していきたい。

〈ICT の効果的な活用〉

調査：アンケートを作成する際、オンライン・アンケートフォームを活用する。
表現：発表メモを作成する際、文書作成ソフトのコメント機能を活用する。
共有：プレゼンテーションソフトを用いて、音声だけでなく視覚的にも説明や報告をする。
記録：ICT 端末の録音・録画機能を用いて、口頭での説明の練習をする。

本時案

調べて話そう、生活調査隊

本時の目標

・積極的に、話の中心や話す場面を意識して、言葉の抑揚や強弱、間の取り方などを工夫し、学習課題に沿って、調べて分かったことを発表しようとする。

本時の主な評価

・積極的に、話の中心や話す場面を意識して、言葉の抑揚や強弱、間の取り方などを工夫し、学習課題に沿って、調べて分かったことを発表しようとしている。

資料等の準備

・グループの考えをまとめるための短冊
・付箋紙

調べたことを資料にまとめる

□グループ
○○○する。

発表練習をする

□グループ
○○○する。

個人の付箋紙は短冊の周りや裏に貼るとよい。

授業の流れ ▷▷▷

1 普段の生活の中で疑問に思うことを共有する 〈5分〉

T　普段の生活の中で、「みんなはどうしているのかな」と思うことはありますか。
・どの位の時間眠っているのかな。
・給食でどんなメニューが好きなのかな。
・放課後にどんな習い事をしているのかな。
・どんな本を読んでいるのかな。
○子供に問いかける前に、教師が例を示すとよい。
○子供から出てきた意見を分類し、整理して板書するとよい。

2 本時の学習活動を確認する 〈5分〉

T　今まで発表するときにどんな発表をしたことがありますか。
・画用紙で紙芝居を作って発表したことがある。
・模造紙に調べたことをまとめて発表したことがある。
T　今回は、「生活に関する疑問をグループで調査してお家の人に動画で発表する」という活動に取り組みましょう。
○事前に教師が発表動画を作成し、子供にお手本として見せるとよい。子供たちは、学習活動の具体的なイメージをもつことができる。

調べて話そう、生活調査隊

1 ふだんの生活で気になることを話し合おう

・どの位の時間ねむっているのかな。
・給食でどんなメニューが好きなのかな。
・放課後にどんな習い事をしているのかな。
・どんな本を読んでいるのかな。

2 生活に関するぎもんをグループで調査してお家の人に動画で発表する

板書を写真にとって掲示することもできる。

3 学習計画を立てよう

国語の授業中

学習計画を立てる。

国語の授業以外

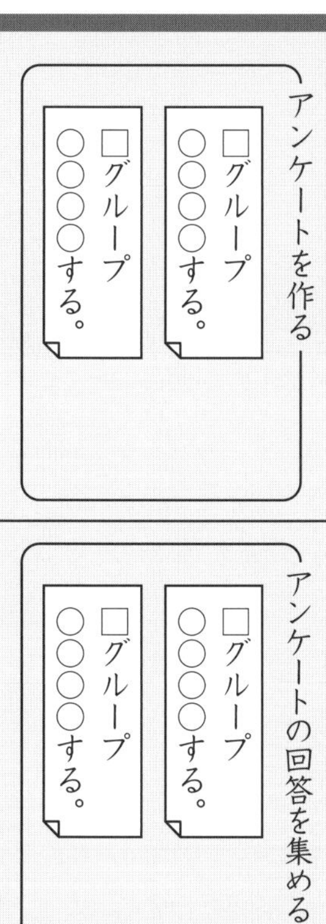

3 学習計画を立てる 〈35分〉

T　この発表動画を作るために、どんな活動をしていきますか。使える時間は今日を含めて８時間です。
・調べるためにアンケートを作る。
・アンケートで調べたことを資料にまとめる。
○以下のような手順で学習計画を立てていくとよい。また、付箋紙には氏名を書かせる。
　①個人で付箋紙に自分の意見を書く。
　②グループで同じ意見を短冊にまとめる。
　③グループでまとめた短冊を使って、学級全体で学習計画を整理する。

よりよい授業へのステップアップ

学習計画を共有する工夫

　学習計画を共有する際に、板書を写真で撮影するとよい。板書を撮影した画像を印刷し、ノートに貼って共有することもできる。ICT 端末等を使うことができれば、画像データで共有することも考えられる。

主体性を生かした学習計画にする工夫

　学習計画を立てる際に、教師の意図していなかった学習活動が子供から提示されることもある。子供に身に付けさせたい資質・能力との整合性を考え、採用を検討するとよい。

本時案

調べて話そう、生活調査隊

本時の目標

・目的を意識して、日常生活の中から話題を決め、集めた材料を比較したり分類したりして、伝え合うために必要な事柄を選ぶことができる。

本時の主な評価

❸「話すこと・聞くこと」において、目的を意識して、日常生活の中から話題を決め、集めた材料を比較したり分類したりして、伝え合うために必要な事柄を選んでいる。【思・判・表】

資料等の準備

・グループの考えをまとめるための短冊
・付箋紙

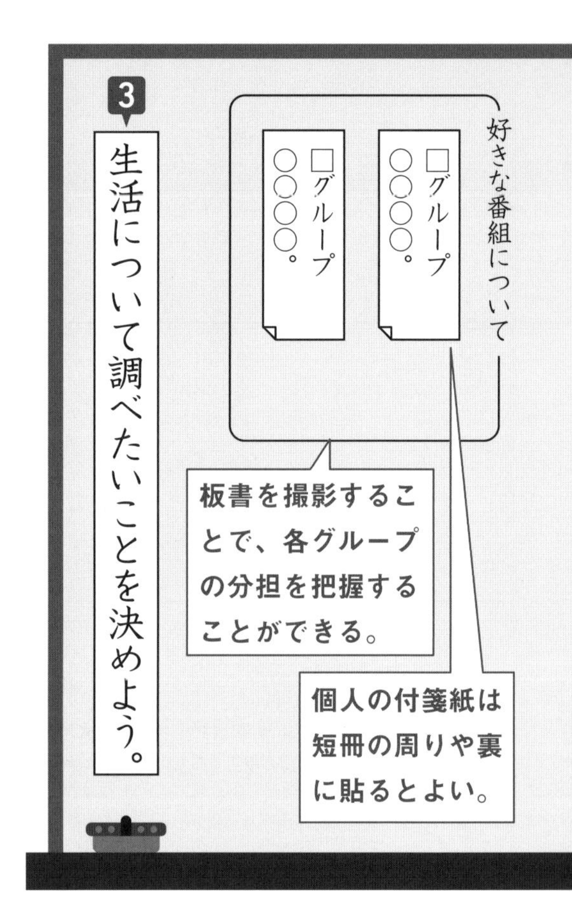

授業の流れ ▷▷▷

1 学習の流れを確認する 〈5分〉

T　今日の授業の流れを確認しましょう。
・まず、自分やみんなの生活について、疑問に感じていることを出し合います。次に、グループで調べたいことを決めます。
○本時の流れを板書等に掲示することを通して、子供が活動の流れを忘れてしまったときに確認しながら活動できるようにする。このことで、学習活動に取り組む時間を十分確保する。
○グループの話合いで使う短冊等は、画用紙を四分割するなど、時間をかけず簡単に作れるようにするとよい。

2 自分やみんなの生活について、疑問に感じていることを出し合う〈25分〉

T　自分やみんなの生活について、疑問に思っていることを出し合いましょう。
○以下のような手順で学習計画を立てていくとよい。また、付箋紙には氏名を書かせる。
①個人で付箋紙に自分の意見を書く。
②グループで同じ意見を短冊にまとめる。
③グループでまとめた短冊を使って、学級全体で調べる内容を整理する。
○グループの人数は４人程度にするとよい。子供の実態等に配慮して、決めるとよい。
○子供からの発表内容が少ない場合、教師が調べる内容を提示するとよい。

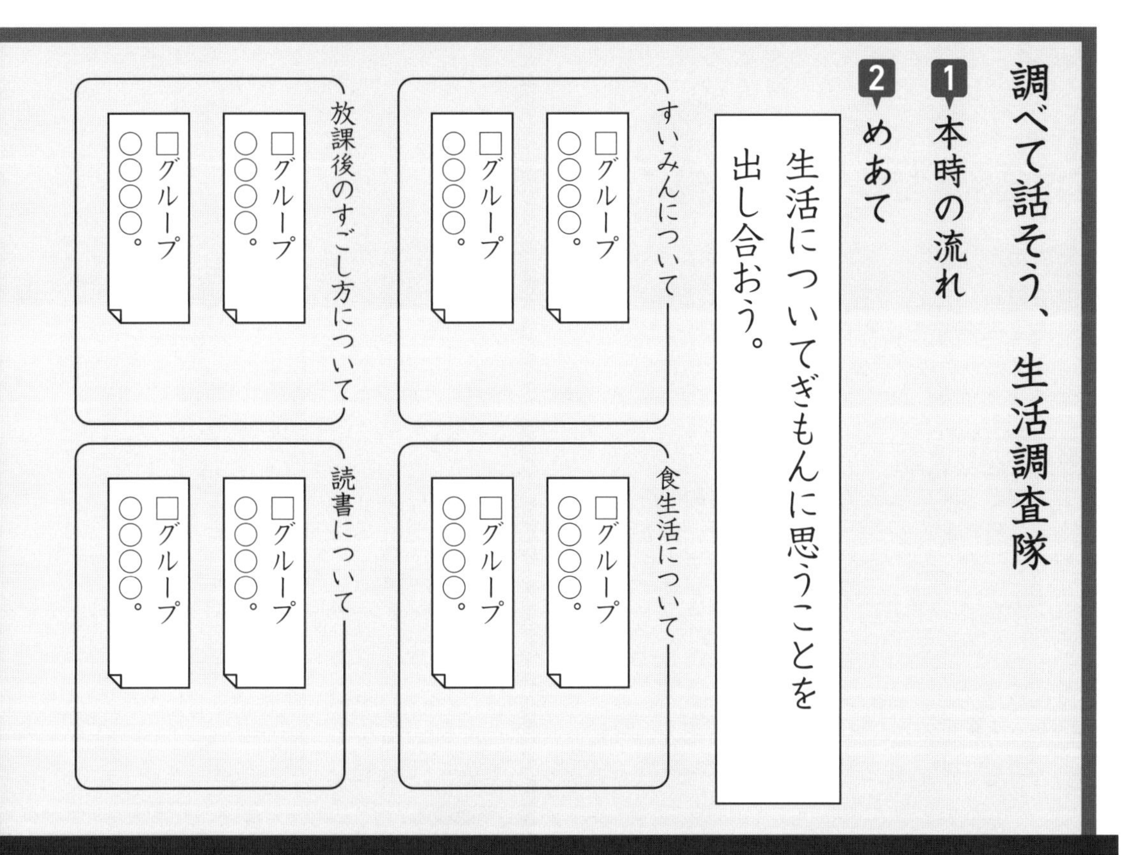

3 調べたいことを決める 〈15分〉

T　自分たちのグループで調べることを決めましょう。

○板書に書かれた内容を参考にして、調べる内容を決めさせるとよい。このことにより、より幅広い内容から、調べたい内容を選ぶことができる。

○グループごとに決めさせた場合、調べたい内容が重複する可能性もある。その際には、子供の思いを聞き取りながら、柔軟に対応したい。

T　自分の調べる内容と、調べる内容を決めた理由を振り返りカードに書きましょう。

よりよい授業へのステップアップ

グループの話合い活動への参加を促す工夫

　子供一人一人に司会、計時、記録、発表等の役割を与えるとよい。役割を担うことを通して、話合いに参加する基本的な態度を学ぶことができるからである。例えば、司会の役割を担うことにより、話合いで積極的に発言することの大切さを実感することができる。役割は輪番で回し、全てのメンバーが全ての役割を通して学ぶ機会をもてるようにする。子供同士の話合い活動の質を高めるために、様々な教科の学習を通して、継続的に学ばせていきたい。

本時案

調べて話そう、生活調査隊

本時の目標

・目的を意識して、日常生活の中から話題を決め、集めた材料を比較したり分類したりして、伝え合うために必要な事柄を選ぶことができる。

本時の主な評価

❸「話すこと・聞くこと」において、目的を意識して、日常生活の中から話題を決め、集めた材料を比較したり分類したりして、伝え合うために必要な事柄を選んでいる。【思・判・表】

資料等の準備

・アンケート用紙の作り方の拡大掲示
・教師の作成したアンケート用紙の拡大掲示 20-01

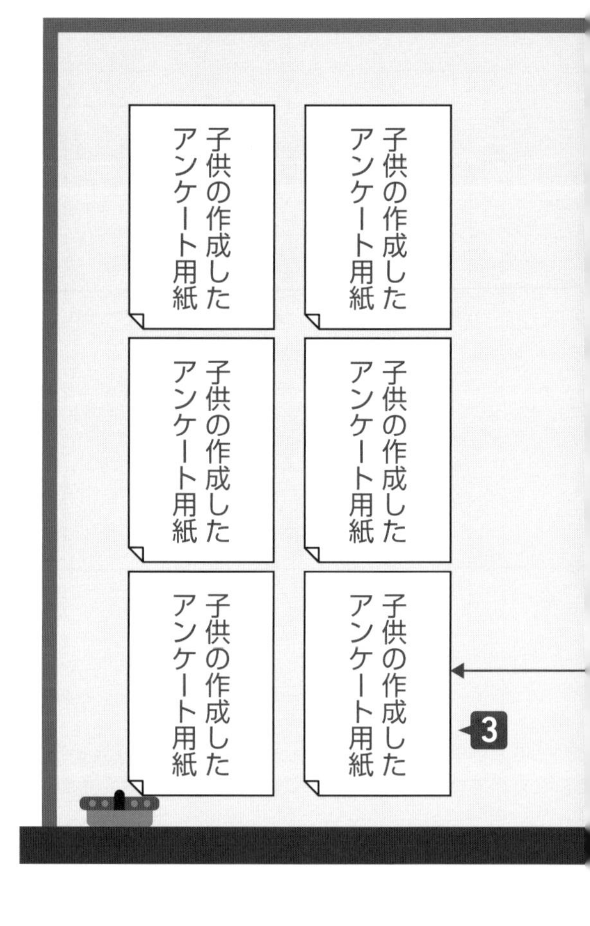

授業の流れ

1 本時の流れを確認する 〈5分〉

T　今日の授業ですることを確認しましょう。
・今日はアンケートで質問することを決めます。次にアンケート用紙を作ります。
○学習の流れを板書等に掲示することを通して、子供が活動の流れを忘れてしまったときに確認しながら活動できるようにする。このことで、学習活動に取り組む時間を十分確保する。
○アンケート作成に使う用紙などは事前に十分な数を準備しておく。このことにより、書き直しなどの様々な事態に臨機応変に対応できる。

2 アンケートで質問することを決める 〈15分〉

T　アンケートで質問することを決めます。質問の数は、グループの人数と同じになるようにします。
○アンケートの質問数は、グループの人数分にするとよい。例えば、3人グループであれば、質問数は3つとする。このことにより、グループの全員が1つずつ質問内容を書くことになるとともに、自分の書いた質問についてまとめさせることができる。また、アンケートの質問数が制限されるため、アンケートに回答する時間や、まとめに要する時間を軽減することができる。

調べて話そう、生活調査隊

1 アンケート用紙を作ろう。

学習の流れ
①アンケートでしつもんすることを決める。
②アンケートを作る。

アンケート用紙の作り方
①しつもんの内容を決める。
②だれがどのしつもんを分たんするか決める。
③分たんしたしつもんをアンケート用紙に書く。
④アンケート用紙を一枚にまとめる。

教師の作成したアンケート用紙の拡大表示 2

完成した子供のアンケート用紙は、掲示するとよい。

3 アンケートを作成する 〈25分〉

T 各グループでアンケートを作りましょう。

○3人グループであれば、1枚の用紙を題名部分、3つの質問項目を書く部分に分割して配布するとよい。このことにより、3人の子供が同時進行でアンケートを作成することができる。

○アンケート用紙はマス目のある用紙を使わせるとよい。このことにより、字の大きさなどを揃えて書くことができる。

○質問を書いた子供の氏名を書かせるとよい。このことにより、授業後にも一人一人の学習状況について確認することができる。

ICT 等活用アイデア

オンライン・アンケートシステムの活用

本時では、マス目のある用紙を使ってアンケートを実施する方法を紹介した。しかし、子供の実態によっては、オンライン・アンケートシステムを活用して同様の活動を実施することも考えられる。オンライン・アンケートシステムを活用すれば、グラフ化などの作業も同時に進めることができるため時間を効率的に使うこともできる。その際、誰がどの質問を担当したのかが分かるように、質問の最後に氏名を記入させるとよい。

本時案

調べて話そう、生活調査隊

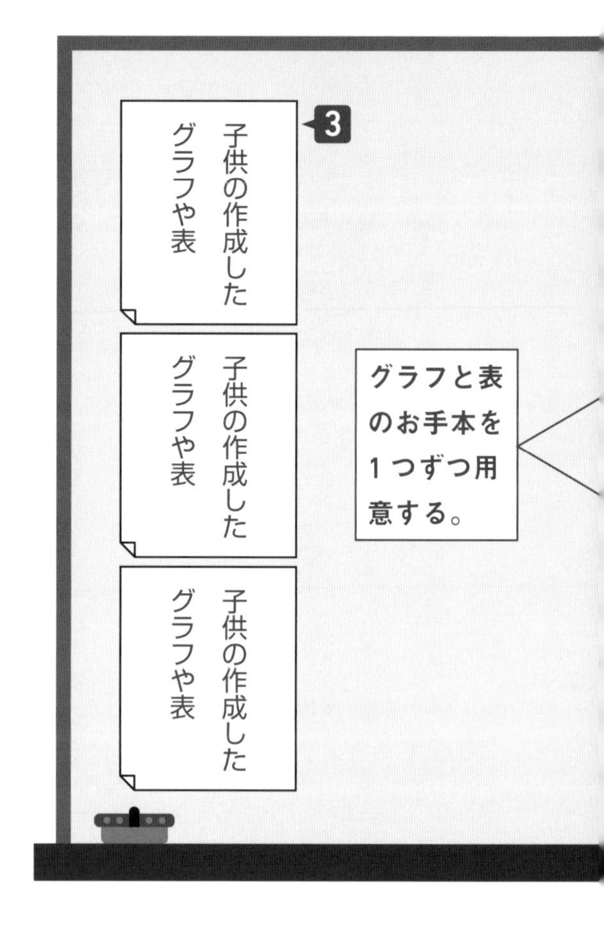

本時の目標

・目的を意識して、日常生活の中から話題を決め、集めた材料を比較したり分類したりして、伝え合うために必要な事柄を選ぶことができる。

本時の主な評価

❸「話すこと・聞くこと」において、目的を意識して、日常生活の中から話題を決め、集めた材料を比較したり分類したりして、伝え合うために必要な事柄を選んでいる。【思・判・表】

資料等の準備

・学習の流れの拡大掲示
・教師の作成した表やグラフの拡大 20-02、20-03

授業の流れ ▷▷▷

1 他のグループのアンケートに回答する 〈10分〉

T 他のグループのアンケートに答えましょう。
○事前にアンケートを印刷しておく。机や台などを使って、子供にアンケート用紙を取らせていく形で配布すると早く配布できる。
○回答の終わったアンケートについて、各グループにアンケートの種類ごとに分けて回収させるとよい。
○子供の回答したアンケートについて、原本は教師が保存するとよい。
○アンケートに回答する活動については、家庭学習で取り組ませることも考えられる。子供の実態によって、臨機応変に対応したい。

2 アンケート結果をグラフや表にまとめる 〈25分〉

T アンケート結果をグラフや表にまとめましょう。
○4年生までの算数で学習した、グラフや表を使った調べ方を想起できるプリントを準備するとよい。
○実際に教師がグラフにまとめたお手本を示すとよい。
○マス目のある用紙を使うとよい。このことにより、グラフの目盛などを揃えやすくなる。
○用紙は事前に十分な数を準備しておく。このことにより、書き直しなどの様々な事態に対応することができる。

調べて話そう、生活調査隊

1 グラフや表にして分かったことを書こう。

2 学習の流れ
①回答の種類ごとの数を正の字で数える。
②グラフや表にまとめる。

どこで読書をすることが多いか。

どこで読書をすることが多いか。

場所	人数
自分や友達の家	10
学校の教室	8
学校の校庭	7
公園や広場	5

3 がんばったことと、これからの学習に生かしたいことをまとめる〈10分〉

T　今回の学習について、がんばったことと、これからの学習に生かしたいことをまとめましょう。

・表やグラフを使うと、他の回答と比べて、どの回答が多くて、どの回答が少ないのかが分かりやすい。

・表やグラフにまとめる中で気付いたことがあるので、次の時間に文章で書いてみようと思う。

○子供のノートを見て、よいまとめを書いていたら、学級全体に紹介する。

ICT 等活用アイデア

表計算ソフト等の活用

本時の学習活動を行う際、表計算ソフトやプレゼンテーションソフトを活用することも考えられる。表計算ソフトを使ってグラフなどを作成し、プレゼンテーションソフトに転記することができるようになれば、他教科の学習に生かすことができるだけでなく、実際に社会に出ても役立つ資質・能力を身に付けさせることができる。各学校に配備されている ICT 端末を大いに活用し、子供の実態に合わせて、積極的に取り組ませていくことが望まれる。

本時案

調べて話そう、生活調査隊

本時の目標

・相手に伝わるように、理由や事例などを挙げながら、話の中心が明確になるよう話の構成を考えることができる。

本時の主な評価

❷考えとそれを支える理由など情報と情報との関係について理解している。【知・技】

❹「話すこと・聞くこと」において、相手に伝わるように、理由や事例などを挙げながら、話の中心が明確になるよう話の構成を考えている。【思・判・表】

資料等の準備

・教師の作成した表やグラフの拡大 20-02、20-03

・教師の作成した発表メモ 20-04

グラフと表を１つずつ用意する。 3 2

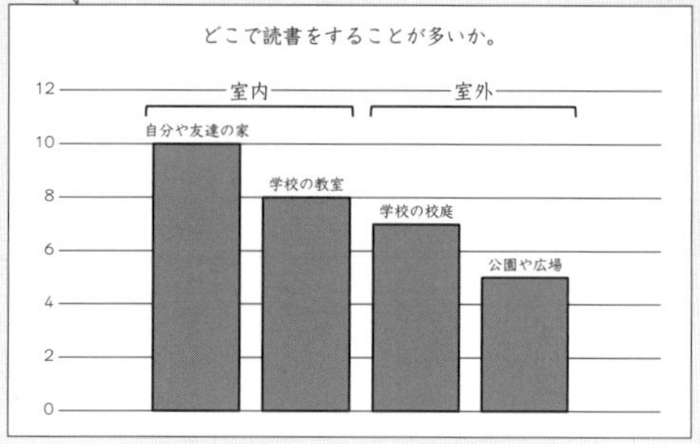

どこで読書をすることが多いか。

場所	人数
自分や友達の家	10
学校の教室	8
学校の校庭	7
公園や広場	5

授業の流れ ▷▷▷

1 教師の発表メモを確認する 〈10分〉

T　先生の発表メモを確認して、気付いたことを教えてください。

・箇条書きで書いている。

・番号が書いてあるよ。

・この番号は、話す順番なのだと思う。

・箇条書きだと覚えやすいね。

○教師の作成したグラフや表の拡大と、教師の作成した発表メモの拡大を黒板に掲示する。

○教師の作成した発表メモは、箇条書きの読む順番をあえて「誤った順番」にしておくとよい。このことにより、話の構成について考えさせることができる。

2 グラフや表にまとめて分かったことを書く 〈25分〉

T　グラフや表にまとめて、分かったことを書きましょう。

○分かったことは箇条書きで書かせるとよい。このことにより、書いた文をそのまま音読しなくなるとともに、伝えたい内容を覚えやすくなる。

○伝える順番を決めさせて、箇条書きの文に番号を振らせるとよい。このことにより、与えられた時間に応じて、伝える内容を調整できるようになる。

○グラフをかいた用紙と、分かったことを書いた用紙は、画用紙の表裏にそれぞれ貼らせるとよい。

調べて話そう、生活調査隊

グラフや表にして分かったことを書こう。

1

○発表メモ

【初め】

①読書について、クラスのみんながどうしてい
るのかきょうみをもったので調べた。

【中】

⑤いちばん読書することが多い場所は、自分
や友達の家。

③自分や友達の家と学校の教室との合計は18
人。

②室内は室外より多い。

④しかし、意外と室外で読書している人も多
い。

【終わり】

⑥校庭にベンチなどのすわるところ
を用意してもよいのではないか。

○グラフや表を見て気付いたこと

・分かったことはかじょう書きで。

・表は具体的な数字が分かりやすい。

・棒グラフは数量をくらべやすい。

丸数字の順番が誤っていることに気付かせる。

3 がんばったことと、これからの学習に生かしたいことをまとめる〈10分〉

T　今回の学習について、がんばったことと、これからの学習に生かしたいことをまとめましょう。

・話す順番を考えるとき、最初に一番伝えたいことを話してから、そう考えた理由を話すとよい。

・発表メモを箇条書きで書くと覚えやすくてよい。

・番号を振れば、話す順番も忘れなくなる。

○子供のノートを見て、よいまとめを書いていたら、学級全体に紹介する。

ICT 等活用アイデア

文書作成ソフトの活用

本時では、発表メモを作成する際、紙に書かせる方法を紹介したが、文書作成ソフトを活用することも考えられる。文書作成ソフトの共同編集機能を活用することによって、グループとしての発表用原稿をグループ全員で協力して作成することができるため、効率的に学習を進められる。また、誰がどの発表メモを作成したのかが分かるように、メモの最後に氏名を書かせるとよい。さらに、他の人の書いた文章に対して助言するときは、コメント機能を使わせることもできる。

本時案

調べて話そう、生活調査隊

発表練習の前に、お手本となる動画を見せるとよい。

本時の目標

・話の中心や話す場面を意識して、言葉の抑揚や強弱、間の取り方などを工夫することができる。

本時の主な評価

❶相手を見て話したり聞いたりするとともに、言葉の抑揚や強弱、間の取り方などに注意して話している。【知・技】

❺「話すこと・聞くこと」において、話の中心や話す場面を意識して、言葉の抑揚や強弱、間の取り方などを工夫している。【思・判・表】

資料等の準備

・「発表で気を付けること」の拡大掲示
・「学習の流れ」の拡大掲示

授業の流れ ▷▷▷

1 本時の流れを確認する 〈5分〉

T　今日の授業ですることを確認しましょう。
・まず、導入の部分とまとめの部分に話すことを決めます。終わったら、発表の練習をします。

○「学習の流れ」を板書等に掲示することを通して、子供が活動の流れを忘れてしまったときに確認しながら活動できるようにする。このことで、学習活動に取り組む時間を十分確保する。

○発表メモの作成に使う用紙などは事前に十分な数を準備しておく。このことにより、書き直しなどの様々な事態に臨機応変に対応できる。

2 発表の導入の部分とまとめの部分に話すことを決める 〈15分〉

T　発表の導入の部分とまとめの部分に話すことを書きましょう。

○導入の部分について書かせる際は、以下のことを箇条書きで書かせるとよい。できるだけ短く書かせるとよい。
→調べた内容
→調べたきっかけや目的

○まとめの部分を書かせる際は、以下のことを箇条書きで書かせる。できるだけ短く書かせるとよい。
→考えたことや伝えたいこと
→終わりの言葉

○箇条書きは、常体で書かせるとよい。

調べて話そう、生活調査隊

発表の練習をしよう。

1

学習の流れ
①どう入の部分で話すことを決める。
②まとめの部分で話すことを決める。
③発表の練習をする。

どう入の部分
・調べた内容
・調べたきっかけや目的

まとめの部分
・考えたことや伝えたいこと
・終わりの言葉

2

発表で気を付けること
・相手のほうを見て話すこと。
・言葉の抑揚（よくよう）や強弱、間の取り方などに注意して相手に伝わるように話すこと。

発表の練習の前に掲示する。

3 発表の練習をし、学習を振り返る〈25分〉

T 発表の導入部分とまとめの部分に話すことを決めたら、発表の練習をしましょう。

○発表の際、グループ全員が必ず発表できるようにする。本人がまとめた部分について、発表させるとよい。

○発表の際に気を付けることとして、以下のことを明示しておくとよい。

→相手のほうを見て話すこと。

→言葉の抑揚や強弱、間の取り方などに注意して相手に伝わるように話すこと。

○発表の手本を動画等で示すとよい。教師や子供のお手本を示すと、具体的なイメージをもつことができる。

よりよい授業へのステップアップ

グループ活動の工夫

グループ活動は有効な学習方法である。ただし、子供一人一人の学習状況を確認できるようにする必要もある。したがって、グループ内での役割分担を子供任せにせず、教師が役割分担の仕方を明確に示すとよい。ポイントは、子供一人一人の学習状況を評価規準に基づいて見取ることができるかどうかである。そこで、本単元の場合は、アンケートの１つの質問について、１人の子供がアンケートの作成から発表まで、全てを担当させることにした。

本時案

調べて話そう、生活調査隊

本時の目標

・話の中心や話す場面を意識して、言葉の抑揚や強弱、間の取り方などを工夫することができる。

本時の主な評価

❶言葉の抑揚や強弱、間の取り方などに注意して話している。【知・技】

❺「話すこと・聞くこと」において、話の中心や話す場面を意識して、言葉の抑揚や強弱、間の取り方などを工夫している。【思・判・表】

資料等の準備

・「学習の流れ」の拡大掲示
・「発表で気を付けること」の拡大掲示

3 学習のふり返り
・相手のほうを見て話すことに気を付けて話すことができた。
・言葉の抑揚や強弱、間の取り方などに注意して話すように練習したので、うまく話すことができた。

授業の流れ ▷▷▷

1 学習の流れを確認する 〈10分〉

T　今日の授業の流れを確認しましょう。
・まず、発表動画を撮影します。次に、動画を見合って気付いたことを伝え合います。

○「学習の流れ」を板書等に掲示することを通して、子供が活動の流れを忘れてしまったときに確認しながら活動できるようにする。このことで、学習活動に取り組む時間を十分確保するとよい。

○発表の際に気を付けることとして、以下のことを明示しておくとよい。
→相手のほうを見て話すこと。
→言葉の抑揚や強弱、間の取り方などに注意して相手に伝わるように話すこと。

2 発表動画を撮影する 〈25分〉

T　グループ同士で動画を撮影し合いましょう。発表動画を撮影し終わったら、確認して気を付ける点をグループで確認しましょう。

○動画撮影のために、体育館など広い場所を確保できるとよい。

○ ICT 端末はグループ数分、準備するとよい。このことにより、各グループで動画を見ながら、発表について振り返ることができるからである。

○撮影するグループ、撮影されるグループ、動画を見直すグループと 3 グループを組み合わせて活動させるとよい。このことにより、学習活動の時間を十分に確保できる。

調べて話そう、生活調査隊

発表動画をさつえいしよう。

1

学習の流れ
①発表動画をさつえいする。
②他のグループの動画を見て気付いたことを伝え合う。

発表で気を付けること
・相手のほうを見て話すこと。
・言葉の抑揚（よくよう）や強弱、間の取り方などに注意して相手に伝わるように話すこと。

2

発表練習の前に、お手本となる動画を見せるとよい。撮影するグループ、撮影されるグループ、動画を見直すグループと3グループを組み合わせて活動させる。

3 がんばったことと、これからの学習に生かしたいことをまとめる〈10分〉

T　今回の学習について、がんばったことと、これからの学習に生かしたいことをまとめましょう。

・相手のほうを見て話すことに気を付けて話すことができた。
・言葉の抑揚や強弱、間の取り方などに注意して話すように練習したので、うまく話すことができた。

○子供のノートを見て、よいまとめを書いていたら、学級全体に紹介する。

ICT 等活用アイデア

撮影した動画を比較する

本時では、ICT 端末を使って動画を撮影するという学習活動を設定した。このことにより、自分たちの発表を自分たちで見直し、「話の中心や話す場面を意識して、言葉の抑揚や強弱、間の取り方などを工夫する」ことを繰り返し行わせることができると考えたからである。また、初めに撮影した動画と一番うまく発表できた動画を比較することで、自分たちの話し方が上達していることを実感しやすくなることも考えられる。さらに、教師が授業後に評価することもできる。

本時案

調べて話そう、生活調査隊

本時の目標

・積極的に、話の中心や話す場面を意識して、言葉の抑揚や強弱、間の取り方などを工夫し、学習課題に沿って、調べて分かったことを発表しようとする。

本時の主な評価

❻積極的に、話の中心や話す場面を意識して、言葉の抑揚や強弱、間の取り方などを工夫し、学習課題に沿って、調べて分かったことを発表しようとしている。【態度】

資料等の準備

・「発表で気を付けること」の拡大掲示

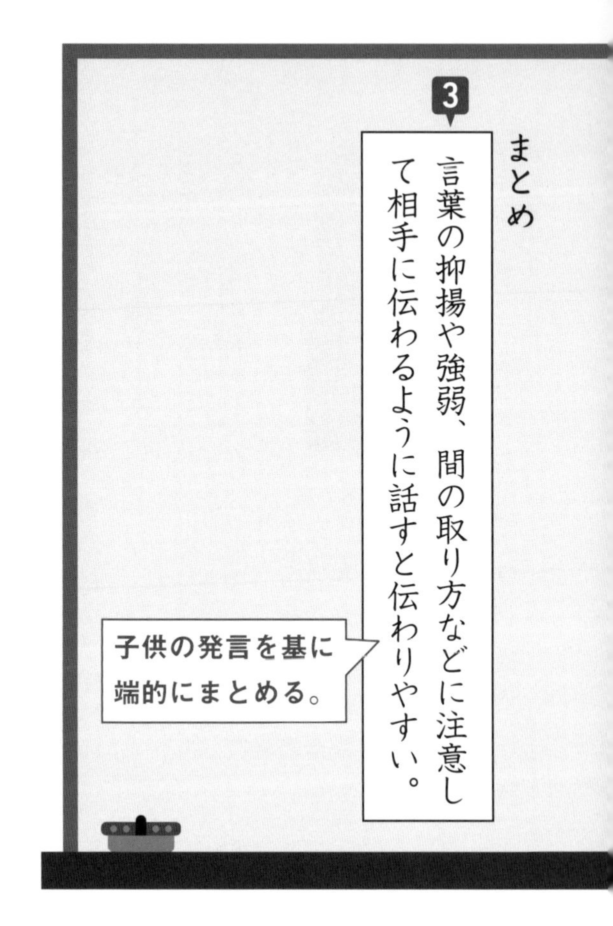

授業の流れ ▷▷▷

1 発表で気を付けることを確認する 〈10分〉

T　発表で気を付けることを確認しましょう。

・相手のほうを見て話すことです。
・言葉の抑揚や強弱、間の取り方などに注意して相手に伝わるように話すことです。
・この前撮影した動画では、気を付けて話すことができたと思う。
・他の人は気を付けて話すことができたのかな。実際に見てみたい。

○発表の際に気を付けることを掲示する。このことにより、撮影した動画を見るときに、確認することが明確になる。

2 互いの発表動画を見合って気付いたことを伝え合う 〈25分〉

T　お互いの発表動画を見合って気付いたことを書きましょう。

○教師は「話の中心や話す場面を意識して、言葉の抑揚や強弱、間の取り方などを工夫している」子供を把握する。

T　お互いの発表動画を見合って気付いたことを発表しましょう。

○「話の中心や話す場面を意識して、言葉の抑揚や強弱、間の取り方などを工夫している」子供の発表動画を見せ、教師が価値付けるとよい。

調べて話そう、生活調査隊

発表動画を見て気付いたことを伝えよう。

1

発表で気を付けること
・相手のほうを見て話すこと。
・言葉の抑揚(よくよう)や強弱、間の取り方などに注意して相手に伝わるように話すこと。

2

気付いたこと
・はっきりとした声で話すとよい。
・グラフに注目させたいときに、間を取るとよい。
・大事なところは言葉を強く言うとよい。
・相手を見て話すと、自信があるように見える。

子供の発言の要点を板書する。

3 がんばったことと、これからの学習に生かしたいことをまとめる〈10分〉

T　今回の学習について、がんばったことと、これからの学習に生かしたいことをまとめましょう。
・言葉の抑揚や強弱、間の取り方などに注意して相手に伝わるように話すと、伝わりやすいんだと分かった。
・他の教科で発表するときにも、今回学習したことを生かして、分かりやすく発表できるようにしていきたい。
○子供のノートを見て、よいまとめを書いていたら、学級全体に紹介する。
○生活について調べて発表するときに、グラフにまとめて相手に分かりやすく伝えることができた。

ICT 等活用アイデア

動画を見合う際のポイント

本時では、ICT 端末を使って撮影した動画を見合って気付いたことを伝え合うという学習を設定した。その際、動画を確認する点として、「相手のほうを見て話すこと」「言葉の抑揚や強弱、間の取り方などに注意して相手に伝わるように話すこと」の 2 点ができているかを確認しながら見るようにさせた。このことにより、言葉の抑揚や強弱、間の取り方などに注意して相手に伝わるように話すこと、そして分かりやすく話すことのよさを実感させ、今後の学習につなげたいと考えた。

資 料

1 アンケート用紙（教師作成例）（第３時） 19-01

読書についてのアンケート

4年　　組　　はん

問い１　どこで読書をすることが多いですか。いちばん多い場所に○をつけてください。
【答え】　　ア　自分や友達の家
イ　学校の教室
ウ　学校の校庭
エ　公園や広場
オ　その他（　　　　　　　　　　）

問い２　いつ読書をすることが多いですか。いちばん多い時間に○をつけてください。
【答え】　　ア　学校の授業時間
イ　学校の休み時間
ウ　放課後
エ　その他（　　　　　　　　　　）

2 表（教師作成例）（第４・５時） 19-02

どこで読書をすることが多いか。

場所	人数
自分や友達の家	10
学校の教室	8
学校の校庭	7
公園や広場	5

3 グラフ（教師作成例）（第４・５時） 19-03

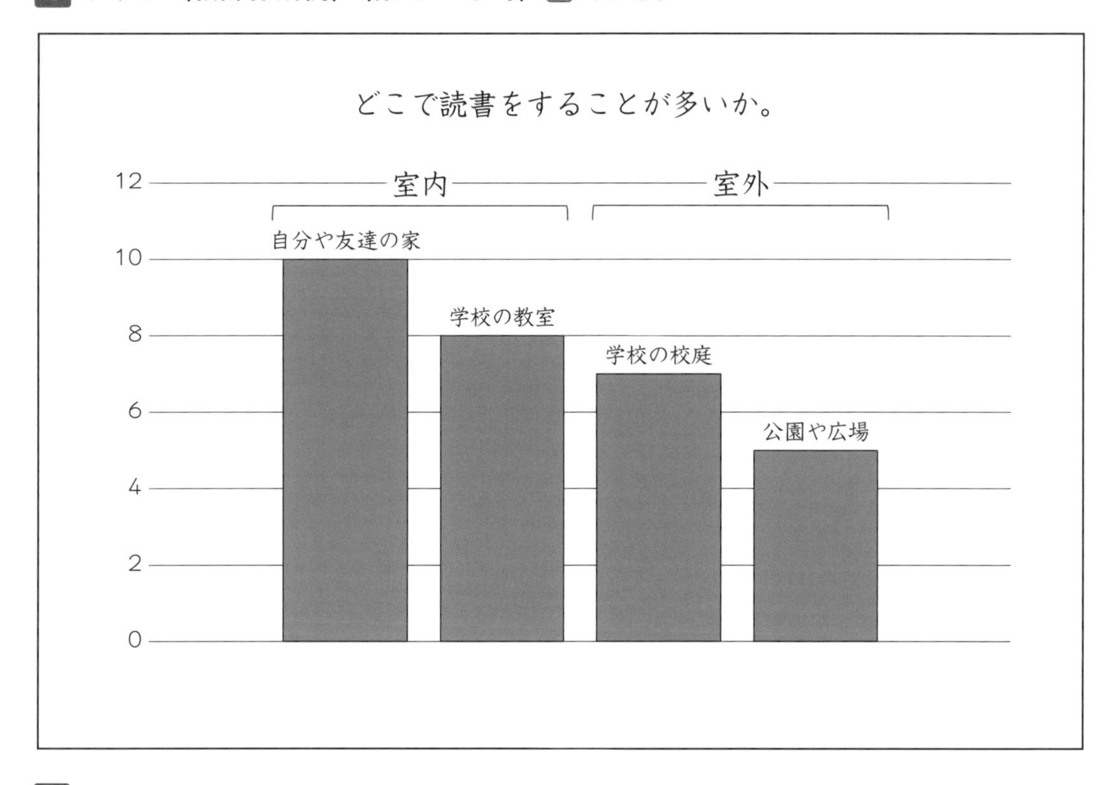

4 発表メモ（教師作成例）（第５時） 19-04

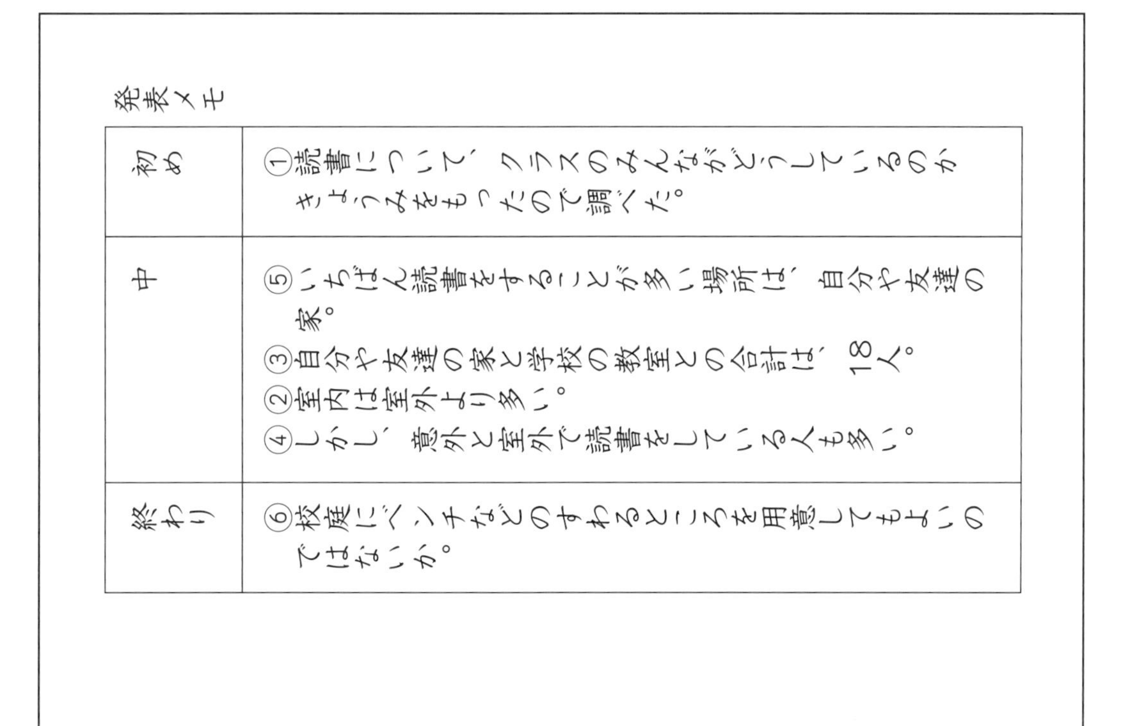

発表メモ

初め	①読書について、クラスのみんながどうしているのかきょうみをもったので調べた。
中	⑤いちばん読書をすることが多い場所は、自分や友達の家。 ③自分や友達の家と学校の教室との合計は、18人。 ②室内は室外より多い。 ④しかし、意外と室外で読書をしている人も多い。
終わり	⑥校庭にベンチなどのすわるところを用意してもよいのではないか。

読んで考えたことを、友達と伝え合おう

スワンレイクのほとりで　7時間扱い

単元の目標

知識及び技能	・様子や行動、気持ちや性格を表す語句の量を増し、話や文章の中で使うとともに、言葉には性質や役割による語句のまとまりがあることを理解し、語彙を豊かにすることができる。((1)オ)
思考力、判断力、表現力等	・文章を読んで感じたことや考えたことを共有し、一人一人の感じ方などに違いがあることに気付くことができる。(C カ) ・登場人物の気持ちの変化や性格、情景について、場面の移り変わりと結び付けて具体的に想像することができる。(C エ)
学びに向かう力、人間性等	・言葉がもつよさに気付くとともに、幅広く読書をし、国語を大切にして、思いや考えを伝え合おうとする。

評価規準

知識・技能	❶様子や行動、気持ちや性格を表す語句の量を増し、話や文章の中で使うとともに、言葉には性質や役割による語句のまとまりがあることを理解し、語彙を豊かにしている。(〔知識及び技能〕(1)オ)
思考・判断・表現	❷「読むこと」において、文章を読んで感じたことや考えたことを共有し、一人一人の感じ方などに違いがあることに気付いている。(〔思考力、判断力、表現力等〕C カ) ❸「読むこと」において、登場人物の気持ちの変化や性格、情景について、場面の移り変わりと結び付けて具体的に想像している。(〔思考力、判断力、表現力等〕C エ)
主体的に学習に取り組む態度	❹今までの学習を生かして、物語を読んで思いや考えをまとめながら、互いの感想を伝え合おうとしている。

単元の流れ

次	時	主な学習活動	評価
一	1	学習の見通しをもつ これまで4年生で読んできた、物語文を想起して、学習の仕方や物語の感想などを振り返る。 教科書 p.125を見て、題名や挿絵から想像したことを発表し合う。 教材文を読んで、初発の感想を書く。	❹
二	2	友達の初発の感想や教科書 p.140–141を読んで、学習課題を設定したり学習計画を立てたりする。	❷
	3 4	「歌」と「グレン」がどのように友達になっていたのか、「遠くはなれていても友達」という「歌」と「グレン」の関係について、登場人物の気持ちや情景などから具体的に想像する。	❸ ❶
	5	「歌」の経験から、自分が一番印象的な出来事について、感想を伝え合う。	

三	6	「歌」がアメリカでの経験を通して成長したと思うことを、「歌」になって「四年生の一年間をふり返って、いちばん心に残っていること。」に書く。	❷
	7	互いが書いた文章を読んで、感想を伝え合う。 学習を振り返る	❹

授業づくりのポイント

〈単元で育てたい資質・能力〉

本単元で育てたい資質・能力は、主に2点ある。1点目は、物語を読んで自分の思いや考えを伝えることや自分と他者の感じ方の違いを認めることである。他者というのは、一緒に学習する友達でもあるし、物語の登場人物にも当てはまる。本単元で扱う物語に登場するのは、同学年の「歌」と「グレン」であることから、登場人物になってみたり、読者として感じたりといった読み方をして、自分の思いや考えをもって伝える資質や能力を育てたい。2点目は、第三次で、登場人物「歌」になって、アメリカの出来事から一番心に残っていることを書く場合には、自分が「歌」だったらというように、登場人物に寄り添って読む資質や能力も育てたい。

〈教材・題材の特徴〉

冒頭の「四年生の一年間をふり返って、いちばん心に残っていること」を書くという場面は、現実の4年生としても授業の中でも活動することであり、子供たちは本教材を身近に感じることができるだろう。物語の中には、多様なテーマが盛り込まれている。大きく扱うと、国際交流、女性の活躍、人種、福祉、友情であろう。これらのテーマはそれぞれがさりげなく物語にちりばめられているが、それを読み取ろうとすると道徳的な授業になってしまう恐れがある。これらのテーマを考えることも大切ではあるが、本単元で育てたい資質・能力にあるように、一人一人の感じ方などの違いに目を向けさせたい。また、「歌」と「グレン」がどのように心を通わせていくのかという部分はしっかりと読み取らせたい。

〈言語活動の工夫〉

基本的には、言語活動⑵イである。物語を読んで感じたことや考えたことを伝え合う機会が少なくとも3回ある。1回目は、初発の感想を伝え合う。ここでは、口頭より記述したものを読み合う。2回目は、「歌」の経験から、読者である自分が一番印象的な出来事を伝え合う。3回目は、「歌」になってアメリカの出来事から一番心に残っていること伝え合う。2回目と3回目は大きく変わることはないだろう。しかし、2回目に読者としての自分がどう思ったかを表出することによって、自分や友達の考えを知ることにつながり、3回目の活動では、より自分の考えを反映できると考える。

〈ICT の効果的な活用〉

調査：野菜の英語表現が多く出てくる。かぼちゃ、なす、きゃべつ、ピーマン、きゅうり、トマト、ねぎなど、外国語活動でも聞き覚えのあるものかもしれないが、発音や綴りを調べる。

共有：初発の感想、「歌」の経験で心に残った出来事、「歌」になっての作文など、手書きしたものを大型モニターで共有する。子供の実態に応じては、直接 ICT 端末に入力して共有しやすい場を設定する。

記録：これまでに4年生で学習した物語の学習の仕方や感想などを振り返るために、記録しておいたものを活用する。

本時案

スワンレイクのほとりで

本時の目標

・言葉がもつよさに気付くとともに、幅広く読書をし、国語を大切にして、思いや考えを伝え合おうとする。

本時の主な評価

❹今までの学習を生かして、物語を読んで思いや考えをまとめながら、互いの感想を伝え合おうとしている。【態度】

資料等の準備

・４年生で学習した物語の記録（ICT）
・学習進行表 21-01

2 めあて

物語を読んで、感想を書こう。

○教科書125ページを見て
・スワンレイク→白鳥の湖。
・白鳥の物語？
・題名や絵からのそうぞうはむずかしい。

3 ○読んだ感想を書こう
・登場人物「歌」と「グレン」は同じ年。
・「歌」が夏休みにアメリカに行って「グレン」との思い出をふり返っている。

板書することを「登場人物」「主な出来事」「主な言語活動」などに絞る。

授業の流れ ▷▷▷

1 ４年生で学習した物語を振り返る〈15分〉

○４年生で読んできた物語を振り返る。
T　４年生でどんな物語を学習してきたか覚えていますか。
・「ごん、おまいだったのか…」の『ごんぎつね』。
・最後が悲しいよね。
・『友情のかべ新聞』っていうのもあったね。
・あった、あった。性格が正反対の…。
・西君と東君。
T　皆さん、登場人物や内容のことはよく覚えていますね。どんな学習をしたか覚えていますか。

ICT 端末の活用ポイント

活動の様子や学習感想、板書などを、ICT 端末や大型スクリーンで見て、学んだことを振り返る。

2 教科書 p.125を見て、想像したことを発表し合う〈５分〉

T　４年生の最後に学習する物語です。
○教科書 p.125の挿絵を見る。
・湖かな。
・スワンレイクだから、白鳥の湖だよ。
T　よく分かりますね。
・キャンプの話かな。
T　『スワンレイクのほとりで』という題名ですね。
・白鳥の話かな。
・ちょっと、この題名と絵だけでは想像できません。
T　そうですね。では、本文を読んでみましょう。みんなと同じ４年生のお話みたいですよ。
○めあてをもつ。

スワンレイクのほとりで　小手鞠（こてまり）るい

1 四年生で学習した物語

『白いぼうし』の学習を想起できるもの

・タクシー運転手の松井さん。
・ファンタジー。
・他のシリーズも読んだ。
・松井さんが主人公の物語を書いた。

『一つの花』の学習を想起できるもの

・ゆみこ。
・ゆみこのお父さんが戦争へ。
・「一つだけちょうだい」が口ぐせ。
・十年後は平和になっていた。

『ごんぎつね』の学習を想起できるもの

・いたずらぎつねのごん。
・ひとりぼっちの兵十。
・ごんは、いたずらのつぐないをするけど、兵十に気付かれない。
・最後、ごんは兵十に気付かれたけど、うたれてしまう。

『友情のかべ新聞』の学習を想起できるもの

・せいかくや好きなことが正反対の西君と東君。
・「ぼく」がすいりしながら物語が進んでいた。
・自分もすいりしながら読んだ。→

3 教材文を読んで、感想を書く〈25分〉

T　まず、先生が読んでみますので、皆さんはどんなお話かな、登場人物がどんなことを経験するのかなということに着目して聞いてくださいね。感想を聞きますよ。

○教師が範読をする。

T　さあ、どうですか。

・主人公の「歌」がアメリカに行った話だ。
・「グレン」という外国人の友達ができた。
・「グレン」は「歌」と同い年だから、僕たちとも同い年ということだね。
・「グレン」は車いすに乗っている。

T　どんな場面でしたか。

・１年間を振り返っているときに、「グレン」のことを思い出している。

○各自、感想を書く。「学習進行表」に記入。

ICT 等活用アイデア

物語を身近に感じるために、自由に調べる時間をつくる

これまでの物語でも、例えば『一つの花』で戦争のことを調べたかもしれない。本教材も、外国での出来事が中心となる。物語なので、想像することも大切だが、自分事として引き付けて物語の世界に入るために、アメリカのニューヨーク州はどこにあるのか、どうやって挨拶するのかなど、自分が興味をもったことをウェブブラウザ等で自由に調べて、「歌」に寄り添えるようにする。

本時案

スワンレイクのほとりで

本時の目標

・文章を読んで感じたことや考えたことを共有し、一人一人の感じ方などに違いがあることに気付くことができる。

本時の主な評価

❷「読むこと」において、文章を読んで感じたことや考えたことを共有し、一人一人の感じ方などに違いがあることに気付いている。【思・判・表】

資料等の準備

・学習進行表 21-01

○話題
①どうして友達になれたのだろう？
②遠くはなれていても友達という関係はどんな友達なのだろう？
③歌は、どんな作文を書くのだろう？

3 話題のことに気を付けて物語を読もう

授業の流れ ▷▷▷

1 学習の見通しをもち、初発の感想を読み合う 〈15分〉

T　前回、『スワンレイクのほとりで』を読みました。登場人物は…

・「歌」　・「グレン」

T　そうですね。皆さんと同じ年ですね。だからでしょうか。「歌」や「グレン」の気持ちに寄り添った感想が多く見られました。自分以外の人の感想も読んでみたいですか。

・読んでみたいです。

T　それでは、読んでみて、自分とこんなところが同じだなとか、こういう感想もあるかというものを発見してみましょう。

ICT 端末の活用ポイント

子供が前時に感想を ICT 端末に入力していれば、画面で共有もできるし、印刷して配布することもできる。

2 みんなで深く考えたい話題について話し合う 〈15分〉

T　皆さんから出たことで、みんなで話し合いながら読んでいきたい話題はありますか。

・「歌」と「グレン」は言葉が違うのに、友達になれたから、すごいっていう感想が多いので、なんで友達になれたのか考えたい。

・「歌」と「グレン」って違うところばかりなのに、友達になったのが不思議。

・違うから友達になれたんじゃないの。

T　早速、話合いが始まってしまいそうですね。教科書 p.140にも、2人がどんな人物か読んでいくことが書かれていますね。では、この「歌」と「グレン」の違いに注目しながら、友達になっていく様子を読んでいきましょうね。他にはどうでしょうか。

スワンレイクのほとりで　小手鞠（こてまり）るい

1 めあて

みんなの感想を読み合って、話し合いたい話題を決めよう。

○登場人物
・歌
・グレン
○どんな話
・歌が夏休みにアメリカに行ってグレンと友達になった話。

感想を読み合う前に、どんな話なのかを整理する。板書例は一つだが、グループで考えさせてもよい。

2 みんなの感想を読んで
・歌とグレンが友達になったことがすごい。
↓ちがうところがたくさんあるのに…
○二人のちがい
・人種
・言葉
・性別（せいべつ）
・けんじょう者としょうがい者
・文化

いろいろな感想を板書したいところだが、「歌」と「グレン」の違いに着目させるように板書する。

3 2で決まった話題に着目して読んで、考えをもつ 〈15分〉

T　皆さんの話合いで、話題が3つに絞られましたね。それでは、その話題について、考えながら、一度みんなで音読をしてみましょう。個人的に考えたいことがある人は、そのことについても、考えながら読んでいきましょう。

○音読の仕方は、学級全体でも、グループでも、個人でも、学級の実態に応じて選ぶ。「考えをもつ」ことと音読を同時に行うことが難しい場合は、黙読でもよい。

T　話題の全てに自分の考えをもつことは難しいかもしれませんので、自分はこれというものを1つ決めて考えてもいいですね。
　どんな考えをもったのかが分かるように、話題の番号は書いておきましょう。

よりよい授業へのステップアップ

子供を「学びの主体」として育てる

　初発の感想を教師が特定の子供のものを選抜して共有するのではなく、一様に見て、子供が「これは…」と思うようなものを発見するという営みが大切である。また、深く考えたい話題についても、教師の思い描いたものでなくても許容し、なぜ深く考えたいのかを考えさせることで、学びに責任感をもたせることも、子供が「学びの主体」として自覚できる経験となる。そのような小さなステップを踏みながら、子供を「学びの主体」として育てることが伴走者としての教師の役割であろう。

本時案

スワンレイクのほとりで

本時の目標

・登場人物の気持ちの変化や性格、情景について、場面の移り変わりと結び付けて具体的に想像することができる。

本時の主な評価

❸「読むこと」において、登場人物の気持ちの変化や性格、情景について、場面の移り変わりと結び付けて具体的に想像している。【思・判・表】

資料等の準備

・学習進行表 21-01

4 自分の考えをまとめよう

→「言葉の追いかけっこ」。
→遊びみたいで楽しい。
・二人が笑っている場面が多い。
・二人は、まったく「ちがい」をいしきしていない。
→歌はアメリカで一番おどろいたことに「いろいろな人がいる」ことをあげている。
→アメリカではちがうことが当たり前だと思っているんじゃないか。

授業の流れ ▷▷▷

1 前時の話題を確認する 〈5分〉

T　前回の学習で、みんなで話し合いたい話題が3つに絞られました。どんな話題でしたか。

・1つ目は、「歌」と「グレン」は、いろいろと違うところがあるのに、どうして友達になれたのか。

・2つ目は、「遠くはなれても友達」という関係はどんな関係なのか。

・3つ目は、「歌」はどんな作文を書くのか。

T　そうでしたね。3つ目はとても大きな話題ですね。1つ目から順番に話し合っていくということでよいですか。

・はい、いいです。

○本時のめあてをもつ。

2 「歌」と「グレン」が友達になる様子を読み取る 〈20分〉

T　どのようなところに気を付けて読んでいくといいでしょうか。

・前回、「歌」と「グレン」の違うところを出したからな。

・2人が会話しているところ。

・野菜畑の場面。

T　それでは、2人の会話の場面を中心に、読んでいきましょう。自分1人で解決したい人は、1人でいいですよ。誰かと一緒に解決したいなという人は、グループの中で一緒にやる人を見つけましょう。

○学び方を選択できるようにすると同時に、1人で困ってしまう子供が出ないように配慮する。

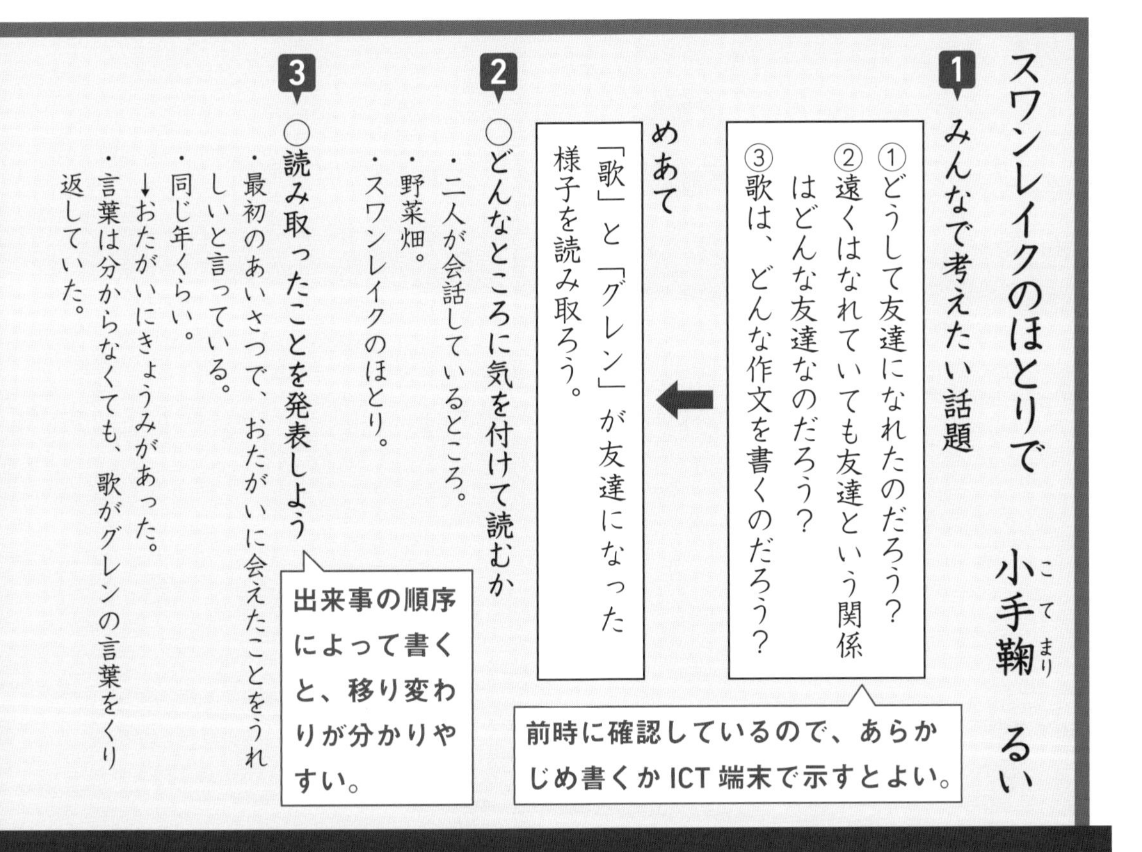

3 読み取ったことを共有する 〈15分〉

T　それでは、大体読み取れたようですので、読み取ったことを教えてください。

・最初の挨拶で、お互いに会えたことがうれしいって言っているから安心したのかな。
・同じ年くらいだから、よかったのかもしれないという意見も出ました。
・野菜畑で、「歌」は英語はあまり話せないと思うけど、「グレン」が言ったことを繰り返していて、「グレン」も分かってくれたと思って距離が近付いたんだと思います。
・p.136に、「言葉の追いかけっこ」ってあるから、遊びみたいな感じで、野菜について話していたのが楽しかった。
・「グレン」は「歌」の名前を「美しい名前」て言っていて、「歌」はうれしかった。

4 自分の考えをまとめる 〈5分〉

T　「歌」と「グレン」がいろいろな違いを乗り越えて、友達になっていく様子が読み取れましたね。○○さんが、「自分も友達になるときに、相手の何かを褒めて急に仲よくなったことがある」と言っていましたね。そういう自分の経験と結び付けて読むこともいいですね。それから、「笑っている場面が多い」という意見もありましたね。それでは、「歌」と「グレン」が友達になる様子を読み取って考えたことをまとめておきましょう。

○学習進行表に記入する。

ICT 端末の活用ポイント

ICT 端末に入力して、授業内で共有する。また、入力した考えを次時で共有してもよい。

本時案

スワンレイクのほとりで

本時の目標

・言葉には性質や役割による語句のまとまりがあることを理解することができる。

本時の主な評価

❶言葉には性質や役割による語句のまとまりがあることを理解している。【知・技】

資料等の準備

・学習進行表 21-01

同じ風景を見て笑っている。
＝
「グレン」がじょう談を言ったのが通じている。
←
「歌」が「グレン」の言っていることを分かってきている。
←
二羽の白鳥が飛んでいるのを自分たちと重ねている。
りすの追いかけっこも言葉の追いかけっこと同じというふうに「歌」は見ている。

矢印は子供の発言を関連付ける。

授業の流れ ▷▷▷

1 前時の学習感想を共有する 〈10分〉

T　前回の学習では、「歌」と「グレン」が友達になっていく様子を読み取りましたね。みんなの学習感想を見てみましょう。印象に残った感想があったら発表してください。

○ ICT 端末の画面か、印刷したものを読む。

・A さんの感想が印象的です。理由は、「歌」が、「グレン」に会う前はドキドキしていたけど、「グレン」がやさしかったからすぐに打ち解けられたと思うって書いてあって、「グレン」の性格に注目していていいなと思いました。

・私は、「歌」が自分から英語で挨拶して勇気があるなと思ったんですけど、B さんは、「歌」が「グレン」と 2 人で畑や湖に出かけたことから勇気があると思っている。

2 「遠くはなれても友達」について読み取る 〈20分〉

T　皆さん、前回は「歌」と「グレン」が友達になる様子を読み取っていたけれど、その中で、「歌」や「グレン」の性格にも着目していて素晴らしいですね。今日は、2つ目の話題について考えていくのでしたね。

・「遠くはなれても友達」ってどういうことか。

T　そうですね。皆さんにもそういう友達がいますか。

・僕は、保育園のときに引っ越した友達とは今でも 1 年に 1 回くらい会っています。

T　そういう友達と似ているかもしれませんね。「歌」と「グレン」の場合は、どうでしょうね。「歌」はどうしてそのように思ったのでしょうね。

スワンレイクのほとりで　小手鞠(こてまり)るい

1 「歌」と「グレン」が友達になる様子を考えた感想を読んで

・「歌」や「グレン」のせいかくを考えていてすごい。

〈例〉

歌	グレン
・勇気がある ← 自分からあいさつ。二人で畑や湖に出かけた。	・やさしい ← 多分、「歌」は英語が分からないからゆっくり話している。
↓自分はできない。	← 思いやりがある。

2人の性格が比べられるような書き方に工夫する。

2 めあて

「遠くはなれても友達」という二人の関係を読み取ろう。

3 読み取ったことを発表しよう

・言葉は通じ合っていないかもしれないけど心は通じ合っている。

← 例えば、野菜の名前は一つ一つちがうけど、同じ野菜だということに気付いた。

3 読み取ったことを共有する〈15分〉

T　それでは、大体読み取れたようですので、読み取ったことを教えてください。

・2人は、言葉は通じ合うとはいかなかったと思うんですけど、心は通じ合ったのかなと思います。

T　他の皆さんはどうですか。どんなところで心が通じ合ったと思えたのかな。

・言葉は違うけど、例えば、キュウリはキュウリで同じ野菜なんだと思ったところ。

・あと、同じ風景を見て笑っているところ。

・私も同じです。スワンレイクだけど、白鳥が空を飛んでるって冗談みたいなことを言って、笑っているよね。

・この場面、「歌」はよく「グレン」の言葉の意味が分かっているよね。

よりよい授業へのステップアップ

「語り手」と「視点」を学ぶ

この物語の語り手は、「歌」である。「歌」の目線を通して語られているため、子供も「歌」に寄り添った読み方をしていくだろう。このような物語は4年生では、本教材しかない。

さらに、本単元では、2人の関係性を1つの「問い」にしている。それは、「歌」は「グレン」を「遠くはなれても友達」と思っているけど、「グレン」はどうなのかという「視点」にも目を向けさせる学びができると思うからである。学び方を学ぶことも期待できる。

本時案

スワンレイクのほとりで

本時の目標

・文章を読んで感じたことや考えたことを共有し、一人一人の感じ方などに違いがあることに気付くことができる。

本時の主な評価

・「読むこと」において、文章を読んで感じたことや考えたことを共有し、一人一人の感じ方などに違いがあることに気付いている。

資料等の準備

・学習進行表 ⤓ 21-01

・「歌」の名前をほめられた
→自分をみとめてくれた気がした。

4

○自分の考えをまとめよう

授業の流れ ▷▷▷

1 本時のめあてを確かめる 〈5分〉

T　これまでの学習でみんなで話し合いたい話題のうち、2つを学習してきました。今日は、3つ目です。どんな話題でしたか。
・3つ目は、「歌」はどんな作文を書くのかでした。
T　そうでしたね。とても大きな話題ですね。「歌」は、授業でどんな作文を書くのでしたか。
・「一年間をふり返って心に残っていること」です。
・「いちばん」だから、難しいよね。
・その中で、「グレン」との思い出を思い出しているから、アメリカでの出来事で一番心に残っていることだね、きっと。
○本時のめあてをもつ。

2 「歌」がアメリカで一番心に残ったことを読み取る 〈20分〉

T　どのようなところに気を付けて読んでいくといいでしょうか。
・やっぱり、「グレン」と友達になったことだと思います。
・p.128に、「いちばんおどろいたのは、アメリカには、いろんな人が住んでいる」と書いてあるよ。
・「グレン」に名前を「美しい名前」って言ってもらったことじゃないかな。
T　いろいろ出てきそうですね。自分が「歌」だったらどうか、というふうに考えてみていいですよ。
○自分が「歌」だったら、アメリカで一番心に残ったことは何かを考えながら読む。

スワンレイクのほとりで　小手鞠（こてまり）るい

1 みんなで考えたい話題（三つ目）

③「歌」は、どんな作文を書くのだろう？

2 めあて

「歌」がアメリカでの出来事で一番心に残ったことを読み取ろう。

○自分が「歌」だったら…
・グレンと友達になったこと。
・勇気を出して自分からあいさつした。
・野菜畑。
・「歌」の名前をほめられた。

自分が「歌」だったらという観点を強調する。

3 ○読み取ったことをみんなと伝え合おう
★理由も付けて伝える
・野菜畑の出来事
↓いろいろな野菜の英語の言い方を知ることができて、楽しかった。
↓二人のきょりがちぢまった。

事柄ごとに理由を発言してもらい、板書する。

3 読み取ったことを共有する〈15分〉

T　それでは、大体読み取れたようですので、読み取ったことを、いろいろな人と交流して、伝え合いましょう。伝え合うときは…。
・理由も付け加える。
T　そうですね。理由までしっかり聞いてあげましょうね。
・僕は、「グレン」との出来事なんですけど、野菜畑でいろいろな野菜の英語での言い方を教えてもらったことじゃないかと思います。
・どうして、その場面を選んだのですか。
・その場面で、距離が縮まったから、「歌」も思い出に残っていると思うんだよね。
・なるほどね。私は、英語を少し話せたり聞き取れたりできるようになったことだと思いました。（続く…）

4 自分の考えをまとめる〈5分〉

T　それでは、いろいろな人と読み取ったことを共有できたと思います。他の人と共有して感じたことや考えたことをまとめておきましょう。
・私は、「グレン」との出来事の中でも、野菜畑で、野菜の名前を教えてもらったことにしたけど、他の人は、「歌」の名前をほめてもらえたことって言っていたな。同じ出来事でも心に残ったことが違うんだな。

ICT 端末の活用ポイント

ICT 端末に入力し、次時に各自が活用するために記録するのもよい。

本時案

スワンレイクのほとりで

本時の目標

・文章を読んで感じたことや考えたことを共有し、一人一人の感じ方などに違いがあることに気付くことができる。

本時の主な評価

❷「読むこと」において、文章を読んで感じたことや考えたことを共有し、一人一人の感じ方などに違いがあることに気付いている。【思・判・表】

資料等の準備

・学習進行表 21-01

①心に残った出来事をくわしく説明しているか。
②心に残った理由が書いてあるか。
③文字や語句にあやまりはないか。
④文のつながりはおかしくないか。

○次回は、みんなで読み合おう

番号は、推敲の優先順位。字句の確認も大切だが、①②を優先する。

授業の流れ ▷▷▷

1 前時を振り返り、本時のめあてをもつ 〈5分〉

○前時に自分が書いた「歌」がアメリカの出来事で一番心に残っていることを振り返る。

T　さあ、前回の授業では、「歌」になって、アメリカの出来事で一番心に残ったことを書きましたね。

・「グレン」と友達になったことを書きました。

・僕も「グレン」と友達になったことを書いたけど、場面が違う人もいました。

T　そうですね。みんな感じ方が一人一人違っておもしろいという感想もありましたね。

　それでは、今日はいよいよ、「歌」になって、作文を書いてみましょう。

○本時のめあてを確認する。

2 「歌」になって作文を書く 〈30分〉

T　「歌」みたいに、紙の原稿用紙でもいいですし、タブレットの原稿用紙でもいいのですが、せっかく書くのですから、誰かに読んでもらいたいですね。

・先生ですか。

T　先生も読みたいですが、「歌」の作文を読みたい人は、他にいないかな。

・「グレン」！

・えー、日本語でも難しいのに、英語なんて書けるわけないよ。

T　そうではありません。タブレットに入力したら、それを翻訳アプリを使って英語にしてみるというのも、「歌」になって書くことと関係すると思うよ。

・おもしろそう。やってみたい。

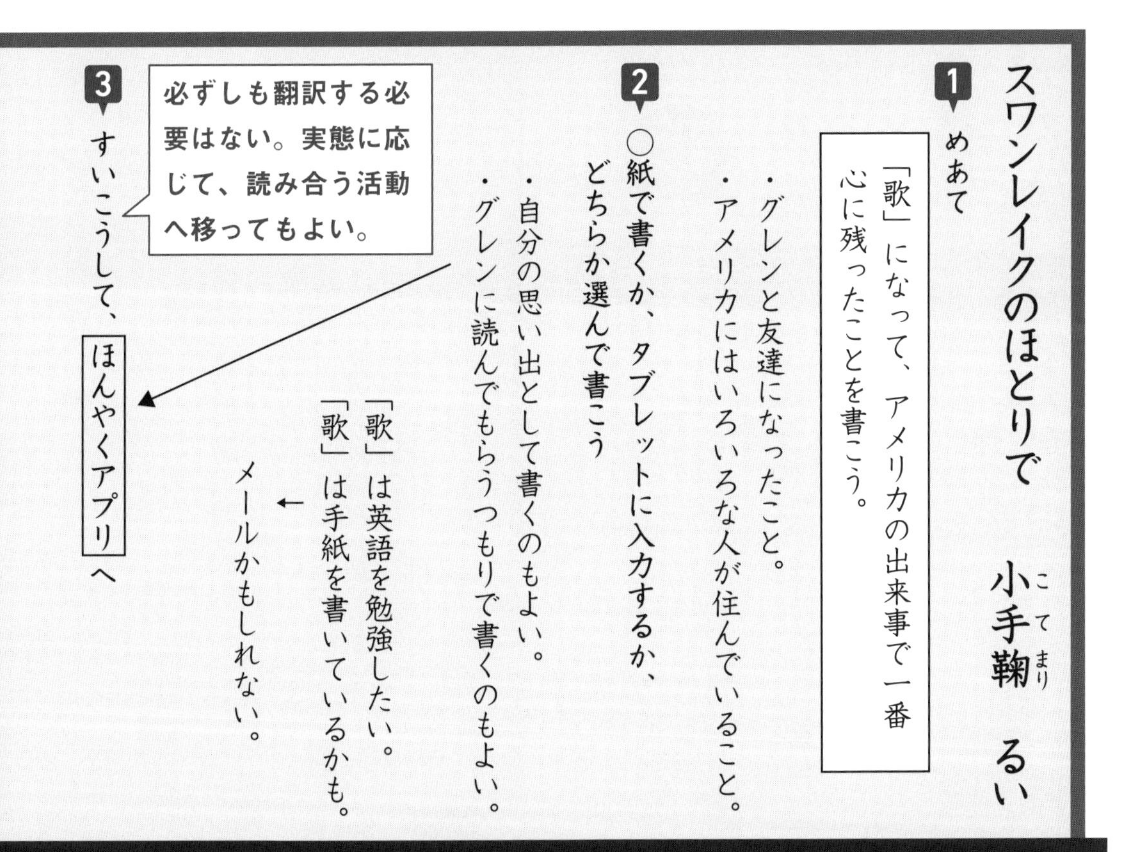

3 「歌」の作文を推敲したり、翻訳したりする 〈10分〉

T　書けましたか。翻訳アプリへのコピーの仕方をAさんのタブレットを使ってやってみますよ。

○翻訳アプリを試す。

・おー、英語になった。
・何て書いてあるのか分からないよ。
・「歌」ももっと英語を勉強したいと言っていたから、本当に「歌」になったみたい。
・「歌」は、「グレン」に手紙を書いているかもしれないね。

T　そうですね。「遠くはなれても友達」と言っているくらいですから、文通をしているかもしれませんね。

・先生、今はメールかもしれませんよ。

T　そうかもしれませんね。

ICT等活用アイデア

翻訳アプリで「グレン」に読んでもらう

本単元で書く「歌」の作文は、子供自身にとっては、読みのまとめに相当する。しかし、作文というだけで苦手意識が働き、読むということが疎かになってしまってはならない。そこで、作文を「グレン」に読んでもらうという想定を作る。作文を翻訳アプリで英語にして「グレン」に読んでもらうという雰囲気を味わう。英語が適切かどうかは、現時点では分からないであろう。「歌」も「もっと英語を勉強したい」と思っている。その気持ちに寄り添うことができるかもしれない。

本時案

スワンレイクのほとりで

本時の目標

・文章を読んで感じたことや考えたことを共有し、一人一人の感じ方などに違いがあることに気付くことができる。
・言葉がもつよさに気付くとともに、幅広く読書をし、国語を大切にして、思いや考えを伝え合おうとする。

本時の主な評価

❹今までの学習を生かして、物語を読んで思いや考えをまとめながら、互いの感想を伝え合おうとしている。【態度】
・「読むこと」において、文章を読んで感じたことや考えたことを共有し、一人一人の感じ方などに違いがあることに気付いている。

資料等の準備

・学習進行表 21-01

3
○みんなの作文を読んで
・Aさん
↓「歌」になって、どんなところが成長できた
かくわしく書いていてよかった。
○単元をふり返ろう
・これまでに学習した物語とのちがい。
・「歌」になって作文を書いたこと。
など

授業の流れ ▷▷▷

1 互いの作文を読み合う観点を確かめる 〈10分〉

T　前回は、皆さんが「歌」になって、アメリカで一番心に残ったことを書きましたね。書いてみてどうでしたか。
・自分のことでも難しいのに、「歌」になって書くというのは、もっと難しかったです。
・でも、アメリカでの出来事の中からだから、私は書きやすかった。
・「歌」を自分だと思って書いた。
・「歌」は同じ年だから気持ちを想像した。
T　皆さん、様々な感想をもっていますね。では、今日は皆さんが書いた「歌」の作文を読み合いましょう。

ICT 端末の活用ポイント

ICT 端末でみんなの作文を共有できるとよい。

2 互いの作文を読み合う 〈25分〉

T　それでは、それぞれの端末に全員分の作文を入れたファイルを送りますので、先ほどの観点で読んで感想を伝えましょう。
○読み合う観点
→心に残った出来事を詳しく説明している。
→出来事だけでなく、心に残った理由がある。
→「歌」の思いが伝わる書き方である。
→文字や語句の正しさ。
○他の単元でも共有の方法は説明しているが、学級の実態に応じることが望ましい。
○読まれない子供が出ない配慮をする。
→出席番号のくじびき（最初に読む３人）。
→グループを決めて。
→自分が読みたい人。

スワンレイクのほとりで　小手鞠（こてまり）るい

1 「歌」になって作文を書いた感想

・「歌」になって書くのがむずかしかった。
・アメリカの出来事の中から選んだから、書きやすかった。
・「歌」は同じ年だから、気持ちをそうぞうして書くことができた。
・「歌」を自分だと思って、成長したところを書くことができた。
・ほんやくアプリで英語にしたので、本当に「グレン」に読んでもらいたいと思った。

読み合う活動に時間をかけるため、ICT 端末で示すのもよい。

2 めあて

みんなの「歌」の作文を読み合って、感想を伝え合おう。

○どんなところを読んでほしいか
・心に残った出来事をくわしく説明しているか。
・出来事だけでなく、心に残った理由があるか。
・「歌」の思いが伝わる書き方であるか。
・文字や語句は正しいか。

3 単元を振り返る 〈10分〉

T 「歌」の作文を読み合ってどうでしたか。
・みんな、ちゃんと「歌」になってアメリカの出来事で心に残ったことを書いていてよかった。
T 特に皆さんに「紹介したいな」という人はいますか。
・A さんの文章がすごくいいと思いました。
T 他にも A さんの文章がいいと思った人はいますか。
・はい。僕もいいと思いました。
T さて、今日でこの物語も終わりです。単元を通した振り返りをしましょう。４年生で物語を読むことも最後でしたね。
○１人で振り返ることが難しい子供がいる場合は、複数人での振り返りとする。

よりよい授業へのステップアップ

読書生活との接続

４年生では、本単元で５つ目の物語である。大きなジャンルで分けると、『白いぼうし』（不思議な話）、『一つの花』（戦争と平和の話）、『ごんぎつね』（人間と動物の話）、『友情のかべ新聞』（学級の友達の話、推理）、『スワンレイクのほとりで』（外国の友達の話）。このようにジャンルを分けてみて、自分の読書生活でよく読むジャンルや読まないジャンルを振り返ったり、自分の好きなジャンルを自覚したりするとよい。

資料

1 資料1『スワンレイクのほとりで』の学習進行表（第1～7時） 20-01

「スワンレイクのほとりで」学習進行表

四年　組　名前（　　　　　　）

（第1時）

初めて読んだ感想	
話題①について考えたこと	
話題②について考えたこと	
話題③について考えたこと	
単元をふり返って	

2 資料2『スワンレイクのほとりで』の学習進行表（記入例） 20-02

「スワンレイクのほとりで」学習進行表

四年　　組　名前（　　　　　　　）

（第1時）

初めて読んだ感想	歌とグレンは、言葉が通じないのに、友達になれてすごいなあと思いました。 あと、私は、外国人に自分から英語で話しかけるなんてぜったいにできないけれど、歌は自分からあいさつができて勇気があるなと思いました。
話題①について考えたこと	歌は、野菜畑で野菜の名前を英語でなんて言うか、グレンに積極的に聞いていて、グレンも英語にきょうみをもってくれたことがうれしかったから、打ちとけたんじゃないかなと思う。
話題②について考えたこと	言葉は通じ合わないけど、心は通じ合えているということだと思う。
話題③について考えたこと	歌は、野菜畑でいろいろな野菜の英語の言い方を教えてもらったことや名前を「美しい名前」と言ってもらってうれしかったことを書くと思う。
単元をふり返って	歌になって作文を書くということは、とてもむずかしいと思っていたけれど、自分に友達ができるときのことを考えながら読んでいたら、歌の気持ちがよく分かった。

3年生で習った漢字

漢字の広場⑥ （2時間扱い）

単元の目標

知識及び技能	・第3学年までに配当されている漢字を書き、文や文章の中で使うことができる。((1)エ)
思考力、判断力、表現力等	・間違いを正したり、相手や目的を意識した表現になっているかを確かめたりして、文や文章を整えることができる。(Bエ)
学びに向かう力、人間性等	・言葉がもつよさに気付くとともに、幅広く読書をし、国語を大切にして、思いや考えを伝え合おうとする。

評価規準

知識・技能	❶第3学年までに配当されている漢字を書き、文や文章の中で使っている。(〔知識及び技能〕(1)エ)
思考・判断・表現	❷「書くこと」において、間違いを正したり、相手や目的を意識した表現になっているかを確かめたりして、文や文章を整えている。(〔思考力、判断力、表現力等〕Bエ)
主体的に学習に取り組む態度	❸読み手に伝わるように、正確な漢字を用いて文章を書こうとしている。また、漢字を使った言葉の組み合わせを工夫し、見通しをもって文章を書こうとしている。

単元の流れ

時	主な学習活動	評価
1	学習の見通しをもつ 教科書に載っている漢字を使い、1年間の出来事を新聞記事にするというめあてを確認する。 教科書に示されている漢字の読み方を確認する。 グループを作り、どの出来事について書くかを相談する。 教科書の絵を参考にして、1年間の出来事を新聞記事として文章に書く。	❶❸
2	グループごとに記事を集め、新聞を作る。 学習を振り返る 互いに新聞を読み合い、感想を伝える。	❷

授業づくりのポイント

〈単元で育てたい資質・能力〉

4年生「漢字の広場」シリーズの最後となる本単元では、3年生までに習った漢字に加え、4年生で学習した漢字も、文や文章の中で進んで使うことをねらいとしている。これまでの漢字学習を思い出しながら、相手や目的を意識した文章表現ができているかどうかをお互いに見直せる時間も確保して、言葉を正確に使える力を身に付けさせたい。漢字を使って文や文章を書くことで、表現の幅が広がることも実感できると、5年生以降の漢字学習への意欲をもちやすくなるだろう。

〈教材・題材の特徴〉

「1年間の出来事」が書くためのテーマとなっている。1年間という長い期間のため、何を書くか選択肢も多くなるだろう。学習の導入では、1学期の始業式から、どのような学習や行事を経験してきたかを振り返りつつ、漢字の学習をすることを示せるとよい。また、「新聞記事にする」という明確な題材が設定されているために、学習の目的意識ももちやすいと言える。これまでの思い出を振り返り、出来事とそれに対する今の自分の気持ちを、漢字を使った文章の中で表現できるようにしたい。

〈言語活動の工夫〉

学級新聞の記事となる文章を書くことが、本単元における言語活動となる。4年生は、1学期に「見せ方を工夫しよう」において、新聞の作り方や工夫を学んでいる。そこでは、伝えたい内容に合わせて記事の文章の組み立てを考えているので、本単元でもその学びを生かせるようにしたい。今回は自分の経験したことを記事にするため、取材活動は省略する。グループごとに書いた記事を集め、1枚の新聞として完成させる。

[具体例]

右図のように行事に特化した新聞を作ることも考えられる。

第1時で、どの記事を書くかをグループ内で相談する。できるだけ時系列にしたほうが読みやすくなる。記事を書き始める前に、グループでレイアウトを相談して、どの程度の分量を書けばよいかの見通しがもてるようにする。

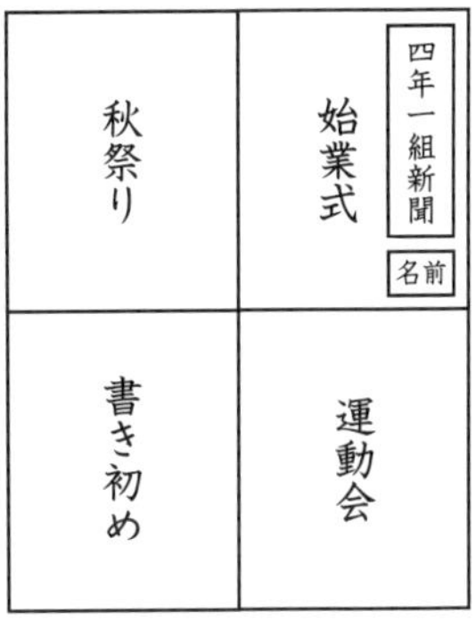

四年一組新聞
名前
始業式
秋祭り
運動会
書き初め

〈ICT の効果的な活用〉

調査：漢字の読み方・使い方を調べる。

共有：文書作成ソフトを使い、作成した文章を1つのデータにまとめ、新聞を作成する。

本時案

漢字の広場⑥

本時の目標

・既習の漢字を使い、文や文章を作ることができる。

本時の主な評価

❶既習の漢字を使い、学級新聞の記事を考えている。【知・技】

❸読みやすいように、正確な漢字を用いて文章を書こうとしている。【態度】

資料等の準備

・p.143の挿絵のコピー

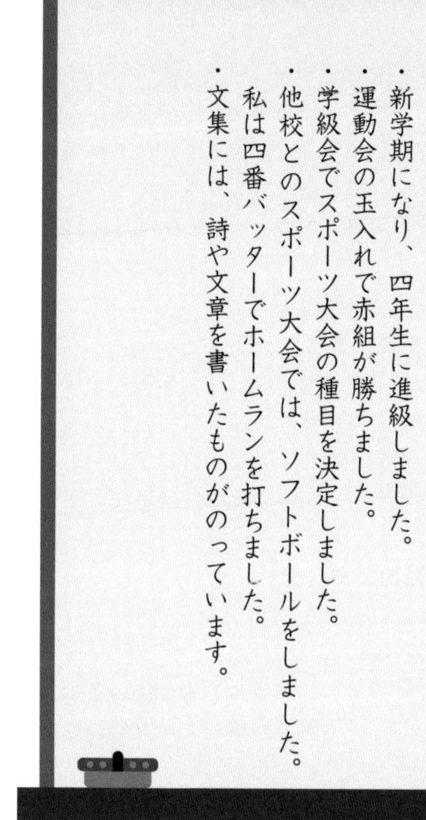

授業の流れ ▷▷▷

1 本時のめあてと学習活動を確認する〈10分〉

T　教科書の p.143には、３年生までに学習した漢字が載っています。これらを使って学級新聞の記事を考えましょう。

・新聞を作るのは、久しぶりだな。

・長すぎる文章にすると、枠に収まらなくなるかもしれない。

○教科書に記載された漢字を基に、自分たちの学級についての記事を書く。

○３年生までに学習した漢字の復習に加え、丁寧に文字を書くことも意識できるようにする。

2 漢字の読み方を確認する〈10分〉

T　教科書に載っている漢字の読み方を確認しましょう。

○「漢字の広場④・⑤」と同様、教科書では示されていない読み方も押さえておく。

進級（しんきゅう）　進（すす）む
始業式（しぎょうしき）　始（はじ）まる
山田君（やまだくん）　君（きみ）
代表（だいひょう）　代（か）わる
作品（さくひん）　品（しな）
毛筆（もうひつ）　筆（ふで）
文集（ぶんしゅう）　集（あつ）める
決定（けってい）　決（き）める

など

漢字の広場⑥

1 漢字を使って、新聞記事を書こう。

・教科書143ページにのっている漢字を使って、しょうかい文を書く。
・教科書にのっていない漢字を使ってもよい。

2 漢字の読み方

音読み
進級 しんきゅう
始業式 しぎょうしき
山田君 やまだくん
代表 だいひょう
作品 さくひん
毛筆 もうひつ
文集 ぶんしゅう

訓読み
進（すす）む
始（はじ）まる
君（きみ）
代（か）わる
品（しな）
筆（ふで）
集（あつ）める

教科書p.143の挿絵のコピー

早く書き終えた子供から、考えた文や文章を黒板に書いていくようにすると、時間が余ることへの対応になる。

3 新聞記事となる文や文章を書く〈25分〉

T　教科書に載っている漢字を使って、新聞記事となる文や文章を作りましょう。
・新学期になり、四年生に進級しました。
・運動会の玉入れで赤組が勝ちました。
・学級会でスポーツ大会の種目を決めました。
・他校とのスポーツ大会では、ソフトボールをしました。私は四番バッターでホームランを打ちました。
・文集には、詩や文章を書いたものがのっています。

ICT 端末の活用ポイント

ノートやワークシートに書いたものを、写真に撮ってアプリで共有すると、短時間に大勢の文や文章を閲覧できる。

よりよい授業へのステップアップ

4年生の1年間を振り返る

本単元では、3年生で学習した漢字の復習をねらいとしている。同時に、年間を振り返る機会にもなる。p.143には載っていない内容、例えば、総合的な学習の時間での活動、体育の時間でのことなどを、教科書には載っていない既習の漢字を使って紹介文づくりをすることも考えられる。

これまでの活動写真や動画を、教師が示すことも有効である。具体的な映像があれば、当時の様子を思い出すことができるので、内容の充実した文づくりをすることが期待できる。

本時案

漢字の広場⑥

本時の目標

・書いた文章を読み合い、感想を伝え合うことができる。

本時の主な評価

❷読み手に伝わるように、正確な漢字を用いて文章を書いている。【思・判・表】

資料等の準備

・p.143の挿絵のコピー
・学級新聞ワークシート 22-01

3 読み合った感想

・新しい校長先生の話、楽しかった。
・自分も文集委員をたん当している。クラスページには、詩の他にもアンケートを取って楽しいページにしたいと思っている。
・ようち園との交流会で反対意見が出たときに、きちんと相手の話を聞くことが必要だなと思った。

授業の流れ ▷▷▷

1 本時のめあてと学習活動を確認する 〈5分〉

T　前回は、教科書に載っている漢字を使って新聞記事を書きました。今日は、前回書いたことをグループごとに集めて、新聞を作ってみましょう。
・タブレットを使ってやってみようかな。
・新聞の名前を何にしようか。
・もっと内容を増やしたほうがいいな。

2 新聞記事を集め、新聞の形に整える 〈20分〉

T　では、自分たちの記事を集めて、新聞の形にしていきましょう。
・新学期になり、4年生に進級しました。始業式で新しい校長先生がご挨拶されました。
・Aさんが、運動会でダンスを踊っている絵を描きました。その絵が、第七回絵画コンクールで代表に選ばれました。
・私は文集委員に立候補しました。クラスページには詩を載せようと考えています。
・学級会では、幼稚園との交流会でどんなことをするかを決定します。反対意見が出たときには、時間をかけて話し合います。

漢字の広場⑥

1 グループで作った学級新聞を読み合おう。

○前の時間に書いた新聞記事を集めて、学級新聞を作る。
・クラスのみんなに向けて。
・見やすいレイアウトの工夫をして。

2 学級新聞　レイアウト例

四年一組新聞
発行日
2025年3月14日
発行者
○○　○○
○○　○○
○○　○○
○○　○○

ドキドキ始業式
クラスがえした
学級会で決めたこと
白熱！運動会
校外学習で学んだこと
他校との交流試合

レイアウトの例として、拡大したものを提示する。または、モニター等に映す。

3 互いの新聞を読み合い、感想を伝える　〈20分〉

T　でき上がった新聞を読み合います。よいと思ったこと、漢字が正しく使えているか、読んでいる人に分かりやすいかを見てあげましょう。

○グループごと、掲示して閲覧など、学級の実態に応じて読み合う形式を決める。

・新しい校長先生の話、楽しかったね。
・僕も文集委員を担当しています。クラスページには、詩の他にもアンケートを取って楽しいページにしたいと思っています。
・幼稚園との交流会で反対意見が出たときに、きちんと相手の話を聞くことが必要だなと思いました。

ICT 等活用アイデア

共同編集で新聞を作る

ICT 端末で文章を作り、共同編集ができるソフトを使用して新聞を作ることが可能である。アクセスする人数への配慮が必要であるが、互いに 1 つの画面を見ながら同時に編集することができるので、同じグループのメンバーと相談しながら自分の活動を続けることもできる。

注意すべきことは、友達が書いた文章を勝手に消したり編集したりしないことである。互いにルールを守りながら、より質の高い新聞を作れるようにしていきたい。

1 学級新聞ワークシート（第2時） 21-01

2 学級新聞ワークシート（記入例） 21-02

四年一組新聞

発行日
2025年3月14日
発行者
○○　○○
○○　○○
○○　○○
○○　○○

ドキドキ始業式

新学期になり、私たちは四年生に進級しました。始業式では、新しい校長先生がお話をされました。哲学のことを教わりました。

白熱！運動会

五月二十五日に、運動会が行われました。ぼくたちは必死に走りました。苦しかったけれど、「負けるもんか」という強い気持ちで走り続けました。

勝てるかどうか、心配だったけれど、一生けんめいがんばったので気持ちよかったです。

クラスがえした

始業式にクラスがえのことが発表されました。みんなこうふんして大さわぎしました。

校外学習で学んだこと

十月には、浅草まで校外学習に行きました。仲見世通りには、人がたくさんいてびっくりしました。

私は、文集に浅草のことを書きました。思い出がたくさんあったので、長い文章を書くことができました。

学級会で決めたこと

ぼくたちのクラスでは、週に一回学級会を開いています。ようちえん生との交流会が近いときには、いっしょにどんな遊びをするかを決めました。

反対意見も出ましたが、みんなが楽しめそうな遊びに決定しました。

他校との交流試合

三月には、同じ地区の他校の子たちとスポーツの交流試合をします。わたしたちは、ソフトボールの試合をしました。

わたしはピッチャーで三番バッターでした。相手のピッチャーが投げた球はすごく速かったけれど、ホームランを打つことができてうれしかったです。

四年生をふり返って　1時間扱い

単元の目標

知識及び技能	・言葉には、考えたことや思ったことを表す働きがあることに気付くことができる。((1)ア)
思考力、判断力、表現力等	・相手や目的を意識して、経験したことや想像したことなどから書くことを選び、集めた材料を比較したり分類したりして、伝えたいことを明確にすることができる。(B ア)
学びに向かう力、人間性等	・言葉がもつよさに気付くとともに、幅広く読書をし、国語を大切にして、思いや考えを伝え合おうとする。

評価規準

知識・技能	❶言葉には、考えたことや思ったことを表す働きがあることに気付いている。(〔知識及び技能〕(1)ア)
主体的に学習に取り組む態度	❷今までの学習を生かして、自分が身に付けた言葉の力を振り返り、今後の生活や学習に役立てようとしている。

単元の流れ

時	主な学習活動	評価
1	学習の見通しをもつ 教科書 p.144を読んで、４年生の国語の学習を振り返って、自分の言葉の力として身に付いたことや成長したことに対して見通しをもつ。 学習を振り返る 教科書 p.146-149を読んで、自分が頑張ったり印象に残ったりしている学習について伝え合う。 特に身に付いたと思う言葉の力について、具体例を挙げて書く。 各自の言葉の力について発表し合う。	❶ ❷

授業づくりのポイント

〈単元で育てたい資質・能力〉

本単元で育てたい資質・能力としては、自分の言葉の学びを振り返る資質や能力である。基本的には、単元ごとに学習を振り返ることはしてきていると思われる。その際は、活動も含まれているだろう。活動は、形に残るものもあり、子供たちは振り返りやすい。

本単元では、自分の言葉の力を認識することが求められる。言葉の力としては、「何ができるようになったか」という知識や技能への認識とともに、「どのように考えられるようになったか」という思考面や、「どんな表現ができるようになったか」という表現面を認識できるような資質・能力を育てたい。

〈教材・題材の特徴〉

1時間設定の単元である。1年間を振り返る時間としては十分とは言えないだろう。そのような状況ではあるが、子供が学びを振り返るためには、教師側の普段からの記録が大切である。後段のICT活用でも触れるが、子供は単元名や教材・題材名で学びを想起することがあるので、教科書 p.146–149の「『たいせつ』のまとめ」が、どんな単元名や教材・題材名だったのか分かるように整理しておくことが望ましい。

この時期、教師も忙しいため、整理することが難しい場合は、教科書（上巻も含む）の目次を拡大したり、子供が手元で見たりできるようにすることも効果的である。また、学びの足跡が必要だろう。子供のノートは教師が保管しておけばよいが、なかなか難しい。そのために、子供の学びを日頃から写真や動画で記録しておき、みんなで振り返ることで、どんな学習をしたのかはもちろんのこと、どんな言葉の力が付いたのかということを確かめ合う時間にすることができる。

〈言語活動の工夫〉

1年間の振り返りのため、子供自身が自分の学びと向き合えることが大切である。そして、自分自身が学びを自覚できればよいのである。しかし、教室のみんなと振り返るというところに本単元の意味がある。振り返る時間を十分に取り、自分自身の学びを自覚することも大切だが、他のみんなはどのような自覚があるのかを知りたいと思うだろう。そのための工夫を具体例に示す。

[具体例]
「〜力」というように、「力」を文末にした短冊を作っておく。もしくは、「『たいせつ』のまとめ」にある項目を教師が「〜力」としてネーミングしておき、子供が選ぶ。時間が十分に取れないことが予想されるため、黒板に全員分を貼るか、ICT 端末に保存しておき、共有することが考えられる。

〈ICT の効果的な活用〉

共有：時間がない場合は、ICT 端末に保存して、授業後に教師が集約して共有するという方法もある。

記録：教師が1年間の振り返りがあるという見通しをもっていると、例えば単元ごとの学びのフォルダを作成する際に、単元名（教材・題材名でもよい）に加えて、どんな言葉の力が付いたのかをタイトルに入れておくという方法もある。

本時案

四年生をふり返って

本時の目標

・言葉には、考えたことや思ったことを表す働きがあることに気付くことができる。
・言葉がもつよさに気付くとともに、幅広く読書をし、国語を大切にして、思いや考えを伝え合おうとする。

本時の主な評価

❶言葉には、考えたことや思ったことを表す働きがあることに気付いている。【知・技】
❷今までの学習を生かして、自分が身に付けた言葉の力を振り返り、今後の生活や学習に役立てようとしている。【態度】

資料等の準備

・４年生で学習した記録（写真や作品）
・短冊モデル 23-01

2
めあて
四年生をふり返って、自分にはどんな言葉の力が付いたか考えよう。
○教科書146~149ページも参考にしよう
・~の力。
・~できるようになった。

3
友達と伝え合おう
※保護者会で、お家の人にも見てもらおう！

授業の流れ ▷▷▷

1 ４年生で学習したことを振り返る 〈15分〉

○４年生で学習したことを振り返る。
T　前回までは、『スワンレイクのほとりで』を読んで、「歌」になって４年生で一番心に残っていることを作文にしたり、物語で学習してきたことを振り返ったりしてきました。今日は、国語の学習で、印象に残っていることを振り返っていこうと思います。どうですか。
・僕は、工芸品を調べて、リーフレットにしたことが一番楽しかった。
・『風船でうちゅうへ』も、すごくおもしろかった。
・私は生活調査隊になって、みんなの生活を調べて、資料を作って発表したことが印象に残っています。

2 自分にはどんな言葉の力が身に付いたかを考える 〈20分〉

T　下巻で学習したことが多いですが、４年生になってから、こんなにたくさんのことを勉強してきましたよ。
○教科書上巻と下巻の目次を見せたり、写真や作品を見せたりする。
T　先生は、国語の授業でどういう力を身に付けてほしいと言ってきましたか。
・先生は、国語は、「言葉を考える」と「言葉で考える」ことを大切にしなさいと言っていました。
T　そうですね。それでは、皆さんはどんな言葉の力が付いたのでしょうか。
○教科書 p.146–149を読み、めあてをもち、自分の言葉の力を考える。

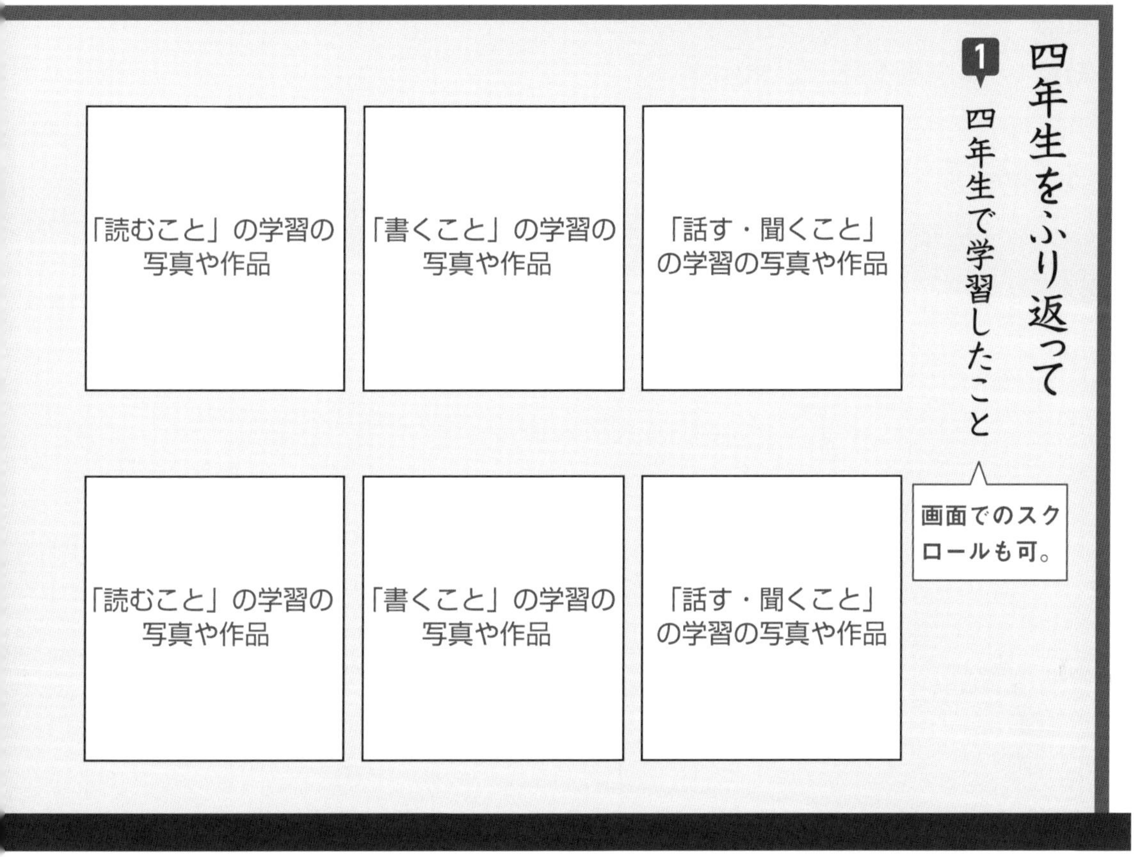

四年生をふり返って

1 四年生で学習したこと

「読むこと」の学習の写真や作品

「書くこと」の学習の写真や作品

「話す・聞くこと」の学習の写真や作品

画面でのスクロールも可。

「読むこと」の学習の写真や作品

「書くこと」の学習の写真や作品

「話す・聞くこと」の学習の写真や作品

3 自分に身に付いた言葉の力を伝え合う 〈10分〉

T　それでは、自分が身に付いた言葉の力を、短冊に書きましたね。

○短冊の表には、「〜力」で裏には、日常生活のどんな場面で実感しているか、もしくは、活用したいかということを書く。

T　それでは、ペアのグループになって、伝え合いましょう。

・僕は、物語を読むときに、自分が登場人物だったらどう思うかと考えながら読むことができるようになりました。だから、「登場人物のことを考える力」にしました。

・私は、生活調査隊でグラフを使って説明したんですけれど、説得力のある説明ができたと思います。

○各自の短冊を集めて、掲示する。

よりよい授業へのステップアップ

朝の会などで発表の場を作るとともに、録画して保護者会で見せる

本時は、１時間の設定のため、学級全体に発表する時間はない。そのため本稿では、ペアグループで伝え合うという場の設定になっている。しかし、１年間の国語の学習の成果を発表するので、ぜひ学級全体に向けて発表させる機会を設けてほしい。また、学期末にある保護者会に向けて、教師が録画をして見せるということもよいだろう。そのように子供に相手や目的意識をもたせることで、言葉の力を自覚させることが大切である。

資料

1 短冊モデル（第1時）22-01

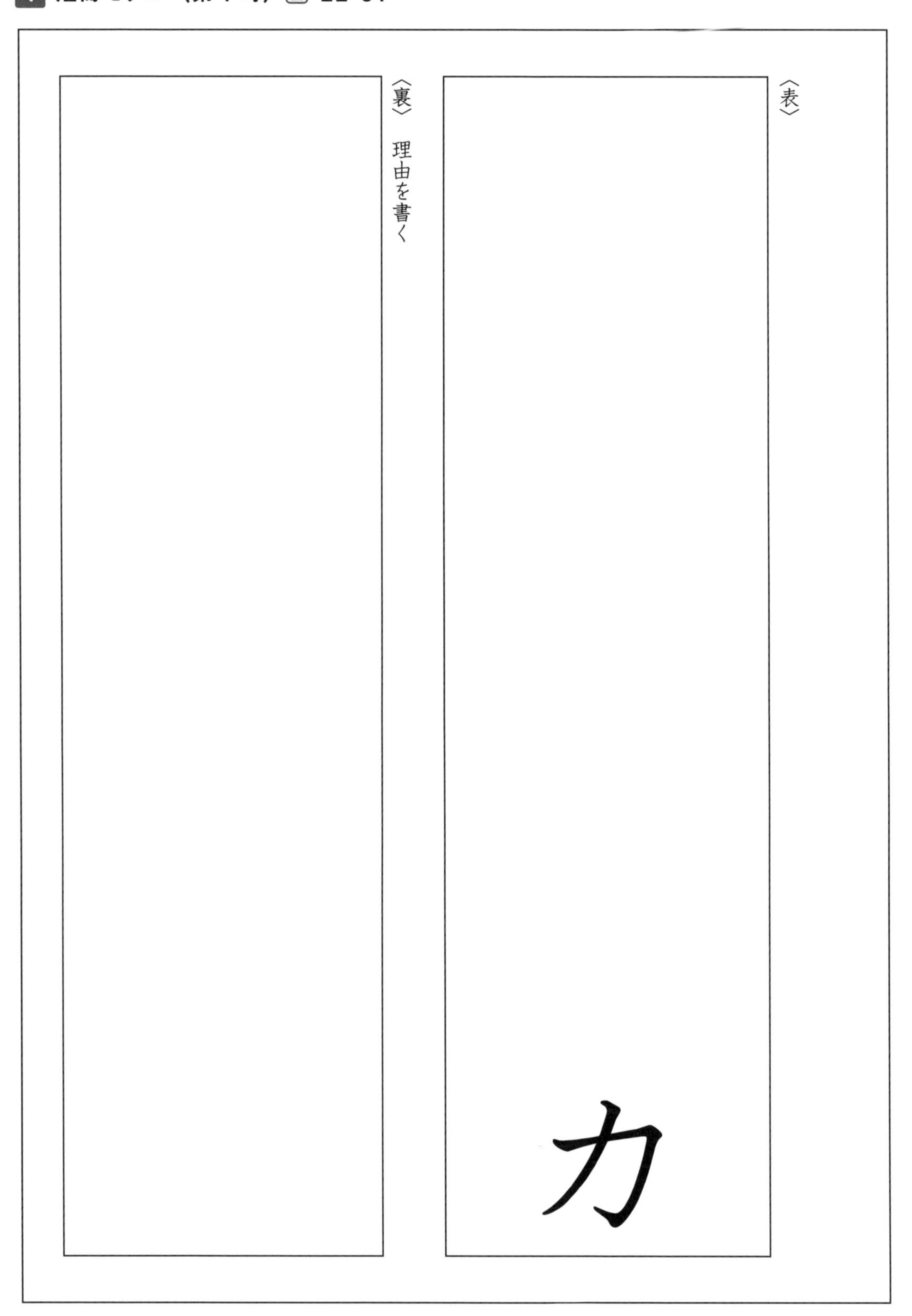

2 短冊モデル（記入例） 22-02

※四年生をふり返って（言葉の力）短冊モデル。記名は表でも裏でも、この短冊をどのように活用するかによって判断するとよい

〈表〉

分かりやすくせつ明する　力

〈裏〉

理由を書く

自分の考えに理由をつけてくわしくせつ明することができるようになったから。

監修者・編著者・執筆者紹介

[監修]

中村　和弘（なかむら　かずひろ）　東京学芸大学教授

[編著者]

成家　雅史（なりや　まさし）　相模女子大学専任講師

廣瀬　修也（ひろせ　しゅうや）　東京学芸大学附属小金井小学校教諭

[執筆者] ＊執筆順

		[執筆箇所]
中村　和弘	（前出）	●まえがき　●「主体的・対話的で深い学び」を目指す授業づくりのポイント　●「言葉による見方・考え方」を働かせる授業づくりのポイント　●学習評価のポイント　●板書づくりのポイント　● ICT 活用のポイント
成家　雅史	（前出）	●第４学年の指導内容と身に付けたい国語力　●未来につなぐ工芸品／工芸品のみりょくを伝えよう　●スワンレイクのほとりで　●四年生をふり返って
廣瀬　修也	（前出）	●第４学年の指導内容と身に付けたい国語力　●ごんぎつね／［コラム］言葉を分類しよう　●漢字の広場④　●漢字の広場⑤　●漢字の広場⑥
福田　薫	東京都江東区立第三大島小学校主任教諭	●漢字を正しく使おう
佐久山　有美	お茶の水女子大学附属小学校教諭	●秋の楽しみ　●冬の楽しみ
村越　慎哉	神奈川県横須賀市立公郷小学校教諭	●クラスみんなで決めるには
松村　優子	東京都荒川区立赤土小学校主任教諭	●慣用句
栗栖　衣里奈	埼玉県さいたま市立大谷場小学校教諭	●短歌・俳句に親しもう（二）
武井　二郎	東京都荒川区立瑞光小学校主任教諭	●友情のかべ新聞
清水　絵里	東京都中野区立令和小学校主任教諭	●もしものときにそなえよう
橋浦　龍彦	東京学芸大学附属小金井小学校教諭	●自分だけの詩集を作ろう　●言葉から連想を広げて
臂　美沙都	東京都足立区立千寿常東小学校主任教諭	●熟語の意味
佐藤　綾花	東京都渋谷区立富谷小学校指導教諭	●風船でうちゅうへ
堀口　史哲	立教女学院小学校教諭	●つながりに気をつけよう
望月　美香	東京都江東区立第三大島小学校主任教諭	●心が動いたことを言葉に
久保田　直人	東京都教職員研修センター統括指導主事	●調べて話そう、生活調査隊

『板書で見る全単元の授業のすべて 国語 小学校4年下〜令和6年版教科書対応〜』付録資料について

本書の付録資料は、東洋館出版社オンラインショップ内にある「付録コンテンツページ」からダウンロードすることができます。

【付録コンテンツページ】

URL https://toyokan-publishing.jp/download/

対象書籍の「付録コンテンツ」ボタンをクリック。表示される入力フォームに下記記載のユーザー名、パスワードを入力してください。

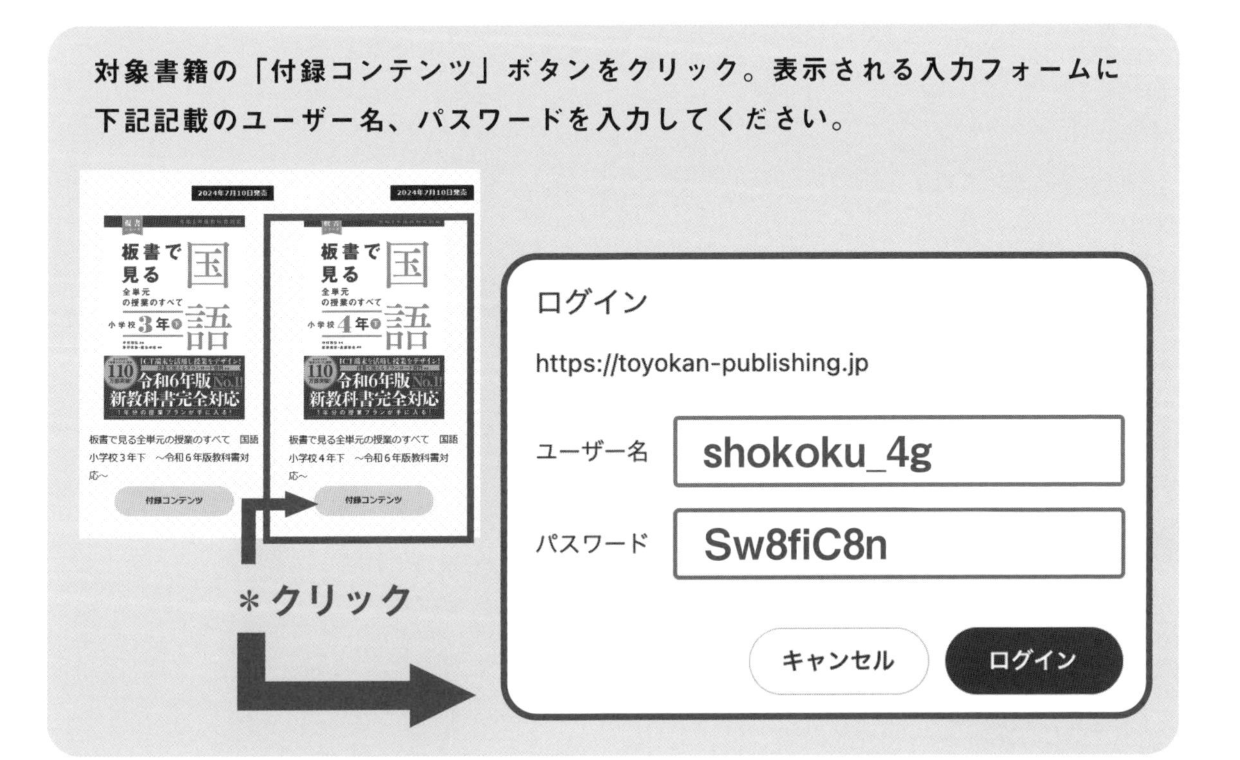

【使用上の注意点および著作権について】

・リンク先にはパソコンからアクセスしてください。スマートフォンではファイルが開けないおそれがあります。
・PDFファイルを開くためには、Adobe Readerなどのビューアーがインストールされている必要があります。
・収録されているファイルは、著作権法によって守られています。
・著作権法での例外規定を除き、無断で複製することは法律で禁じられています。
・収録されているファイルは、営利目的であるか否かにかかわらず、第三者への譲渡、貸与、販売、頒布、インターネット上での公開等を禁じます。
・ただし、購入者が学校での授業において、必要枚数を生徒に配付する場合は、この限りではありません。ご使用の際、クレジットの表示や個別の使用許諾申請、使用料のお支払い等の必要はありません。

【免責事項・お問い合わせについて】

・ファイル使用で生じた損害、障害、被害、その他いかなる事態についても弊社は一切の責任を負いかねます。
・お問い合わせは、次のメールアドレスでのみ受け付けます。tyk@toyokan.co.jp
・パソコンやアプリケーションソフトの操作方法については、各製造元にお問い合わせください。

板書で見る全単元の授業のすべて
国語 小学校４年下
〜令和６年版教科書対応〜

2024(令和６)年８月20日　初版第１刷発行

監 修 者：中村　和弘
編 著 者：成家　雅史・廣瀬　修也
発 行 者：錦織　圭之介
発 行 所：株式会社東洋館出版社
〒101-0054　東京都千代田区神田錦町２丁目９番１号
コンフォール安田ビル２階
代　表 TEL：03-6778-4343　FAX：03-5281-8091
営業部 TEL：03-6778-7278　FAX：03-5281-8092
振　替　00180-7-96823
U R L　https://www.toyokan.co.jp

印刷・製本：藤原印刷株式会社

装丁デザイン：小口翔平＋村上佑佳（tobufune）
本文デザイン：藤原印刷株式会社
イラスト：すずき匠（株式会社オセロ）
画像提供：PIXTA（ポン／illustdrops／Pakete）

ISBN978-4-491-05403-2　Printed in Japan